珍藏本
纪念版

汉译世界学术名著丛书

福利经济学

上卷

〔英〕阿瑟·塞西尔·庇古 著

朱泱 张胜纪 吴良健 译

商务印书馆
SINCE 1897 The Commercial Press

2017年·北京

Arthur Cecil Pigou

THE ECONOMICS OF WELFARE

Macmillan and Co.，Ltd

本书中文简体字本根据麦克米伦公司1932年版译出

汉译世界学术名著丛书
（120年纪念版·珍藏本）
出 版 说 明

2017年2月11日，商务印书馆迎来120岁的生日。120年前，商务印书馆前贤怀揣文化救国的理想，抱持“昌明教育，开启民智”的使命，立足本土，放眼寰宇，以出版为津梁，沟通中西，为中国、为世界提供最富智慧的思想文化成果。无论世事白云苍狗，潮流左右激荡，甚至战火硝烟弥漫，始终践行学术报国之志，无改初心。

迻译世界各国学术名著，即其一端。早在20世纪初年便出版《原富》《天演论》等影响至今的代表性著作，1950年代后更致力于外国哲学和社会科学经典的译介，及至1980年代，辑为“汉译世界学术名著丛书”，汇涓为流，蔚为大观。丛书自1981年开始出版，历时三十余年，迄今已推出七百种，是我国现代出版史上规模最大、最为重要的学术翻译工程。

丛书所选之书，立场观点不囿于一派，学科领域不限于一门，皆为文明开启以来，各时代、各国家、各民族的思想与文化精粹，代表着人类已经到达过的精神境界。丛书系统译介世界学术经典，引领时代思想，为本土原创学术的发展提供丰富的文化滋养，为推动中国现代学术和现代化进程做出了突出的贡献。

为纪念商务印书馆成立120周年，我们整体推出“汉译世界学术名著丛书”120年纪念版的珍藏本，寄望既利于文化积累，又便于研读查考，同时向长期支持丛书出版的译者、编者和读者致以敬意。

两甲子后的今天，商务印书馆又站在了一个新的历史时间节点上。我们不仅要铭记先辈的身影和足迹，更须让我们的步伐充满新的时代精神。这是商务人代代相传的事业，更是与国家和民族的命运始终紧密相连的事业。我们责无旁贷，必须做好我们这代人的传承与创造，让我们的努力和成果不仅凝聚成民族文化的记忆，还能成为后来人可以接续的事业。唯此，才能不负前贤，无愧来者。

商务印书馆编辑部

2017年10月

分 解 目 录

上　卷

较多财富所引起的在需求和偏好方面所发生的变化外，这一命题也不能成立。 第 3 节 而且，在思考这些问题时，其理由被进一步削弱。 第 4 节 各国之间相互移民这一事实使问题更趋复杂化。 第 5 节 而且，收入的转移产生了更多的困难。

第 1 节 从第 7 和第 8 章中所得出的结论，现在必须根据现代生物学的知识加以检查。 第 2 节 那种知识认为这种看法是有道理的：一般福利和经济福利一样可以通过限制低劣者的繁殖而增加。这种看法对我的结论是一种补充，并不妨碍我的结论。 第 3 节 人们有时认为，现代生物学通过表明同环境相比遗传所起的决定性作用已经证明了，主要是对环境感兴趣的经济研究是不重要的。我提出了一些反对这一观点的理由。 第 4～6 节 人们有时会进一步认为，第 7 和第 8 章中所声称的：(1)国民所得的量的增加，以及(2)国民所得的分配的改进所产生的经济福利的利益，由于间接的生物作用而丧失，我提出了一些反对这些观点的理由。

第二编 国民所得的数量和资源在不同用途间的分配

第 1～2 节 本编的一般性问题是要确定，在现行的法律制度下，自利原则的自由运用能够在多大程度上以对生产较大的国民所得最为有利的形式促进国家资源的分配，以及国家

能仅以统计数字对产业的公营和产业的股份经营的经济效率进行合理的比较。　第6～9节　产业的公营可以采取多种不同的形式，而且，从技术效率的观点看，产业的公营不一定必定低于私营——特别是不一定低于受控制的私营。　第10节　不过，首先，公营存在着这样一种危险：经营机构可能想以牺牲能以更低廉的价格满足相同需求的竞争企业为代价，使用不公平的商业以外的方法，维持自己企业的生存。第11节　其次，在公营条件下，由于不愿冒风险和进行试验，效率很可能受到损害。　第12～13节　第三，由于建立了非经济规模的管理单位，效率很有可能受到损害；虽然在正常状态为垄断性竞争的产业中，公营在这方面要优于股份经营。第14节　就整体而言，除少数特殊例外，仅在垄断产业中，公营的建议是一个人们关心的问题；在此，对其赞成，如同对公共控制反对一样，不同的产业情况也不尽相同。　第15节　当决定对目前的私人企业进行公营时，决定适当的购买价格仍很棘手。　第16节　但即使必须向既得利益者支付巨额赎金，政府当局为了制止对产量的人为限制，买断私人垄断对公众而言仍有好处。

第三版序言(1928 年)

在准备本次的修订第 3 版时,我已改正了若干不重要的错误,并希望,在分析与阐述方面能有所改进。我也试图尽可能地引证最新的事实和法律。本书在结构上作了如下主要变动。删去了以前第 4 编第 8 章的一部分,以及题目为“对意外收入的征税”的附录,因为那里讨论的问题现已在《公共财政学研究》一书中阐述。以下各章是新增加的,它们是:第 1 编第 4 章,第 2 编第 8 章,第 3 编第 16 章,以及第 4 编第 7 章。第 2 编第 11 章用一个新标题替代了以前的第 10 章,并全部重写。讨论附录 3 的同一主题的前五节,也是新写的。在这五节中,我还全文收录了刊载于 1928 年 6 月《经济杂志》上的一篇题为“供给的分析”的文章;在新增的第 4 编第 8 章中,我还使用了刊载于 1927 年 9 月该杂志上的一篇题为“工资政策与失业”的文章的一部分。

已在详细目录中仔细介绍的本书的结构如下:第 1 编说明,在许多限定性条件下,特定规模的社会的经济福利很可能愈大,(1)国民所得的数量愈大,(2)穷人所增加的国民所得的绝对份额愈大。第 2 编研究影响国民所得数量的某些一般性的主要因素,第 3 编研究特别与劳动力有关的一些因素。第 4 编提出这样一个问题:在什么情况下,通过同时减少整个国民所得的数量,使穷人所得到的国民所得绝对份额的增加成为可能；还要讨论这种情况出现时，其与经济福利不相协调的关系。在第1版中分别讨论国民所得变化以及公共财政的两部分，都已在第2版和本版中删去，其主要内容现已在本书的“产业波动”和“公共财政学”两部分中，进行了更为详尽的阐述。为了尽可能地减少阐述中的困难，我尽量避免使用专业术语，并把特别抽象的讨论移到附录中去，其主要论点概括在详细目录中。但不能据此就认为本书在理解上就没有多大困难。毫无疑问，理解方面的困难，部分是由于阐述存在着缺陷，但也是由于所研究问题的性质所致。有时人们认为，对经济问题可以不进行特别的准备而加以判定。自知对物理学和化学一无所知的“普通人”也仍然知道，他必须对经济学有个初步的认识。实际上，经济学是一门极为难于学习的学科，不可能为便于理解而随意加以改动。

出版这样一本涉猎如此广泛的著作，我不得不面对一个困难，这个困难多少有点特别。国内外法律及其他方面的变化是如此频繁和迅速，以致我现在提到的一些法律条款和普遍存在的情况，当本书到达读者手中时，已成明日黄花了。但我并不因此而认为，在这个持续不断变化的世界上不能使用最新的资料的问题有多么的严重。因为我所使用的事例，不是为例子本身而提出的。我使用这些例子，在于帮助阐明一些基本原理，此种目的用一两年前的事实或现在仍存在的事实也可以达到。

我还要对刚刚开始从事经济研究的学生讲几句话，用于他们即将遇到这里所列举的困难，可能正为这种研究要求他付出艰苦的努力而感到沮丧。经济学家努力进行的复杂分析并不仅仅是一种技巧。它们是改善人类生活的工具。围绕在我们周围的贫穷、痛苦和污秽，一些富有家庭的能招致损害的奢侈，笼罩在许多贫苦家庭头上的可怕的不确定性——这些都是非常的、不容忽视的罪恶。运用经济科学所探求的知识，我们有可能对这些罪恶加以控制。它是黑暗中出现的光明！我们的任务是寻找到这些知识，寻找到这些知识则可能是"沉闷的政治经济学"犒赏给不畏磨炼的人们的奖赏。

阿瑟·塞西尔·庇古

国王学院，剑桥

1928年11月

第四版说明(1932 年)

本版在以下章节作了一些变动,它们是:第 1 编的第 4 章和第 6 章的第 12～13 节;第 2 编第 11 章的第 2 节以及第 15 章;第 3 编第 9 章的第 2～3 节,以及第 14 章的第 1 节。

第一编

福利与国民所得

第1章　福利和经济福利

第1节

当人们开始从事任何一项探索时，其目的不外乎是知识或成果——不是为了知识而获得知识，就是为了知识所能带来的美好事物而获得知识。这两种目标在不同的研究领域，有着不同的重要性。在吸引我们兴趣的、几乎所有的现代伟大科学之中，一些人既想获得知识，又想得到成果，但这种混合的比例，在不同的学科间是不同的。天平的一边是所有科学中最为普通的科学，形而上学——实在的科学。从事这种工作的学者，确实可能早晚会给未来的期待者带来某种有价值的事物；但他所带来的必定只是知识而已，绝不可能是成果。与形而上学的研究最为相近的是从事物理学终极问题研究的学者。到目前为止，物质的基本粒子理论仅仅为人们带来知识。但目前这门科学在其他方面还是大有前途的；因为，对原子结构的研究，终有一天会导致人们发现引发物质分裂的实用方法，并向人类提供取之不尽、用之不竭的核能源。而在生物科学中，给人们带来成果的一面较为突出。近年来有关遗传的研究，无疑已引起人们极大的理论上的兴趣；但人们在想到这一问题时，没有一个人不同时想到对遗传的研究所导致的在小麦育种工作中所取得的惊人进展，也没有一个人不同时想到它们为改善人类本身而开始提供的深远的、目前还很难充分说明的可能性。在以单个人为研究对象的科学中，同在纯自然科学中一样，同样存在着不同程度的混合。在心理学研究中，理论兴趣是主要的——特别是在它为形而上学的研究提供材料的那一方面；但心理学作为实用教育学的基础，又在某种程度上受到重视。另一方面，在人类生理学研究中，虽然存在着理论兴趣，但却是次要的，这门学科很久以来主要是作为医学的基础而受到重视。最后，我们要谈及是那些同单个人无关而同人的群体有关的学科，即被某些学者称之为社会科学的处于初创时期的科学。在许多人看来，对历史发展规律的研究，甚至对某些特殊事件的研究，由于其本身的原因具有很高的价值。但我认为，人们普遍会同意，在有关人类社会的科学中，这些科学作为知识载体其吸引力并没有那么大，值得我们关心的是获得成果的可能性而不是知识本身。在麦考利的历史论文中有这样一段著名的、或许有些过分的话："历史上的任何事件，其本身并没有什么重要性。对这些历史事件的了解之所以重要，仅在于它能使我们对未来形成正确判断。对与达到此目的没有什么帮助的历史事件，即使充满了战争、条约和暴动，也和马修·迈特爵士收集的公路通行费单据一样无用"。这种悖论，还是有部分道理的。对人们社会活动的研究，如果不符合这种愿望，即对社会进步必然直接或立即发挥作用，而只是在某个时间、以某种方式发挥作用的话，那么，大多数的研究者就会认为他们为此而投入的时间是一种浪费。这对所有的社会科学学科来说都是正确的，对经济学来说，尤其正确。因为经济学"研究的是日常经济活动中的人"，而不是在日常经济活动中，才能最引发人的兴趣或灵感。如果人们要想了解人而不是知识成果，那么，他们就应该从宗教史、殉道史或爱情史中去寻找这些东西;而不用在市场中寻找。当我们决定观察人们日常活动的动机时——这些动机有时是卑鄙和阴暗的,有时则不那么光彩——我们的动机不是哲学家的动机,即为知识本身去掌握知识,而是生理学家的动机,即为寻找有助于治愈疾病的知识。卡莱尔曾经说过,好奇是哲学的起点。不是好奇,而是对陋巷的厌恶以及对衰弱生命哀愁的社会热情,才是经济科学的起点。孔德经常说的这段话,在这里,而不是在其他领域,依然有用:"用心灵去提出问题;用智力去解决它们……适合智力的惟一位置,是作社会同情心的奴仆"。

第 2 节

如果有关经济研究的动机的这一概念能被接受的话,那么,经济学家所要着力发展的科学形态,则必然是适合于形成一门技艺的基础的形态。当然,它本身并不是一门技艺,或是政府的规定的直接阐述。它是一门实证科学,研究"是什么"以及"很可能是什么",而不是研究"应该是什么"的规范性的科学。它也不把自己局限于显然与当前的实际问题紧密相联的实证科学的研究领域。这种做法会阻碍周密细致的调查研究,并排斥最终会产生结果的探究。因为,正如我们已很好地阐述过的,"在我们以纯理论状态思考时,我们可能最接近于最实际的应用"。[①] 不过,虽然与其战术和战略完全无关,但在一般方向上它还是要受实际利益的驱动。这将对其基本形式的选择起决定性作用。因为存在着两种主要的

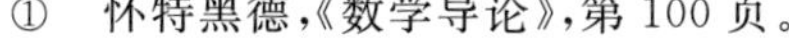

① 怀特黑德,《数学导论》,第 100 页。

实证科学形态。一种是形式逻辑和纯数学科学，其作用是发现“**蕴涵**”。另一种是实际科学，如物理学、化学以及生物学，它们关心的是现实性。这一区别是罗素在其《数学原理》中提出来的。“自从非欧几何出现以后，似乎纯数学不再关心欧几里得几何的公理和命题与实际空间是否一致的问题：这是实用数学的问题，如果任何决定都是可能的，必须由实验和观察所决定。纯数学所要证明的仅仅是，欧几里得命题是由欧几里得公理引申出来的，即证明一种‘蕴涵’关系：任何空间如有这样或那样的性质，则必有这样或那样的其他性质。因此，在纯数学中，欧几里得几何与非欧几里得几何同样正确：在每一个体系中，除蕴涵关系外，并未肯定什么。关于什么是实际存在的所有命题，如我们所生活于其中的空间，属于实验科学或经验科学，而不属于数学。”[①]这种区别对经济研究领域也适用。我们可以概括我们的意愿构建经济学，或者像纯数学所代表的纯理论形式，或者像实验物理学所代表的实用形式。在这种意义上，纯经济学——毫无疑问，这种意义是不常见的——将研究由任一一组动机 x 的刺激在不同人群中所造成的均衡和均衡的破坏。据此，纯经济学可以划分成无数的细类，亚当·斯密的政治经济学和非亚当·斯密的政治经济学也能包括在内。在亚当·斯密的政治经济学中，x 是赋予经济人——或普通人——的动机值；在非亚当·斯密政治经济学中（它类似于几何学中的罗巴切夫斯基几何学），包括了对工作的热爱以及对获取的憎恶。对经济学来

① 参见《数学原理》，第5页。在这一节中，我已用“实用”一词替换了罗素先生的“应用”一词。

说，这两种政治经济学同样都正确；但它与研究在现实世界中生活的实际人群中 x 究竟为何物无关。与纯经济学相对的是实用经济学，其兴趣旨在研究由经验所感知的世界，而不涉及天使社会中的商业行为。既然我们的目的在于实用，那么显然，如此扩展的政治经济学对于我们而言，不过是一件有趣的玩意儿而已。因此，只有实用经济学而不是纯经济学才是我们研究的目标。我们所努力阐明的，不是可能世界的一般性体系，而是由有经验的男人和女人构成的实际世界的一般性体系。

第 3 节

但是，如果纯理论形式的科学显然不适合我们的目的的话，那么，仅对观察到的事实作描述性记载的实用主义，显然同样也不适合我们的目的。漫无边际的叙述本身绝不会成为预测，当然，实际需要的是作出预测的能力。在获得这种能力之前，事实必须通过理性的检验。除了不具理性的事实之外，还必须要有布朗宁所说的“我自己的一点儿东西，把它同原料相混合，使它经得起锤炼和推敲”。正是这**一点儿东西**，才使它同单纯的记载有所不同，而且对实用科学来说，它也是至关重要的。在实用科学中，事实并不是被简单地搜集到一起；必须通过思想加以**说明**。正如 M. 庞加莱所说，“正如房子是由石头建造的一样，科学建立在事实之上，但事实的堆积不是科学，就如同一堆石头不是房子一样”。[①] 天文物理学也不仅仅是在不同的时候发现了一些星星，并简单地记录下它

① 参见《科学与假设》，第 141 页。

们在天空中的位置而已。生物学也不仅仅就是记录下动植物培育和试验的多次结果。相反，任何一门科学，都是通过对能够加以确定的特殊事实的考察和反复考查，努力发现其活动的一般性规律，而这些特殊事实正是这些规律的表现。牛顿发现的规律阐明了天体的运动，门德尔发现的规律说明了蓝色安德鲁斯种鸡（the blue Andalusian fowl）的繁育。而且，这些规律也不仅仅是对所观察事实的简短重述。它们是**概括和归纳**，再经过这种概括和归纳之后，将我们的知识扩展到尚未观察的事实上，甚至扩展到到目前为止尚未发生的事实上。至于这种概括和归纳所依据的哲学原理是什么，我们在此不想予以探究，我们只要知道，这种方法**适用**于任何一门实用科学就足够了。恰如惠桑先生在谈及物理学时所说的，任何一门实用科学都在"设法发现一般性规律，这些规律可以描述**各种**情况下各种现象之间的联系"。[①] 只有参照这些一般规律，才有可能作出实践所需要的预测。实用科学只是在其作为研究原则这最基本的方面，而不是其作为对事实的描述这表面性的方面，才对事物的处理发生影响。确定这样一种研究原则，这种原则对特定的问题是适用的、并准备将它应用于特定的问题，这才是实用科学所要达到的目的。

第 4 节

不过，如果对这个问题的讨论到此为止而不加以进一步的说明的话，很可能会给人们造成误解。经济学在目前这个发展阶段，

① 参见《物理学的新发展》，第 30 页。黑体字是我加的。

还不能够声称，它可以提供一种研究原则甚至从远处接近它为自己确定的理想。借用马歇尔的话来说就是，要为实践提供充分的指导，不仅需要进行**质**的分析的能力，更需要进行**量**的分析的能力。"质的分析告诉冶铁人，铁矿中**含有**硫磺，但质的分析使他难以决定，他究竟是否值得花时间把矿石熔化，如果需要熔化，应该用什么方法去熔化。为了达到那一目的，他需要进行量的分析，这种分析会告诉他铁矿中含有**多少**硫磺。"[①]经济学在当前几乎还完全不具备提供这种信息的能力。在把一般规律应用于特定问题而得到量的结果之前，必须对这些规律本身作量的叙述。一般性规律是大前提，而任何问题的特定事实只是小前提。当对一般规律的叙述尚缺少精确性时，一般而言，其结论也必然会有同样的缺陷；不幸的是，以精确的形式构筑经济规律的任务才刚刚开始。之所以这样，有以下三个原因。首先，必须加以确定的关系非常之多。物理学中最重要的因素——表示距离和引力之间关系的万有引力常数，对所有物质来说都是不变的。但经济世界中的主要因素——表示一群人对不同商品和服务的喜好和厌恶的函数——却不这么简单和一致。我们所处的情况与物理学家所遇到的情况一样，如果锡对铁的引力与其距离的立方成反比，对铅的引力与其距离的平方成反比，而对铜的引力又是某种其他的比例。我们不能像物理学家解释引力一样，说明对每一个别商品的供给量或需求量是价格的一个和同一特定函数。在一般情况下，我们所能说的只是，它是一大族特定价格函数中的**一个**。因此，经济学和力学一

① 参见马歇尔，《老一代经济学家和新一代经济学家》，第 11 页。

样，没有一个可以普遍应用的基本规律，而是存在着许多规律，所有规律都用同一形式的方程式来表达，但有不同的常数。由于这种多样性，因此，对这些常数的确定，或推而广之，对经济学所感兴趣的各种商品的供求弹性的度量，是一项非常庞大的任务。其次，在着手解决这一任务时，其他科学领域的研究所使用的主要武器在此不能被充分利用。莱昂纳多·达芬奇说过，"理论是将军，实验是士兵"。经济学已经有了受过良好训练的将军，但由于其所研究的对象的性质，战士则很难得到。"外科医生在对活体施行手术之前，先行解剖尸体，在给人动手术之前，先在动物身上做试验性手术；机械工程师在建造原尺寸的机器之前，先要制作一个工作模型，并对这个模型进行测试。任何时候，只要有可能，在进行冒险之前，这些事情中的每一步都要经由实验检验。未知事物就是以这样的方式去掉其大部分的神秘和可怕之处。"[①]在经济学中，由于其研究的主要对象是活生生的自由人，因此，在充分受控条件下进行直接实验，几乎永远是不可能的。然而，还存在第三个甚至更为严峻的困难：即使经济学家希望确定的常数的数量不是很多，并且实验方法也较为可行，我们仍然不得不面对这样一个事实，常量本身随时间不同而不同。引力常数永远不变。但经济常数——供给和需求弹性——如它们所表现得那样，却很可能根据人们的观念而变化。在环境的影响下，不仅原子的位置会发生改变，其结构亦会改变。因此，早期英国对爱尔兰的统治所造成的真正损害，不是对其特定产业的摧毁，甚或其海上贸易的没落。"真正的损害在

① 休·塞西尔勋爵，《保守主义》，第 18 页。

于这样一个事实，我们产业的某种根本特性已丧失了，它不仅仅是取消了限制就可以修复的。树不仅被剥了皮，而且根也被毁了。"[①]经济研究所涉及的实际内容的这种可变性意味着，所寻求目标本身就是永恒变化着的，因此，即使我们可由实验精确地确定今天的经济常量的值，我们也不敢有把握地说，这种确定在明天也能成立。因此，这是我们这一学科的一个难以避免的缺点。当然，通过对所有相关事物的仔细研究，我们可以对许多事物的供求弹性有所了解，但我们却难以精确地确定其大小。换句话说，我们的基本规律，以及这些规律在特殊情况下所得出的一些推论，还不能以精确的量的形式表达。其结果是，正如我们经常见到的，一个实际问题必须从各个角度加以考虑，即使完全从经济学角度进行考虑，经济学也几乎常常不能提供肯定的答复。

第 5 节

上一节话说得似乎有点离题。现在则要进一步说明，正如我们研究的动机和目的决定其形式一样，它们也控制着其范围。追求的目的是找到更加简便易行的方法去促进福利——政治家的工作建立在经济学家的工作之上的那种可行的方法，如同马尔科尼的发明是建立在赫兹的发明之上一样。[②] 但福利所包括的范围极为广泛。在此，我们无意就其内容展开讨论。只需多少有点武断

---

① 普伦基特，《新世纪的爱尔兰》，第 19 页。

② 吉列尔莫·马尔科尼是意大利物理学家，实用无线电系统的发明人，1909 年获诺贝尔物理学奖；H. R. 赫兹，德国物理学家，是第一个播出并接收了无线电波的人。马尔科尼的发明深受赫兹发明的启发。——译者

地提出两个命题就足够了。其一，福利的性质是一种意识状态，或许是意识状态之间的联系；其二，福利可以在或大或小的范畴内产生。对可能影响福利的所有原因进行广泛的探究，是一项艰巨而复杂的任务，实际上很难实行。因此，有必要对我们的主题进行一些限制。这样做，我们将自然被吸引到科学方法能最有效发挥作用的领域。当眼下的事物是可测度的，并且可充分利用分析方法时，这点显然能够做到。在社会生活中，一种明显的可资利用的测度工具就是货币。因此，我们的研究范围被限制在能够直接或间接与货币这一测量尺度有关的那部分社会福利。这部分福利可以被称为经济福利。当然，不可能在任何严格的意义上，把它同福利的其他部分分隔开，因为"**能**"与货币尺度建立联系的部分也是各不相同的，它全靠我们对"**能**"的理解而定，是"很容易的能"，还是"有一定困难的能"，还是"非常困难的能"。因此，我们疆界的轮廓必然是模糊的。坎南教授曾经非常明确地指出，"我们必须面对、并且是勇敢地面对这样一个事实，在经济满足和非经济满足之间并不存在一条明确的界限，所以经济学的领域不像政治疆界或地产一样，用一排界桩或篱笆标出。我们可以从显然是经济学的一端走向显然是非经济学的另一端，而没有发现要在什么地方攀过篱笆或越过沟壕"。[①] 不过，在经济福利和非经济福利之间虽不存在什么明确的界限，但对货币尺度的可使用性的测试，却使我们对此能有一个粗略的区分。正如通过这一测试所大致确定的，经济福利是经济科学的主要内容。本书的目的即是研究在实际现代社

① 《财富》，第 17～18 页。

会中，对经济福利发生影响的某些重要原因。

第 6 节

如果这一计划乍看起来似乎显得有点狂妄的话，但无论如何都是合理的。不过，人们只要加以深思就会发现，仅仅是建议孤立地探讨影响一部分福利的原因，就极易招致严重的反对。当然，我们最终的兴趣在于，我们所研究的各种原因对整个福利所产生的影响。但没有人能保证，对能与货币的测量尺度建立联系的那部分福利产生的影响，不能被福利的其他部分或方面所产生的那种相反的影响所抵消；而且，如果发生这种情况，我们结论的实用性将会被破坏殆尽。必须仔细加以注意的这一困难，并不是因为经济福利只是总福利的一部分，总福利经常发生变化，而经济福利保持不变，以致很少发生经济福利的特定变化与总福利的同等变化同时发生的情况。所有这一切意味着，经济福利不能作为总福利的**晴雨表**或**指数**。但对我们的目的来说，这没有什么重要性。我们所要研究的，并不是福利有多大，或曾经有多大，而是其大小由于某些原因的加入如何受到影响，这些原因正是由于政治家的力量和私人的力量引发的。我们不能因经济福利不能**作为**总福利的**指数**而据此证明，对经济福利的研究不能为总福利提供信息：因为虽然整体是由于许多不同部分组成的，因此，绝不可能由任何一个部分的变化来**测度**整体的变化，但这一部分的变化却总是可以通过自身对整体的变化**产生影响**。如果这一条件得到了满足，那么，研究经济福利的实际重要性便被完全确立了。当然，它不能告诉我们，在引入经济原因以后，总福利与以前有何不同；但它会告诉

我们，如果那一原因未被引入，总福利会与以前有什么不同：正是这一点，而不是其他什么东西，才是我们所要探求的信息。因此，真正的异议所在，并不是经济福利是总福利的不良**指数**，而在于经济原因可能对非经济福利产生影响，从而抵消它对经济福利的影响。对这种异议需要加以认真的考虑。

第 7 节

下面是它的一个非常重要的方面。人类本身既是目的，也是生产工具。一方面，人被自然美或艺术美所熏陶，其品格单纯而诚实，其激情受到控制，其同情心得到发展，其本身即是现实世界伦理价值的一个重要因素；其感觉的方式和思想的方式实际上构成了福利的一部分。另一方面，人能从事复杂的工业活动，仔细探究困难的证据，或进行某一学科的实践活动，因而是很适于生产物品的工具，其使用产生福利。这些人中的前者所直接提供的福利是非经济的；而这些人中的后者间接提供的福利则是经济的。我们所不得不面对的事实是，在这两类人中间进行选择是社会的自由，而把其努力集中在第二类人所体现的经济福利上，可能不自觉地牺牲了第一类人所体现的非经济福利。我们毫不费力就可以对此加以说明。一个世纪以前，衰弱和四分五裂的德国是歌德、席勒、康德和费希特的故乡。道森在第一次世界大战之前几年出版的一本书中写道："我们知道古老的德国对世界的贡献，对那种贡献，世界将永怀感激之情；但我们不知道谷仓充盈、商船满载的现代德国，除了其物质科学和商品外，还能向世界贡献什么……德国的教育制度，在其目的是培养学者、教授，或官员和公务员，去为复杂的

国家机器发动引擎，上紧螺丝，拉动滑轮，润滑轮轴的意义上说，是无与伦比的，但在塑造人格和个性上，却距同样的成功甚远”。[①]总之，德国人的注意力是集中在学习**做**他们不关心的事的观念上，而不是像以前那样，学习**做人**。发生这种变化的不仅是德国人；一位英国人从东方人的旁观者的立场出发对现代英国人的描述，亦可作为证据：“通过你们的行为，便可以对你们有所了解。你们在机械技术方面的成就恰好反映出你们在所需要的精神悟性方面的失败。你们可以制造出各种机器，并使之尽善尽美；但你们却不能建造一幢房屋，或写一首诗，或画一幅画；你们更缺少追求与崇敬……你们内心与外形皆已僵固，你们既盲且聋。推理取代了感知；你们的整个生活就是对各种假设的没完没了的演绎推理，对这些假设你们既没有认真审查过，对其结论你们又未曾料想到或未曾想得到。到处都是手段，却没有一个目的。社会就是一个巨大的发动机，而那个发动机本身又出了毛病。这就是你们的文明呈现给我想象中的情况”。[②] 当然，这个指摘不免有些夸大，但也有其道理。不管怎样，它生动地提出了一个正在这里引起争论的观点，即致力于造就人民使其成为良好工具的努力，可能在使人民成为良好的人方面引起失败。

第 8 节

这些考虑所强调的在经济因素对经济福利的影响和其对一般福利的影响之间存在冲突的可能性，是易于解释的。一般而言，在

① 《现代德国的演进》，第 15～16 页。

② 迪金森，《中国人约翰书信集》，第 25～26 页。

人类的意识生活中能与货币尺度建立联系、从而属于经济福利范畴之内的惟一方面，是某种有限的**满足**和**不满足**。但人类的意识生活是由多种因素构成的复合体，它不仅包括这些满足和不满足，还包括其他的满足和不满足，以及认知、情感和欲望。因此，凡是能以本身的影响改变经济满足的环境因素，可能或以同样的行为，或以其行为的结果，改变这些其他因素中的某些因素。为便于说明起见，我们将发生作用的方式分为两种主要类型。

首先，非经济福利很容易受到获取收入方式的影响。因为工作环境对生活质量产生影响。道德质量受职业的影响——仆人的服务、农业劳动、艺术创造、独立的以及与之相对的附属的经济地位、[①]对同一操作的单调重复等，[②]——消费者的欲望驱使人们去工作以满足它们。这些人会对和他们有着个人交往的其他人产生影响，这种情况也对道德质量产生影响。在南非的德兰士瓦省中国劳工的社会地位，以及澳大利亚牧场主维持徒刑制度的努力，作为劳动供给一个来源，[③]都与福利有关。成为农村家庭特征而与

---

① 因此，注意到以下情况是十分重要的：由于机器变得越来越精密，从而价格越来越昂贵，因而使得工业和农业中的小人物开始他们自己的独立事业更加困难。参见奎因坦斯，《农业机械》，第58页。

② 斯特伯格写道："单调的感觉很少是源于特定的工作，而是源于个人的特定的个性"（《心理学与工业效率》，第198页）。但当然，单调所引起的**道德影响**必须与由它本身所造成的不快相区别。马歇尔强调，生活的单调是重要的事实，他认为，当机器取代了耗费精力的劳动时，生活的多样化与职业的单调是相一致的，因为"人的精力并未被工厂的一般性劳动所完全耗尽"（《经济学原理》，第263页）。显然，这在很大程度上要取决于工作日的长短而定。斯马特认为，"大多数人的工作不仅辛苦、单调、无趣味，而且占去了一天的较好时光，因而人们很少有精力再从事其他的爱好"。（《一个经济学家的反思》，第107页）

③ 参见V.S.克拉克，《澳大利亚的劳工运动》，第32页。

在城市居住的家庭有所区别的兴趣与职业的统一，也与福利有关。[①] 在印度农村，“家庭成员的合作，不仅节省了支出，而且使劳动更加愉快。对工匠而言，在亲朋好友中工作，也使得培养与提高变得更容易”。[②] 因此，当工业革命把村民从其住所引向工厂时，也对生产以外的其他事物产生了影响。同样，产量上效率的增加，也不是农业革命以其圈地运动和大规模种植所带来的惟一结果。在古老的自耕农阶级被摧毁的同时，社会也发生了一些变化。由工业联系所产生的人与人之间的联系也是有关联的。例如，在伟大的合作运动中，非经济的那方面至少与经济方面一样重要。然而，在通常的竞争性的产业组织中，在竞争性的销售者之间以及在销售者和购买者之间，利益的相反必然表现得十分明显，因而时常导致欺诈和相互间的猜忌；但在合作组织中，利益的一致是最为重要的。这种情况会对日常的生活情调产生影响。“作为社会的一个成员，当他和其他人有着共同的利益时，这个个人会自觉和不自觉地养成一种高尚的社会道德。诚实变得极为重要，并由整个群体强加于个人之上，忠于整个群体对于个人权力的更好发展是必需的。欺骗社会就是伤害邻居。”[③]一般产业中，雇主与工人之间

① 参见《美国经济学会论文集》，第 10 卷，第 234～235 页。

② 参见慕克吉，《印度经济学基础》，第 36 页。

③ 史密斯—戈登和斯特普尔斯，《爱尔兰农村的重建》，第 240 页。参见沃尔夫根据雷费森计划所描述的有关农村合作的一般社会利益的热情画面：“它是如何创造了欲望并乐于接受和吸收技术性的和一般性的指导，它是如何帮助提高了由它所团结的人的素质，造成了平和的、绝对诚实的、良好的家庭生活和良好的一般性的生活。”他说，“在比较有教养的德国农民、不识字的意大利乡村人民及塞尔维亚的原始耕种者之间，已看得出产生出了这样的影响，而在印度的农民之中，已开始显现同样的影响”（《农业的未来》，第 481 页）。

的关系，非经济因素同样完全重要。集体精神及对企业财产的共同利益，在雇主及雇员的个人交往是热情诚挚这样的体制中，能够激励劳动者，它除了能够导致财富生产的增加外，其本身**就是**福利的增加。18 世纪和 19 世纪，当大规模的产业扩张时，雇主与雇员之间在社会地位方面的距离拉大了，其相互接触的机会也日渐减少。在这种不可避免的形式上的分离之后，紧接着是精神上的分离——“在雇主与其大量雇用的、为他而工作的同伴之间，产生了个人之间疏远的关系”。① 这种精神上的敌对状态是在非经济福利中由经济因素造成的明显的消极因素；通过协调委员会、惠特利协议会②和合伙人权益安排将其部分压制，同样是一个明显的积极因素。这还不是问题的全部。人们逐渐认识到，如果“劳动者的骚动”的一个根源在于对工资率的不满，那么，第二个具有同样重要性的骚动的根源，则是对工资劳动者的一般**社会地位**的不满——感觉到现代工业制度剥夺了工人作为自由人所应该有的自由和责任，而使他们仅仅成为在别人支配下被使用成摒弃的工具：总之，这种感觉，正如马志尼很早以前所提出过的，资本是劳动者的暴君。③ 工业组织的变化，往往使工人对他们自己的生活具有更大的控制力，不论这种变化是通过工人代表联席会联合雇主去监督纪律和工厂的组织，还是通过民主选举的议会，如果这种

① 参见吉尔曼，《劳动所得》，第 15 页。

② 惠特利协议会（Whitley Councils），亦称英国联合工业协议会。它由工人和管理人员代表组成。旨在促进建立更好的工业关系。该组织是根据调查委员会主席 J. H. 惠特利的提议建立的。——译者

③ 参见马志尼，《人的责任》，第 99 页。

方法被证明行不通，则通过某种形式的由国家承认并由国家控制的全国性的同业公会[①]直接负责国有化工业的经营，都可以增加总福利，虽然经济福利可能保持不变，或是实际上受到了损害。

其次，收入支出方式很可能会改变非经济福利。能够产生同样满足的不同的消费行为，一种消费行为可能产生使人堕落的影响，另一种消费行为则可能产生使人向上奋发的影响。[②] 公共博物馆，或者甚至市立公共浴室对人的品德所产生的反作用，[③]同具有相同满足的酒吧对人的品德所产生的反作用是大不相同的。由恶劣的居住环境所产生的粗俗的和残忍的影响是件小事，但由其引起的直接不满足却不是不重要。还可以举出很多同类的例子。它们所要说明的问题，显然在实际上具有很大的重要性。例如，我们假设，一位政治家正在考虑财富分配中的不平等对总福利，而不

① 参见贝克豪夫和雷凯特所著的《全国性的同业公会的意义》，以下各段散见于书中各处："劳动者对责任需求的本质在于，这将被承认为是对社会负责，而不是对资本家负责"（第 100 页）。全国性的同业公会的目标，"是由工人自治的同业公会控制生产，同国家共同控制工人劳动的产品"（第 285 页）。在这些基础上所制定各种工业重组方案遇到了严重的实际困难，方案的制定者似乎此前并未充分考虑到，但这并未减少对这一理想的精神的敬佩之情。

② 霍特里先生曾在这样的基础上对我的分析提出了批评：毫无疑问，它使同样的满足表现为数量相等的福利，因而事实上，满足是不同程度的善与恶（《经济问题》，第 184～185 页）。但我自己和霍特里先生没有实质性的分歧。我们都考虑到它们在性质上差异。是否可以更确切地说，对两种相同的满足来说，一种满足本身可能比另一种满足包含更多的善，或者说，作为满足本身，它们是同样的善，但对享受满足的人的品德的影响，在善上可能存在差异。这两种说法，哪一种更好，主要是一个字面上的问题。我已在本书中用"人的品德"（the quality of people）代替了我原来的"人的品质"（the character of people）。

③ 参见达尔文，《市镇商业》，第 25 页。

仅仅是经济福利的影响有多大。经过深思后他认识到，对富人的某些欲望的满足，如赌博所带来的刺激、奢侈的肉体的享受，甚至东方诸国的吸食鸦片，其对品德所产生的影响，在道德上要低于对基本生理需求的满足所产生的影响；由富人的需求所控制的资本和劳动，如果转移给穷人，很可能被用于获得对这种基本的生理需求的满足。另一方面，经过深思后他还将认识到，由富人所购买的其他满足——例如，与文学和艺术有关的那些满足[①]——所产生的影响，在道德上要高于同基本需求有关的满足，更高于由过度沉溺于刺激所获得的满足。这些在福利上非常实在的因素，当然会与货币的测度尺度有关，因此，只要一群人把其收入用于为其他人购买物品，就被计入经济福利。当他们这样做的时候，他们很可能不仅考虑到对那些人的满足所产生的影响——特别是，如果以上所说的那些人是他们自己的子女的话，——而且很可能考虑到总影响。因为，正如西奇威克所敏锐观察到的："对我们邻居的真切关心，当它不受习惯的暴君所阻碍时，将促使我们给予他我们认为对他是真正好的东西，而天然的自我关心，会促使我们给予我们自己最想要的东西"。[②] 因此，在这些特定情况下，对经济福利的影响和对总福利的影响之间的缺口，只是部分地得到弥合。不过，就一般而言，它并不是这样被弥合的。

① 因而，西奇威克在经过认真的讨论所注意到："因此，似乎存在着一种严重的危险，即现代文明社会中每一成员财富的完全平等，将导致阻碍社会文化发展的倾向"（《政治经济学原理》，第 523 页）。

② 《实用伦理学》，第 20 页。

第9节

还有一个问题需要进一步加以考虑，其重要性已为最近的事实所证实。这个问题与亚当·斯密很久以前所强调过的富裕与防卫之间的可能的冲突有关。对可能实施的敌人的攻击缺少安全感，可能涉及一种非常可怕的"不满足"。这些事情不在经济学范围之内，但其风险却很容易受到经济政策的影响。毫无疑问，在经济力量和战争能力之间确实存在着某种不准确的一致性。正如亚当·斯密所说：能够从其国内工业的每年产出中，从其土地、劳动及消费品存货的年收入中，保留一部分资力向远方国家购买消费品的国家，可以支持对外战争。[①] 但经济和军事力量之间的这种一致性，是根本性的和一般性的，而不是直接的和完全的。因此，必须清楚地认识到，一国对农业、航运业及生产战争物资的产业所采取的政策对经济福利的影响，常常是其整个影响中的一个非常次要的部分。由于国防战略而对经济福利所造成的损害，可能必须予以接受。从经济上讲，这个国家向国外购买其大部分食品，而用其制造品去交换，同时保留2/3以上的耕地去种草，可能是有利的——在这种情况下，国家可以使用相对较少的资本和劳动，生产相应的较少的人类食物。[②] 在一个能够维持长期和平的世界上，这种政策在整体上也可能是有利的；因为较少比例的人口从事农业生产，并不必然地意味着较少比例的人生活在农村条件

① 《国富论》，第333页。

② 参见《德国农业的最新发展》，1916年版，第42页及书中各处。

下。但当考虑到进口可能由于战争封锁而被切断的可能性时，上面的推断结果未必能够成立。无疑，多年以来，德国承受经济上的损失，保护和发展生产的政策，使其在第一次世界大战中能够在一个较长时期内，抵抗英国的封锁；当然，尽管还有其他的防备方法，如建立庞大的国家粮食储备，但从政治观点考虑，是否在英国要给予农业以某种形式的鼓励，以在发生战争时，作为对发生食物危险的一种部分保障，现在仍然是一个有争议的问题。这个问题，以及类似的与物质和产业有关的其他问题，其对战争行为是至关重要的，不能仅仅根据经济方面的考虑就作出决策。

第 10 节

从以上的讨论中，我们可以很清楚地看出，从对经济福利的影响到对总福利的影响所得出的严密推论，是难以成立的。在某些方面，这两种影响之间的差异，是微乎其微的；但在其他方面，其差异则很大。然而，我还是认为，在缺乏某些特别知识的情况下，仍然还有进行概率判断的余地。当我们已经确定任何因素对经济福利的影响时，当然，除非我们有特别的相反的证据，我们可以认为，这一影响在方向上，虽然不必在数量，与对总福利的影响**可能**是相同的；而且，当我们已经确定，某一因素对经济福利的影响，较另一因素对经济福利的影响更为有利时，我们可以根据同样的条件得出结论说，这一因素对总福利的影响可能也更为有利。总而言之，我们可以这样假定——被艾奇沃斯称之为“未经证实的概率”——一种经济因素对经济福利的影响的质的结论，同样适用于对总福利的影响。当经验表明，所产生的非经济影响可能很小时，这一假设更具说服力。但无论如何，这种证明的责任将落在那些认为这一假设将被推翻的人的肩上。

第 11 节

显而易见，以上结果告诉我们，经济科学，当其进入充分发展阶段时，很可能为实践提供强有力的指导。不过，对这种意见，还存在着重大的障碍。当我们在上一节中所得出的结论被承认为有道理时，对其实际效用问题仍会产生疑问。有人可能会说，就算经济因素对经济福利产生的影响，在一定程度上可能代表对总福利产生的影响，但实际上我们并未得到什么东西。其理由如下：因为，对经济福利本身所产生的影响，不能由仅仅属于经济学范围之内的不完全的和有限的研究事先确定。其理由是，任何经济因素对经济福利所产生的影响很可能被非经济条件所改变，这种非经济条件经常以一种形式或另一种形式存在着，但它却不在经济学研究范围之内。J. S. 穆勒在其《逻辑学》一书中已对此困难作了非常明确的说明。他指出，对事物的**某一部分**进行研究，在任何情况下，只能产生近似的结果，对此不能期望过高："对社会状态的任意因素所产生的任何影响，在相当大的程度上，要通过它而对其他所有因素产生影响。……我们绝不可能不考虑社会在其他各方面的状态，就在理论上理解或在实践中控制社会状态的任何一个方面。没有任何一种社会现象不是或多或少地受到同一社会的每一个其他部分的状态的影响，因此，也受到每一个影响其他任何同时出现的社会现象的因素的影响"。[1] 换句话说就是，经济因素的影响必

① 《逻辑学》，第 2 卷，第 488 页。

然部分取决于非经济条件，这样，比如说根据当时的一般的政治或宗教情况的性质，同一因素会产生多少不同的经济影响。由于存在着这种依赖性，显然，经济学上的因果命题仅能在这一条件下提出，经济范围之外的事物，要么保持不变，要么，至少其变化不超过某种规定的限度。这个条件破坏了经济学的实际效用了吗？我认为，在具有稳定的普通文化的国家中，如西欧各国的文化，这一条件几乎得到完全满足，从而使经济研究所获得的结果能够合理地在相当程度上接近于真理。这就是穆勒的观点。当他认识到“在任何特定社会中，文明及社会进步的一般状况必然对所有的部分的和附属现象具有最重要的支配地位”时，他断定，其直接决定因素主要是通过对财富的追求而起作用的部分社会现象，“至少是在最初，确实**主要**仅仅依靠一种情况”。他还补充说，“即使涉及其他情况时，对仅由于一种情况而产生的影响加以确定，要使其顺利的一次完成，然后再考虑其他限制条件的影响，就是一件非常复杂和困难的工作；特别是，当前者的某些固定组合与后一类不断变化的条件很容易经常出现时，更是如此”。[①] 对这种说法我没有什么要加以补充的。如果它被接受，那么本节所讨论的困难，就不再会使我们停止下来。用经济科学的方法确定经济因素对经济福利所产生的大概影响，未必就是不切实际的。因此，在以前各节中，在经济福利和总福利之间所架设起来的桥梁弃之不用。

① 《逻辑学》，第 2 卷，第 490～491 页。

第 2 章　欲望与满足

第 1 节

在上一章中，经济福利被广泛地认为是能与货币尺度建立联系的满足和不满足。现在，我们不得不注意到，这种联系不是一种直接的联系，而是通过欲望和厌恶传递的。就是说，一个人为获得一项物品所准备付出的货币，不能直接测度他将从该物品所得到的满足，而只能测度他获得该物品欲望的强烈程度。这其间的区别，叙述起来是很明显的，但对讲英语的学者而言，由于使用了效用一词——它很自然地与满足有关——表示欲望的强度，而变得有点模糊起来。因此，当一个人对某项物品的欲望较其他物品更为强烈时，就说它对那个人具有更大的效用。一些学者已尽力消除由于使用这一词所产生的混乱，用某个其他的词，如“合意”(desirability)来代替上述意义的“效用”。但“欲望”(desiredness)一词似乎更可取一些，因为它不会被认为有任何道德的含义，而且较少歧义。我自己将使用这个词。不过，文字上的争论还是个次要问题。主要的问题在于，我们仅在这样的条件下有权使用一个人愿意为购买两种不同的物品所花费的相对数量的货币，以检验这些物品对他所产生的相对满足，即，他所感觉到的对这两种物品欲望的强度之间的比率，等于他拥有这两种物品时对他所产生的满足的量之间的比率。但这种条件并不总是能够满足的。当然，我

并不是通过这一叙述仅仅想要说明，人们由不同商品所获得的对满足的预期常常是错误的。这里的关键在于，除了这一点以外，这一条件有时会不起作用。西奇威克说过，“当快乐在对人的意愿产生刺激从而施加或大或小的影响时，我并不认为快乐（这显然也适用于除快乐之外的其他满足）恰好就与快乐刺激人采取行动维持或产生快乐成比例”。[①] 他又说，“我也不认为应该假定，直接获得的满足的强度总是与事先已存在的欲望的强度成比例”。[②] 这一点显然有很大的理论上的重要性。我们回忆起，通过分析不同的赋税和不同的垄断对消费者剩余的影响，从而对所有不同的赋税和不同的垄断进行比较，都暗含地假定，需求价格（对欲望的货币测度）也是对满足的货币制度，显然，它**可能**也有巨大的实践上的重要性。因此，在实际事实中它是否具有巨大的实践上的重要性，对此，我们必须加以考察。

第 2 节

我认为，我们可以以一种广泛的一般方式，比较有把握地从反面来回答这个回答。可以假定，大多数商品，特别是供个人直接使用的范围广泛的消费品，如食品和服装，是作为满足的手段而被需求，因而对其欲望的强度将与它们预期能产生的满足成比例。[③] 因此，对经济分析的大多数一般目的而言，目前做法，即把货币需求价格无差别地看做是对欲望的测度，以及作为对当所

---

① 《伦理学的方法》，第 126 页。

② 《T. H. 格林的伦理学》，第 340 页。

③ 参见我的“论效用”，载《经济学杂志》，1903 年，第 58 页及以后各页。

渴望的物品被得到后所感觉到的满足的测度，是不会产生多大损害的。不过，对这种一般性的结论，仍存在着极为重要的例外情况。

第 3 节

这一例外与人们对未来的态度有关。一般来说，每一个人都是更喜爱特定数量的现在的快乐或满足，而不是同等数量的未来的快乐或满足，即便是未来的快乐或满足必然会发生。但对现在快乐的这种偏好并不意味着，特定数量的现在的快乐就比同等数量的未来的快乐**更大**一些——这种想法是自相矛盾的——它仅仅意味着，我们观察未来的能力是有缺陷的，因此，我们是用缩小了的尺度去看待未来的快乐。这一正确的解释可用这一事实加以证明，即除了对未获得满足的小事有忘记的倾向外，我们在对过去进行回顾时，也会经历同样的缩小情况。因此，与同样确定的未来快乐相比，人们更喜爱现在的快乐并不意味着，如果未来的快乐被代之以同等价值的现在的快乐，将遭受任何的经济上的不满足。一个人的在今年消费而不是在明年消费的偏好的不满足，将被他的在明年消费而不是在今年消费的明年的偏好的满足所抵消。因此，没有任何事情能够抹煞这一事实：如果我们设置一系列完全相等的满足——是**满足**，而不是产生满足的事物——它们绝对肯定地都可以在从现在开始的数年内发生，那么，人们对这一系列的满足所怀有的欲望将是不相同的，而是由随着获得满足的年代愈久远，数量愈逐渐减少的尺度所代表。这种情况显示了极为深远的经济上的不和谐。因为它意味着，人们在一个完全不合理的偏好

的基础上，在现在、不久的将来和遥远的将来之间分配其资源。当人们要在两项满足之间作出选择时，他们未必选择两者之中的较大者，他们常常选择在现在就能产生或获得的较小的满足，而不会选择从现在开始一些年以后才能产生或获得的更大的满足。这里所导致的必然结果就是，致力于遥远的将来的努力相对来说要比致力于不久的将来的努力要小得多，反过来，致力于不久的将来的努力又比致力于现在的努力要小得多。例如，假设一个人的观察未来的能力是这样的，他对完全肯定会出现的未来的满足，每年要打5%的折扣。那么，如果一定努力的增加，不论是为现在工作还是为明年或10年以后工作，均导致相等的满足的增加，他将不会为明年或10年以后工作；如果一定努力的增加，使明年产生的满足的增加，是现在满足增加的1.05倍，是10年后的$(1.05)^{10}$倍，他才会为明年或10年后工作。由此可见，人们事实上所享受的经济满足的总量，要比下述情况下可能得到的要少得多：如果人们观察未来的能力没有被扭曲，相同的满足，不论其预计出现的时期如何，可在相同欲望强度中得到。

第4节

但这还不是问题的全部所在。由于人类的寿命是有限的，相当长的时期以后所形成的工作成果或积蓄，不能被应该享受它们的人所享用。这就意味着，与其欲望相联系的满足不是他自己的满足，而是其他人的满足，很可能是直系继承人，他认为他的利益几乎与他自己的利益相等；也可能是在血缘上和时间上离他都很远的什么人，对他们他大概不会有丝毫的关心。可见，即使发生在不同时间的对**我们自己**有相同满足的欲望是相同的，我们对未来满足欲望的强度常常也要小于对现在满足欲望的强度，因为未来的满足很可能不是我们自己的满足。未来满足可能成为事实的时间愈遥远，这种差异则愈发重要；因为所间隔时间的任何增加，不仅增加了本人，而且也增加了可能与自己有最密切的利益关系的子女、近亲及好友死亡的可能性。[①] 毫无疑问，这种对遥远的收益的投资的阻碍已被证券交易的方法所部分地克服。如果现在投资 100 镑，预期 50 年后比方说按 5%的复利归还，原来提供这 100 镑的人，可能在一年以后，将其对最后成果的权利以 105 镑出售；从他那儿购买的人同样可以在一年以后按 5%的利息收回他的 105 镑的资本；其余依此类推。在这种情况下，这一事实无关紧要：即与一个人把 100 镑存一年所要求的利息相比，需要有更高的利息，才能诱使他把同样的钱存 50 年。当然，在实际生活中，这种方法应用的范围十分有限。例如关于投资问题，如在自己的庄园上营造一片森林，或修建排水设施，这些工作仅能由个人来完成，这种方法就根本不适用；即使投资是由一家公司来进行，投资者也不能真的期望无股息证券有一个平稳和连续的市场。

---

① 如果用 k 表示将 1 镑留在我的继承人手上与我自己手上相比的重要性的分数，用 $\phi(t)$ 表示从现在起我将活 t 年的概率，那么，现在的 1 镑对**我或我的继承人**来说等于那时对我来说的确定的 1 镑乘以 $\{\phi(t)+k(1-\phi(t))\}$. 显然，$\phi(t)$ 或 k 的任何增加，将导致它的增加。

如果通过预期中的命运或性格的变化，7 年之后 1 镑预计等于现在的 1 镑乘以 $(1-\alpha)$，那么，对我来说，那时通行的确定的 $\{\phi(t)+k(1-\phi(t))\}$ 镑对我来说就等于现在通行的 $(1-\alpha)\{\phi(t)+k(1-\phi(t))\}$ 镑。因此，如果我肯会永远活下去，而且家境和性格不变，对我的继承人而言，确定的 1 镑将如上述的数量那样具有说服力，可以用于投资。

第 5 节

在实际生活中，欲望与满足之间的这些差异对经济福利所造成的损害，表现在它们阻碍了新资本的创造力，并怂恿人们用光现有的资本，为目前的较小利益牺牲未来的较大利益。当行为和后果之间的时间间隔较长时，其主要影响总可以被感觉到。例如，关于对投资的阻碍，吉芬曾这样写道："从长期看，可能没有任何一项工作比在爱尔兰和不列颠之间修建一条隧道对社会更为有利，其开拓的全新的交通方式，极具商业价值和战略意义，但在短期内，不可能使个别企业家获利"。许多其他的较大事业，如造林或供水工程，其收益期非常遥远，由于对未来满足欲望的冷漠，同样受到阻碍。[①] 这种对未来欲望的冷漠，也表现在对自然资源的浪费性开发上。有时，人们为了获得他们所需要的资源，其所采用的手段，对未来而言，所破坏的远比所得到的要多得多。如对最好煤层的急功近利式的开采，使得较差但仍有开采价值的次好煤层被掩埋起来而无法开采；[②]捕鱼活动也是这样进行，以致根本不考虑鱼的产卵期，从而使某些种类的鱼面临绝种的威胁；[③]农业活动也是

① 关于这一点，以下引自诺普所著的《城市商业的原理与方法》一书中的一段话是颇有趣味的："为增加城市供水，很可能需要 10 年或更多年的连续工作。这意味着，在若干年之内，一笔很大数目的资本将不产生利润，从而严重影响这一事业的利润，从而使董事会在考虑任何大型计划时，持极为谨慎的态度……。几乎不可想象，一家自来水公司会实施宏大的计划，使曼彻斯特市从相距约 96 英里的坎伯兰郡的瑟尔米尔湖取水，使利物浦从相距约 78 英里的北威尔士的韦尔努伊湖取水，使布赖顿从相距约 80 英里的中威尔士的伊兰河谷(Elan Valley)取水"(所引书第 38 页)。

② 参见齐奥扎—玛尼，《国有化的胜利》，第 199 页。

③ 参见西奇威克，《政治经济学原理》，第 410 页。

掠夺式经营，以致耗尽了土壤的肥力；这些都是这方面的例证。一代人，虽然同他们自己所获得的东西相比没有破坏更多的现实资源，但如果为了微不足道的目的，用尽一种自然产品，而这种自然产品现在虽很丰裕，但对未来后世，甚至对极为重要的目的而言，很可能变得稀缺且不易获得，从对整个经济满足造成损害的意义来说，这也是一种浪费。此类浪费的例子如下：将大量的煤用于高速船只，以少许缩短本已是很短的航行时间。我们把开往纽约的航行时间缩短 1 小时，或许是以我们的子孙后代再也不能做这样的航行为代价的。

第 6 节

人们自然而然地倾向于将其过多的资源用于现在的服务，而将过少的资源用于未来的服务。鉴于有这种"自然"趋势，除非政府在分配方面进行利益补偿，否则，政府进行任何人工干预以支持这种趋势，必将减少经济福利。因此，在这种情况下，与对支出进行征税相比，所有对储蓄进行差别对待的征税，必将减少经济福利。即使不对储蓄进行差别对待，储蓄也会很少，进行差别对待，储蓄就会更少。财产税，以及遗产税，显然是在对储蓄进行差别对待。英国的所得税，虽然看起来似乎是中性的，事实上，正如它在别处所显示的，也属于这种情况。[①] 以上分析表明，显然有理由缓和这些税收中的差别因素。因此，以下建议值得仔细加以考虑：免除储蓄的所得税；对一些重要的支出项目，课以重"间接"税，以使

① 参见拙著《财政学研究》，第 2 篇，第 10 章。

财产税保持平衡；对前20年中作出的改良免除地方税；等等。但在建立一套切实可行的税收制度时，得考虑在拥有不同财富的人之间何谓“公平”，以及哪些措施在管理上是可行的。这些考虑可能迫使我们接受对储蓄实行差别对待的方法，尽管我们知道，这种差别对待的方法本身是不可取的。①

第7节

我们的分析也表明，通过正确选择某种程度的**有利于**储蓄的差别对待，也可以使经济福利得到增加。当然，没有人会认为，国家应当迫使其公民作出决定，如此多的现在和未来的客观存在财富具有完全相同的重要性。鉴于生产力发展的不确定性，不要说国家及人类本身最终必将灭亡，即使是在极端主义者的理论中，这也不是一项健全的政策。但人们普遍赞同，由于我们对未来的不合理轻视，以及由于我们更偏爱我们自己而不是子孙后代，因此，政府应**在某种程度上**对未来的利益加以保护。美国的所有“保护自然资源”的运动，都是基于这一信念。显然，这是政府的责任，因为政府是其现在公民的受托人，也是未出生一代公民的受托人，它有责任去看护，如有必要的话，通过制定法律去保护国家的可耗尽的自然资源被轻率鲁莽和毫无顾忌地破坏。政府本身在多大程度上用税收，或公债，或通过利息收益保证的办法，促使资源得到利用，如果任由企业自由选择的话，将无人从事资源的利用，这将是

---

① 例如有两个人，他们每人每年的支出为450镑，但第一个人每年的收入为1,000镑，而第二个人每年的收入为500镑，从公平的观点看，反对向他们征收相同的税，是绝对有道理的。

一个更为困难的问题。显然，如果我们假定政府有足够的能力，那么就有一个令人信服的理由，对投资应进行**某种**人为的鼓励，特别是对那些在隔了许多年之后才开始有收益的投资应进行鼓励。但是，我们必须记住，只要人们能够自由决定他们将做多少工作，那么使用财政手段或任何其他手段干预人们使用资源的方式（这些资源是其工作给他们带来的），那么，这种干预**可能**导致人们减少这种工作的总量，从而减少那些资源的总量。总之，这并不是说，由于一个目前将其收入的 1/10 用于投资的人，**选择**将其收入的一半用于投资，经济福利将会增加，**因而**，通过立法机关的法令，或通过税收和补贴诱使他作出这种改变，也能增加经济福利。

第 3 章　国民所得

第 1 节

一般而言，经济因素都不是直接地、而是通过经济学家称之为国民所得或国民收入的经济福利的相应客体来对一国的经济福利产生影响的。正如经济福利是总福利中与货币尺度直接或间接有关的那一部分一样，国民所得也是社会客观收入中，当然包括得自国外的收入，可以用货币加以度量的那一部分。因此，经济福利和国民所得这两个概念是对等的，因此，对它们之中任何一个概念的内容的叙述，也就是对另一个概念的内容的相应的叙述。在上一章中，我们已经说明，从根本上说，经济福利这个概念是有弹性的。同样的弹性标准也适用于国民所得的概念。只有把武断的界线强加到自然所体现的连续性上，才能明确地界定这一概念。显然，在没有想出其他更好的办法的情况下，我们可以说，国民所得是由许多客观存在的劳务构成的，其中一些劳务由商品体现出来，而另一些劳动则是直接提供的。我们可以最为方便地把这些物品称为财货——不论其是非常容易腐败的还是耐用的——和劳务，当然，必须了解，一项劳务如已被计算进在其帮助下而制成的财货中，如钢琴或面包中，其本身则不能再作为劳务计算。但每年产生的**哪一部分**劳务流量，或财货和劳务，通常可以被包括在国民所得之内，却还不十分清楚。这也是我们现在所要讨论的问题。

第 2 节

首先所想到的答案是，那些财货和劳务，而且只有那些实际上能够被卖钱的财货和劳务才能被算做国民所得（当然，应避免重复计算）。看起来，这种方法最有可能使我们利用货币的度量尺度。但不幸的是，由于这种方法的对称性，某些根据这一方法应被排除在外的劳务却与某些被包括在内的劳务紧密相联，甚至交织在一起。从本质上说，买来的物品和不能买来的物品相互之间在性质上并没有什么区别，一项不能购买的劳务经常转变为能够购买的劳务，反过来也是这样。这造成了许多悖论。因此，如果一个人租了别人的房屋和家具，则他从他们那里获得的劳务将被计入国民所得，正像我们在这里暂时规定的那样，但如果他是作为礼物而接受了房屋和家具，并继续占有它，就不再被计入国民所得。其次，如果一个农民卖掉他自己农场的产品，从市场上买回他所需要的他全家人的食品，则大量产品将被计入国民所得，如果他不从市场上购买东西，而是留下一部分肉和蔬菜在农场自己消费，那么，这部分产品则不再计入国民所得。最后，由教会人员和主日学校教师这些无酬组织者所做的慈善性工作，无私的实验者所做的科学工作以及有闲阶级中的许多人所从事的政治工作，目前都没有计入国民所得，或者，当他们有名义报酬时，所计入的国民所得也较其实际价值低得多，如果那些人同意相互支付薪水，则计入国民所得。因此，例如法律规定议员的报酬，则国民所得将增加价值约250,000镑的劳务。最后，妇女所提供的劳务，当它们被用于交换时，无论是和工厂进行交换，还是和家庭进行交换，均被计入国民

所得，但当劳务是由母亲和妻子无偿向其自己的家庭提供时，则不被计入国民所得。因此，如果一个男人和其女管家或其厨娘结婚，国民所得就要减少。这些事实都是些悖论。这也是悖论：当济贫法或工厂管理条例使女工由工厂工作或有酬的家庭工作转向无酬的家庭工作，照料老老少少，忙于一日三餐，缝缝补补，精心算计着家庭费用的支出，等等，按照我们的定义，国民所得遭到损失，对此，并未提出任何补偿利益。[①] 最后，这也是一个悖论：为了寻找煤或黄金，或由于更为刺眼的商业广告，常常亵渎了自然美景，根据我们的定义，国民所得并未受到损失，虽然，如果像某些例外情况那样，实行对观赏风景征收费用，国民所得就不会不受到损失。[②]

第 3 节

考虑到上述种种缺点，显然，它们具有一定的代表性，可以在一定程度上强调它们，以反对任何国民所得的定义，除非一个定义

---

① 如果根据以上论述我们就推断出，战争时期妇女大量进入工业部门，与工业之外的差不多相等的劳动的损失相联系，那就错了。因为，首先，大量的战争工作是由以前基本上不做任何工作的妇女来承担的；其次，进入工业部门工作的妇女的位子，又大部分被以前很少工作的其他妇女所占据——例如，许多由仆人伺候的主妇自己取代了仆人的位置；再其次，战争时期，由于丈夫和儿子不在家，如果她们没有进入工业部门工作，她们必须做的家务工作，也比平时要少得多。

② 1907 年的广告管理法允许地方政府制定地方性法规，用以防止户外广告对风景区的自然美或公园或休闲散步场所的舒适和雅致造成不利的影响。关于这方面我们应该注意，这并不是由于有轨电车地下供电、系统费用较为昂贵而反对地下供电制、赞成地上供电制的决定性理由。伦敦市政会由于审美方面的原因，慎重地选择了费用较高的地下供电系统。

在范围上能与财货和劳务的整个年流量完全一致。但是，采用那样一个范围广泛的定义，无疑等于放弃依靠货币的度量尺度。因此，我们不得不要么全部放弃任何形式的定义，要么采取一种折中的办法。前一种办法，虽然有时较所能允许的有更多的可予以说明，但即使不会导致混淆，也必然会引起怀疑。所以，从整体上看，后一种办法似乎更为可取。我计划采用的方法如下。首先，根据马歇尔所确定的前例，我将采用英国所得税委员会所提出的国民所得的定义作为国民所得一词的标准定义。因此，我把人们用货币收入所购买的所有物品，连同个人从其自有并自行居住的房屋所获得的劳务，都包括在国民所得之内。但“个人向自己提供的劳务，以及他无偿地向其家庭成员或朋友所提供的劳务；他由使用他自己个人的财货(如家具和衣物)所获得的好处，或由使用公共财产，如免收过桥费的桥梁所获得的好处，并不作为国民所得，而是单独计算”。[①] 其次，当以这种方式确立国民所得的标准定义时，我保留充分的自由，并适当告诫，在讨论任何问题时，由于机械使用这一标准用法而受到妨碍甚至受到损害，在任何场合我都将在广泛的意义上使用该词。毫无疑问，这种折中方法非常难以令人满意，但不幸的是，情况就是如此，目前似乎还没有找到更好的办法。

第4节

以上结论并没有完全解决我们的问题。考虑一下与国民所得

① 马歇尔，《经济学原理》，第524页。

有关的各种问题，还有另外一个问题必须解决。可以用两种明显不同的方式去理解国民所得：可以把国民所得作为当年所**生产的**商品和劳务的流量，或把国民所得看做是当年进入最终消费者手中的流量。马歇尔采用的是前一种观点。他写道："作用于其自然资源的一国的劳动和资本，每年生产一定的物质的和非物质的包括各种服务在内的商品总净额。这是该国每年的真正纯收益或净岁入，或国民所得"。[①] 当然，由于厂房和设备每年都在损耗，在所生产的全部商品中，必然考虑到了这一磨损过程。为了使这一点更为清楚，马歇尔在其他地方作了进一步的补充："如果我们主要是要考察一国的收入，我们就必须考虑到产生收入的资源的折旧"。[②] 具体地说，他的国民所得的概念包括所生产的全部新物品和所提供的未体现在这些物品中的所有服务的清单，以及作为负的因素，连同资本存量所遭受的所有损耗的清单。另一方面，深受费雪教授[③]影响、像他一样认为储蓄在任何情况下都不是收入的任何一个人，将仅仅把那些最终进入消费者手中的商品和服务看

① 马歇尔，《经济学原理》，第523页。

② 同上，第80页。

③ 费雪教授自己的立场是：国民所得或国民收入，仅仅包括最终消费者所获得的**劳务**，而不论是从其物质环境所得，或是从其人类环境所得。因此，今年为我制造的一架钢琴或一件大衣，并不是今年收入的一部分，而是资本的增加。只有这些物品今年向我提供的服务，才是收入(《资本和收入的性质》，第104页及以下各页)。从数学的角度来看，这种观察事物的方法显然是很有趣的。不过，它所造成的与语言的惯常使用的严重背离以及由此而引起的混乱，好像超过了由于逻辑清楚而得到的好处。如果我们拒绝采用费雪教授的方法，则很容易陷入前后矛盾之中；但不必非如此做不可。如果我们不这样做，那么定义的选择就不是一个原则问题，而仅仅是从方便考虑。

做是国民所得。[①] 根据这种观点，马歇尔的国民所得所代表的并不是真实的**已经**实现的国民所得，而是如果该国的资本保持不变情况下**能够**实现的国民所得。在任何一个产业中新增加的机器设备和厂房恰好抵消由于磨损而造成的损失而并无多余的静止状态下，这两种物品**实际上**是相等的。有关国民所得的任何一种定义，将仅仅包括进入最终消费者手中的商品和服务的流量；因为，在生产过程的较早阶段进入工厂和商店的所有新材料，恰好等于进入制成品中的对应物；所有新增加的机器设备和厂房，恰好替代这一年被损耗的相应的机器设备和厂房而无任何多余。但实际上，一国的产业几乎不可能处于这种静止状态。因此，有关国民所得的这两种说法，从**本质**上说是很难相同的，而且，从分析的意义上讲，它们也不可能相同。所以，对这两种说法如何加以取舍，便成为了一个重要问题。

第 5 节

在我看来，对这个问题的答案完全取决于我们使用这个概念的目的。如果我们的目的是一个社会在长期连续的几年内所获得的经济福利的相对数量，并正在寻求与这一系列数字适当关联的客观指数，那么，毫无疑问，费雪教授所提出的概念就更为合适。当我们考虑的是一国如何能在有限的几年内进行一场战争，这个概念也比另一个概念更合适；因为，为了这个目的，我们需要知道

① 为前后一致起见，有必要把所有者建造的用于自住的新建房屋从收入一项中除去，并把它们移至资本项目下，如果其年租金的货币估计值已被包括在收入中的话。

能被挤出和“消费”的最大数量是多少，我们并不以资本必须保持完好无损为前提。不过，本书的大部分篇章，并不是同战争有关，而是同和平有关，并不是同计量有关，而是同原因有关。我们所研究的问题的一般形式是：“对整体经济福利所产生的某种影响，是由对 1920 年的经济环境产生影响的某某原因造成的吗？”现在，人们一般都认为，这种原因要通过国民所得才能发挥其影响，而且，要直接叙述这种影响也不得不提到国民所得。因此，我们要考虑一下分别采用这两种概念所引起的后果。按照费雪的追随者的方法，我们不仅必须确定这个原因对 1920 年的国民所得所造成的差异，而且必须确定其对 1920 年以来各年国民所得所造成的差异；因为如果这种原因导致了新的储蓄，那么，正如费雪的追随者们所理解的，只有通过对随后各年对国民所得的影响的说明，才能加以正确的判断。因此，根据他的看法，如果一家庞大的新工厂在 1920 年建成，那么，计入 1920 年国民所得的，就不是这座工厂的资本的确立，而仅仅是这座工厂所提供的服务的流量；而且，建立这一工厂的总的影响，如果不计算连续几年的国民所得，就不可能测度。根据马歇尔的方法，这种不方便之处就可以省掉了。当我们按照他的意思，阐述 1920 年国民所得所产生的影响时，毫无疑问，我们已经把它们对 1920 年及其以后所有各年的消费的影响(在这些影响可以被预期的情况下)，包括在内了；因为这些影响已反映在为工厂提供的资本上。其对消费的**直接**影响，按照费雪的追随者的理解，由 1920 年国民所得的变动去测度。但经济福利和经济原因是通过总消费，而不是通过直接消费联系在一起的。因此，总的说来，马歇尔关于**国民所得**的定义很可能证明比另一个定义更有用，我将在本书的以后各章中采用这一定义。费雪的追随者用那样一个名称所称呼的实际存在的事物——当然，它也是非常重要的——我们可以把它称为**消费品的国民收入**，或者，干脆更简单点儿，称其为**消费收入**。

第 6 节

这样，我们已就国民所得的具体内容获得了一个定义，这个定义虽不太令人满意，但相当明确。这一定义为评价国民所得的方法带来某种明显的意义。其中，最重要和最明显的意义是，在计算一项制成品的价值时，不能把用来制造该产品的原材料的价值也计算在内。在《1907 年英国产品统计》中，十分仔细地避免了这种重复计算的方法。产品统计的负责人对其方法作了这样的解释：从任一产业或产业集团的总产值中，扣除所使用的原材料的总成本，并扣除向提供劳务的其他厂商所支付的数额，这样所获得的数字，为方便起见，可以将其称之为这一产业或产业集团的“净产值”。这个数字“完全和没有重复地代表了被视为一个整体的该产业或产业集团的产品（正在加工的）价值超过了从外面购买的原材料的（正在加工的）价值的总数，即，代表了在生产过程中增加到原材料上的价值。这笔总数构成了任何产业的利润以及一笔基金，工资、薪酬、租金、开采权使用费、地方税、各种税赋、折旧和其他所有类似应付款项都要从其中支付”。[①] 但当想用它来对国民所得整体作出评价时，这些扣除仍嫌不足。在实现转换的过程中，在用来制造面包的面粉和用来制造面包并被磨损的制面包机之间并没

① （敕令书，6320），第 8 页。

有任何实质性的区别。在计算国民所得的总数时,如果把面粉和面包加在一起,就会重复计算,把机器和面包加在一起也是这样。正如马歇尔所说,"从逻辑上讲,我们应该减去纺织厂所购买的纱线和织机。其次,如果工厂本身被看成是建筑业的一项产品的话,其价值也应(在一段时期内)从纺织业的产出中被减去。农场建筑物也是如此。农场房屋当然不应计算在内,为某些用途而在这一产业中被使用的所有房屋都不应被计算在内"。[①] 从更为广泛和一般的意义上讲,正如《生产统计》所规定的,这些考虑可以通过从各产业的净产品总值中减去代表各种机器设备每年的更新和修理费的每年的折旧值来实施。[②] 因此,如果某种特定类型的机器在10年内报废——陶西格教授对轧棉机平均寿命的估计[③]——那么,10年后,国民所得的价值同净产品总值的差,就是这种机器的价值。[④]

① 马歇尔,《经济学原理》,第614页。

② 参见弗勒克斯,《统计季刊》,1913年,第559页。

③ 《经济学季刊》,1908年,第342页。1907年的《生产统计》报告赞成这样一种观点,一般来说,建筑物和设备的平均寿命为10年,是合理的。

④ 在较大的个别资产项目需要相当长时期才予以替换的产业中,通常的做法是,在这种资产的使用年限内,每年提取折旧费,来积累折旧基金,以满足这种需要。对每年以几乎相等的数量磨损的机器,杨教授认为,如果每年所需要的更新和修理能够适当地加以提供,仅使用这种方法就可使资本保持不变,从而也就不需要折旧基金(《经济学季刊》,1914年,第630页及以后各页)。的确,通过这种方法,在机器设备运行过一段时间后,资本还能保持在上一年的水平上。但杨教授本人认为,在静态条件下,一套机器设备安装一段时间以后,一般将大约会有一半的磨损(前引书,第632页)。如果磨损过半的机器设备,也就是指已达到其正常使用年限一半的机器设备——从技术上讲,只有与新机器设备相同的效率,这一事实并不伤及他的结论。但当机器设备的效率随着使用年限增加而递减时,情况就不一样了。如果要把资本维持在**最初投资**时的水平上,那么,不仅需要提供所需的更新和修理,而且,必须保持固定的折旧基金,以补偿崭新的机器设备和已达到其平均有效使用年限一半的机器设备之间的价值差(参见1915年2月《经济学季刊》所刊载的"折旧和管制率"一文中,杨教授和J. S. 戴维斯先生的讨论)。

另一方面，由于各种农作物都要降低土壤的生产力，所以，国民所得的价值同净产品总值的差，就是恢复土壤所失去的化学成分的成本。① 同样，当从土地中挖掘出矿物时，要进行一项扣除，这项扣除等于该年被使用的矿石在其原来情况下的价值——从理论上讲，由为进行开采活动而支付的矿山开采权使用费代表——超过其被使用后留给该国的价值。如果“使用”表示出口，以交换不作为资本使用的进口物品，那么，后者的价值为零。从另一方面讲，如果它意味着，这将导致自然界奇迹般地把矿物变成比它在矿山中具有更大价值的某种物品，那么，为了从净产品的总值中获得国民所得的价值，我们将需要增加、而不是减少某种物品。对我们当前的目的来讲，这些说明已很充分了。关于“保持资本不变”这一看法的明确含义，是一个十分细致的问题，我们留待下一章详细讨论。

第 7 节

以这种方式评估的国民所得——当然，必须计算从国外获得的收入的价值——和社会所获得的货币收入之间的关系，尚需考虑。从表面看来，我们可以期望这两笔数目在本质上是相等的，正如我们可以期望一个人的收入和其支出（包括投资在内）相等一

① 卡弗教授就美国的情况写道，“就这个国家而言，在其他情况不变的情况下，如果农民不得不购买肥料以保持其土壤的地力而不使地力耗尽的话，很可能整个工业都已经破产了……普通农民从未（直到 1887 年）考虑过将土壤的这种部分耗竭作为其农作物的一部分成本”（参见《美国农业概要》，第 70 页）。但资本的这种损失，必须计入由于土地的开拓而引致的资本收益中。

样。如果正确记账，显然情况会是如此。但是，为了使这两笔数目相等，有必要把社会的货币所得作如下规定：把个人作为礼物所获得的全部收入（这种礼物又不能提供可以列入国民所得目录的任何劳务）排除在外——例如，孩子从其父母那儿所得到的所有零花钱。同样，如果A以1,000镑向B出售现有财产或财产权，这1,000镑如果已经作为B的收入的一部分，就不能再作为A的一部分收入。当然，这些观点很容易为人们所理解。但是，某些进一步的含义却很少为人们充分了解。因此，必须把由养老金和特别战争抚恤金构成的收入排除在外；虽然应正确地把普通公务员退休金包括在内，"因为这些退休金可以说相当于工资，而且这种退休制度仅仅是向提供当前劳务的那些人支付较高工资的一种替代办法，以使这些人能够获得他们自己的退休金"。[①] 以本国债权人从被"非生产性"使用的贷款所获得的利息所形成的全部收入，即，在这些贷款的非生产性使用中，贷款本身并没有导致以货币出售的劳务的产生（如用于修建铁路的贷款可以导致以货币出售的劳务的产生）从而不能列入按货币评估的国民所得，也必须排除在外。这就意味着，也必须把作为战争贷款利息而获得的收入排除在外。这一建议也不可能推翻这个结论：花在战争上的钱是真正的"生产性的"，因为它间接地防止了对物质资本的侵害和破坏，而物质资本现在正在生产商品以换取货币；因为根据这种方法，战争支出可能生产的任何产品——同样的观点适用于兴建学校的支出——已被计算进物质资本所赚取的收入中。其次，以暴力或欺

① 参见斯坦普，《财富和纳税能力》，第57页。

骗行为获得的收入，由于不能提供任何真正意义上的劳务，似乎不应被计算在内。此外，在向政府所作的支付上，还存在某些困难。统治机构，不论是中央统治机构还是地方统治机构，由它们提供劳务而以纯利润形态获得的货币，如邮局或市内电车服务的利润，显然应被计算在内。另一方面，财政部以所得税或遗产税的形式所获得的收入，显然不应被计算在内，因为这种已被算作私人手中的收入，并没有因其提供了任何劳务而以支付的形式被转移至财政部，而仅仅是作为纳税人被转移至财政部。不过，财政部所征收的超额利润税(目前已被废止)和在英国营业的公司税，则与此不同，应被计入。因为，公司和个人的收入是按照在已缴纳这些税收**之后**的余额而被计算在内的，所以，如果由它们所代表的收入不被计入国库之中，那么它们再也不可能被计入了。[①] 最后，国库从关税和消费税中获得的大部分收入，虽然看起来似乎很矛盾，也应被计入，尽管它们在纳税人手中时已被计入，而且它们并不是由于任何劳务而被支付的。其原因在于：纳税后的货物的价格(我们假定)已上涨至近乎税收的数额，因此，除非该国的总货币收入也按照这种方式计算，即作相应的增加，这种总的货币收入除以物价，即该国的实际收入必然由于征收这些税而显得减少，尽管在事实上和以前一样多。[②] 当该国的名义货币收入按照这种种方法进行“修正”时，结果将相当接近于根据以上提出的方法所估计的国民所得

① 斯坦普，《财富和纳税能力》，第 55～56 页。

② 为什么仅仅是国库在这一项目下的大部分收入而不是全部收入被计算为收入，其理由在于：(1)商品税并不是总是以其全部数量提高物价；(2)它可能间接导致生产的缩减。

的价值（包括得自国外的收入）。[①]

① 但值得注意的是，文中所提出的限定条件，仍使一个矛盾未得到解决。如果一项劳务，到现在为止，已向商人征收了劳务费。这种劳务费属于这样一种性质，它在被计入之前，已被合法地作为商业费用而予以扣除，并且通过增加所得税来支付和提供，那么，虽然实际收入未变，然而该国的货币收入增加了（参见斯坦普，第52～53页）。消除这种矛盾的惟一办法是，允许商人扣除所有劳务的成本，**如果是作为劳务费支付的**，则算作商业费用，而不管其实际上是否是作为劳务费支付的。

第4章　保持资本不变的意义

第1节

现在，我们要讨论在上一章第6节中被推迟讨论的有关"保持资本不变"的确切重要性的问题。受我们所承继的传统的限制，我们不把消费者手中的某些物品——住宅除外——看做是耐用的资本品，尽管就给予劳动者的就业机会而言，例如，一辆属于除自驾者之外的任何人的汽车，同一辆属于出租公司的汽车，是无法加以区别的。但是，这只是一个次要问题。就当前的目的而言，资本的确切意义是什么是无关宏旨的。不管我们如何解释它，它就像一座湖泊，作为储蓄结果的许多各种不同的物品，正源源不断地注入其中。这些物品，一旦进入湖泊，便根据它们各自的性质和它们遭遇的不同命运，在其中存在不同的时间。其中，有些物品，像精心建造的工厂，寿命较长；有些物品，如机器，寿命不太长；有些物品，如用于制作消费品的原材料或用于燃烧的煤炭，寿命则很短。当然，在这种逻辑关系的意义上的寿命的长短，是**作为资本**，在工业机器运转发挥作用时寿命的长短，而不是在没有人干预的情况下，一件物品所享有的寿命。如煤炭，如果任其自生自灭，会不改变形状存在无限久远的年代；不过，在资本之湖中，煤炭所能享受到的"寿命"，即其进入和退出之间的时间，仍然几乎总是非常短暂的。进入这个湖中的所有物品，最终会再次从中离去。某些物品，可以

说以其本身作为原材料体现在某些制成品中，如当棉纱作为衣料、服装出现时就是这样。但是，退出并不总是，或实际上通常也不是，通过原来进入的实际要素的向外流出的形式进行的。当煤在熔化铁的过程中被燃烧，而铁最终被用于制造刀具时，是刀具而不是煤炭本身体现了煤炭的"效力"，是刀具本身离开了资本之湖。当然，是在制造制成品中被磨损的机器的"效力"本身而不是机器本身，以同样的方式离开了。但任何事物无论以一种形式或另一种形式进入，也要离开。只要它有任何一点儿含量，势必总是要有一条溪流流出此湖，事实上，也总会有一条溪流流入此湖。在任一瞬间，它里面的东西，包括过去流入湖中的所有物品**减去**已经流出的物品。从理论上说，将其列一个清单，并逐日加以评估是可能的。当我们联系国民所得的定义谈到需要"保持资本不变"时，对我们已描述过的此湖的所含之物的连续的清单和连续评估之间关系的**某种含义**已被包括在内了。本章的任务旨在搞清楚这些含义究竟是什么。

第 2 节

对我们当前的目的而言，显然保持资本不变并不要求此湖所含之物的货币价值也将保持不变。人人都会同意，在计算国民所得时，这种价值的某种变化不必予以注意。因此，如果由于任一年货币供给的减少，全部的货币价值都大量地减少，资本存量的货币价值将同其余的一起减少；但不会有人同意，在估计国民所得时，这种减少也被计算在内。其次，马歇尔曾经说过："已经包含在改良土壤或建造房屋、建设铁路或制造机器中的资本的价值，是其预计未来净收入的贴现价值总额”。[1] 这句话的意思是说，如果一般利率上升，那么，在其他情况不变的情况下，资本存货的货币价值将减少，而这种减少同国民所得的大小无关。当资本存货中的某些项目的价值，由于人们对他们协助生产的某些物品的偏好下降，或由于外国竞争者以降价来提供这些物品而下降时，我认为，这种下降也不应该被认为与国民所得的大小有关；当一项新的资本设备的建成减少了现有设备的价值时，相同的结论也能成立；例如，当电灯厂的建设使相邻的煤气厂的价值下降时，或当新式战舰或新式制鞋机器的采用使现有的战舰或制鞋机器过时时。事实上，我认为，我们可以相当一般地讲，资本存货中的任何部分的货币价值的所有减少而其实质保持不变，那么，这种减少与国民所得无关；而且其产生与保持资本不变是完全一致的。

第 3 节

根据以上所述，乍看起来似乎保持资本不变必然意味着，位于资本之湖的物品清单的实质状态保持不变。显然，如果这一清单不以任何方式改变，那么，资本在绝对意义上也保持不变；而且，如果某些物品已不在清单，那么，它在绝对意义上说，就不再保持不变。不过，对本文分析的这一特定目的而言，保持资本不变并不意味着绝对意义上的保持不变。正如这种说法在这里被理解的那样，实物资本存量的**某种**减少，将必须与其保持不变相一致。因为我们必须时刻记住，我们所关心的是为国民所得下定义而又不背

① 马歇尔，《经济学原理》，第 593 页。

离马歇尔所习惯使用的说法。因此，假设地震或一敌国的袭击在一年内摧毁了我国积蓄的财富存量的一半，从而就得出结论说，我们的国民所得因此自动成为了负数，这将是自相矛盾和不便的。我们宁愿必须说，这种损失是资本账户的损失，而不是收益账户的损失。换句话说，虽然这种损失当然与任何字面意义上的保持资本不变不相一致，但与国民所得的评估并非无关。因此，对我们的目的而言，保持资本不变必须在这种意义上予以**界定**，即并非绝对的，而是仅当这种特殊类型的损失不发生时保持资本不变。

第 4 节

或许，人们可能认为，这将引起一连串无穷无尽的进一步的搪塞和含糊其辞。例如，由火灾所造成的房屋的损失，或由风暴所引发的船舶的损失，将被置于同刚才所讨论的损失相同的地位。但情况并非如此。除去上节所述的灾害型的破坏之外，所有资本的解体对其使用来说，其实都是难免的，并已被包含在国民所得的生产之中。这对机器和设备在发挥其作用时所要经历的一般磨损来说，显然是非常正确的。除使用外，由于时间的流逝而造成的损害，亦属于相同的情况；因为受所经过的时间的制约，是使用的必要条件。甚至火灾和风暴的意外事故也属于同样的情况；房屋的使用必然包含着发生火灾的风险，船舶的使用也必然包括遭遇风暴的风险。在所有这些形式的资本损失被扣除之前，国民所得没有被准确计算。因此，在我们的意义上的保持资本不变与绝对意义上的保持资本不变是一样的，除了由“上帝的行为或国王的敌人的行为”所造成的损失不必予以补偿。

第 5 节

现在，我们已经得出了这样的结论：对我们的目的而言，保持资本不变要求资本存量中所有一般的实质破损应予以补偿。不过，我们所说的补偿的确切含义又是什么呢？当一项资本货物被损耗时，如磨损时，其物质组成部分并未从这个世界上消失掉，而仅仅是以一种对人类较少有用处的方式重新配置。因此，真正消失的只是包含某种价值总和的物质配置，对此，我们可以很方便地用货币加以测度。要进行这种补偿，必须在资本货物上加上新的物质配置，并包括和这一数目相等的价值总和。因此，如果一台机器已经磨损完了从而没有一丁点儿价值，我们需要在这个资本货物上增加某些东西，其价值等于如果这台机器要保持物质完好**现在**所有的价值。这台机器原来的成本，不论从实际意义上说，还是从货币意义上说，都与此无关。因此，可能要花 1,000 镑去制造；但是，如果其磨损降低了其价值总和，低于它另一种情况下的价值，不是 1,000 镑，而是 500 镑，或 1,500 镑，那么，替换的机器必须具有这些价值中的一个或另一个，而不是 1,000 镑的价值。因此，除了别的情况以外，如果任何一项资本货物，例如，一家钢铁厂的设备，比方说，由于国外竞争的加剧，其价值下降，而且如果由于磨损该设备每年折旧 10%，为保持资本不变，我们需要的只是其现值的 10%，而不是其原来成本的 10%，也不是其目前重置成本的 10%。如果国外的竞争特别激烈，或流行的偏好已从该设备制造的产品完全转移至别处，以致其价值已降为零，那么，由于自然磨损或时间的流逝所造成的实物磨损，并不包含任何的价值损失，

因而需要任何补偿。因此，对我们的目的而言，保持资本不变意味着既不需要补偿全部的价值损失，也不需要补偿所有的实物损失（并非由于上帝或国王的敌人的行为），而只要补偿除上述情况以外的由实物损失造成的那种价值损失。

第 6 节

人们很容易就可以看出，不同的资本货物都要以不同的比例遭受这种损失——从资本之湖中流出。流动资本——原材料、煤炭，等等——在资本之湖中通常只有几个月的寿命；固定资本的寿命有几年，多少则视其性质而定。因此，为了保持 1 镑流动资本的价值不变，每年需要补充的数量比维持 1 镑固定资本的价值所需的数量要大得多。米切尔教授援引的一些数字表明，美国在工业和农业中使用的由“可移动的设备”——机器等等——所代表的固定资本部分，与流动资本的存量大体相等，每一种资本估计为 90 亿镑。① 如果可移动设备的正常寿命为 10 年，流动资本的平均寿命为 1 年，这意味着，为保持资本不变，每年固定资本的补充必须达到 9 亿镑，而每年流动资本的补充则达到 90 亿镑，是前者的 10 倍之多。因此，如果任何一年，固定资本的磨损价值为 1 亿英镑，要通过把新的 1 亿英镑的流动资本而不是固定资本的价值增加到资本货物上去来予以弥补，那么，在以后年代为保持总资本存量不变，每年需要补充的价值将要增加。在相反的情况下，则要减少。

① 米切尔，《经济周期》(1927 年)，第 93 页。

第 7 节

在结论部分，有关未能充分的补充以保持资本不变的后果，将要进行简要的说明。假设我们从一稳定状况开始。假设过去很长一段时间，为保持资本不变，每天需要持续不断地补充 200 万英镑的比例，而且，事实上这种情况已经出现。由于发生了某种情况，结果今后仅能补充 100 万英镑。显然，资本之湖的水面必然会下降。但是，湖面不会持续地无限制地下降。因为，由于流入量减少的结果，流出量也必然减少，资本存量的逐渐减少，必然导致同一时间内每天的消耗量的逐渐减少。当前，流出量必然下降到这样一种程度，即每天减少了约 100 万镑的流入量足以补充流出量。因此，实际资本的减少将会停止，新的平衡将建立。在这种均衡建立之前所需要的时间，要视最初存在于各种资本物品之间的各种寿命长度的比例，以及在减少过程中这些比例可能发生的变化而定。如果不能提供补充，以致以后任何东西都没有出现，那么，资本存量最终必将完全消失。寿命较短的资本物品最先消失，然后，其余的物品将陆续消失。流出量将越来越小，从小河到涓涓细流，在寿命最长的资本物品消失以后，流出量连同从其流出的湖泊均会干枯。但人类对这一事件没有任何兴趣，因为，无疑，在最后一项资本物品消失之前，“最后一个人”已死了。

第 5 章　国民所得大小的变化

第 1 节

一国的经济福利与该国的国民所得的大小是密切相关的，经济福利的变化与国民所得的变化也是密切相关的。我们的目的在于尽可能地了解这些联系的性质。为了达到这一目的，基本准备工作是要形成一个清楚的概念，国民所得大小的变化究竟**意味着**什么。为了方便起见，我们首先假定，我们所要研究的那一团体的国民所得的大小保持不变。

第 2 节

国民所得是一种客观存在的事物，在任何时候它都包括在该时期形成的这样或那样的商品和服务的结合体。因为它是一种客观事物，如果能够的话，我们自然希望能够参照某些客观存在的实物单位，而不必顾及人们对包含于其中的某些物品的心理态度，来界定国民所得大小的变化。我的意思并不是说，认为公众偏好的变化不可能对国民所得的大小产生影响。显然，公众偏好的变化可以通过导致构成国民所得的客观因素的变化来对其产生影响。我的意思只是说，假设构成国民所得的**那些客观因素为已知**，那么，其大小只取决于这些客观因素，公众偏好的变化对它不会产生任何影响。这是每一个人从直觉上希望采用的观点。

第 3 节

如果国民所得仅由单一商品构成，那么，对其大小变化的界定就不会存在任何困难了。所有的人都一致同意，国民所得的增加，将意味着这种商品单位数量的增加，国民所得的减少，将意味着这种商品单位数量的减少。同样，如果国民所得由许多不同的商品构成，但所有这些商品的数量总是按相同的比例变化，那么，对其变化进行界定也不会存在什么困难。国民所得在任一时间都是由一定数量的复合单位构成的，每一复合体都由一定数量的每一种商品组成，国民所得的增加和减少均意味着这些复合单位的数量的增加和减少。

第 4 节

如果国民所得由许多不同种类的物品构成，而它们之间的比例又不是固定的，但某种预先确立的和谐使当任何物品的数量的增加的同时另一种物品的数量减少这种情况成为可能，我们就不再能说，一个时刻的国民所得由这样一个单位数量构成，而另一个时刻的国民所得由那样一个单位数量构成。但我们仍然总是可以通过实质性的关系，确定某一时刻的国民所得比另一时刻的国民所得是多还是少：对许多目的而言，我们需要的正是如此。

第 5 节

但在实际生活中，国民所得由多种不同的物品构成，其中某些物品的数量在同一时间内可能增加，而另一些物品的数量则可能减少。在这些情况下，就没有任何直接的方法可以通过实质性的关系来确定一个时期的国民所得是否比另一个时期的国民所得大或者小；因此，有必要沿着其他的路线寻找一个定义。显然，所选择的定义必须如此：假设国民所得仅由一种物品构成，因此，我们永远可以说，这种物品数量的增加，就是国民所得的增加。与此不相容的定义就是悖论。从这点出发，我们将作如下说明：假设一个人其偏好不变，如果在时期 II 中增加的物品比在时期 II 中取出的物品**更加需要**，我们就说，他在时期 II 中的国民所得比他在时期 I 中的国民所得大。对（一定数量的）一群人而言，假设其偏好不变且他们中间购买力的分布也不变，**如果增加到时期 II 中的物品，这群人为保留这些物品，愿意比在时期 II 中为保留这些被取出的物品，支付更多的货币**，我们就说，时期 II 的国民所得比时期 I 的国民所得大。这个定义避免了混乱。生产技术不管发生了怎样的变化——即使生产一种东西成本更高一些，生产另一种东西成本更低一些，即使有可能生产某些全新的东西，并同时不可能再制造出以前曾经制造过的某些物品——关于国民所得内容的任何变化对国民所得大小的影响，可能只能得到一个，也只能得到一个结论。既然如此，如果偏好和购买力分布确实不变，那么，对这种定义方法的优点，就不会有什么反对意见了，采用这一定义就是很自然和再明显不过的事了。

第 6 节

但事实上，偏好和购买力的分布两者都不是固定不变的。其后果是，我们的定义在某些情况下会导致一个至少从表面上看来是一个非常矛盾的结果。例如，在时期 I，偏好是这样，在时期 II，偏好就发生变化了；在时期 I，国民所得是集合体 C_1，而在时期 II，就变成了 C_2. 两种情况都可能发生：具有时期 I 偏好的团体，对在时期 II 增加的物品比在时期 II 减少的物品，愿意支付**较少**的货币；而具有时期 II 偏好的（人数相等的）团体则对在时期 II 增加的物品比对在时期 II 减少的物品，愿意支付**更多**的货币。在这种情况下，我们的定义既使 C_2 小于 C_1，也使 C_2 大于 C_1，显然这是非常自相矛盾的。惟一能摆脱这种尴尬情况的就是承认，在这些情况下从绝对意义上谈论国民所得的增加或减少，是没有任何意义的。从时期 I 偏好的观点看，国民所得减少，而从时期 II 偏好的观点看，国民所得增加，仅此而已，没有其他更多的意义。[①] 我们很容易就可以看出，当购买力分布在时期 I 和时期 II 之间变化时，可能出现同样的矛盾，也可能迫使我们得出同样的结论。在这里，我们

① 当我们试图按照以上定义比较两个国家的国民所得的大小时，会出现完全类似的困难。因此，如果具有德国偏好的德国人，被给予英国的国民所得，他们可能会比从前得到较少的经济满足；同时，如果具有英国偏好的英国人，被给予德国的国民所得，他们也会比从前得到较少的经济满足。在这些情况下，所建议采用的定义会迫使我们既说（从英国的观点看）英国的国民所得大于德国的国民所得，又说（从德国的观点看）德国的国民所得也大于英国的国民所得。还可以补充说明一下，虽然这点并不是严格相关的，两国人民之间相对偏好的差别有时，虽然并不总是，可以通过统计方法查明。例如，虽然羊肉比猪肉便宜，但德国人在第一次世界大战前不吃羊肉，而英国人则乐意食用羊肉。其次，德国人吃黑面包，而英国人吃白面包。我们知道，之所以出现这种情况，不仅仅是因为黑面包在德国相对来说便宜一些，也不是德国人比英国人穷，因为如果仅仅是由于便宜而使德国人消费黑面包，那么，大概白面包在有钱的德国人中应该有较高的消费了。但并没有发现这种情况。因此，我们可以合理地推断，德国人偏爱黑面包，而不是全麦粉面包，他们和英国人的口味不同。

只能再一次从时期I分布的观点，或从时期II分布的观点，谈论国民所得大小的增加（或减少）：我们不能从任何绝对的意义上谈论增加或减少。[①]

第 7 节

因此，我们面对着一个令人十分尴尬的事实：在国民所得的结构上，很可能存在某种变化，对这种变化，我们不可能从绝对的意义上说它们是增加或是减少。显然，我们有充分的理由反对导致这一结果的定义。另一方面，如果时期I和时期II之间的偏好或购买力分布已发生变化，从时期I的观点看，构成向上（或向下）的同样多的百分比变化的国民所得的改变，从时期II的观点看将成相同的百分比变化，那么，我们可以合理地预期，**通常**它还将构成从时期II的观点看的**同方向**的变化。总之，从两种观点看，大部分原因都会增加国民所得，或从两种观点看，大部分原因都会减少国民所得。因此，用不着累赘地或复杂地参考那两种观点，通常我们就可以说，某种已知的原因，既可以增加或不增加国民所得的大小。所以，我们定义中的缺陷，并不是致命的缺陷。此外，对其他任何定义作进一步思考，也不能表明它们甚至就更没有缺陷。因此，不管以前我们说过什么，为了本书的目的，我建议对一定人数

① 参考鲍利博士的说明："包含在收入中的价值是交换价值，它不仅依赖于我们所说的商品或服务，而且也依赖于社会全体的收入和购买的全部复合体……。因此，对全部国民收入进行数值测度，依赖于收入的分配，并随着收入分配的变化而变化"（《社会现象的测度》，第207～208页）。也可参见斯坦普，《英国的收入和财产》，第419～420页。

的国民所得的大小的增加作如下界定。**如果**时期 II 的偏好与时期 I 流行的偏好相同，而且，**如果**购买力的分布也与时期 I 的购买力分布相同，那个团体为保留在时期 II 增加的物品所愿意支付的货币，较为保留在时期 II 被取出的物品所愿意的货币更多，那么，从时期 I 的观点看，国民所得的增加是其内容的一种变化。撇开在第 2 章所讨论的当已经得到所想要的东西所导致的欲望和满足之间的区别，我们可以另一种形式对以上定义作如下说明。**如果**时期 II 的偏好与时期 I 流行的偏好相同，而且，**如果**购买力的分布也与时期 I 的购买力分布相同，由在时期 II 所增加的物品所导致的（以货币测度的）经济满足比由于从时期 II 被取出的物品所导致的（以货币测度的）经济满足大，那么，从时期 I 的观点看，对特定人数的团体来说，国民所得的增加是其内容的变化。从时期 II 的观点看，国民所得的增加可以完全类似的方法予以界定。从绝对的观点看，国民所得的增加从以上两种观点看，是一种构成增加的变化。在两种国民所得中，当从一个时期的观点看，一种国民所得较大，而从另一个时期的观点看，另一种国民所得较大，那么，从绝对的观点看，这两种国民所得是不能加以比较的。

第 8 节

到目前为止，我们所涉及的是包含有相同人数的团体。因为，在大小不同的团体之间，对其国民所得进行直接比较几乎没有什么用。但我们可以设想，按所要求的比例在大团体中减去一定的人数——各阶级均相同对待——以使大团体人数和小团体人数相等，并按相同的比例，减少其货币收入。于是，如此获得的大团体的国民所得,便可以按照前面的分析思路,同小团体的国民所得进行比较了。其结果是原来这两个团体人均国民所得的粗略比较。

第 6 章　对国民所得变化的测度

第 1 节

上一章的讨论，向我们提供了一个**标准**，按照这个标准，我们可以从一个时期或另一个时期的观点，决定一个时期的国民所得比另一个时期的国民所得是大或是小。但提供了任何一种事物增加和减少的标准，并不能提供对这些变化的**测度**。现在，我们必须要研究这个问题，提出一种适当的测量尺度。

第 2 节

从任何一个时期的观点看，按照那个时期的偏好和购买力分布，我们关于增加的**标准**是：对已增加到国民所得中的物品的货币需求超过对从国民所得中取出的物品的货币需求，这就自然表示，从那一时期的观点出发，我们应当使用一个比例作为增加的**测量尺度**，在这一比例中，对包含在那一时期国民所得中的物品的货币总需求（在人们愿意支付的金额的意义上，而不是不愿意支付的意义上）超过了对包含在另一时期国民所得中的物品的货币总需求。这种测量尺度与我们的标准完全一致。我们会得到两个数字，一个数字表示从时期 I 的偏好及购买力分布的观点看的变化，另一个表示从时期 II 的偏好及购买力分布的观点看的变化。显然，考虑到我们在上一章所确定的标准，如果我们能够这样做，这就是我们所要采用的测量尺度。

第 3 节

但非常不幸的是，这种形式的测量尺度在实践上是完全行不通的。如果采用这种测量尺度，我们将不得不面对作为最后障碍的这样一个事实：按照上面所解释的意义，对包含在任一时期国民所得中物品的货币总需求是一个不切实际的概念。它涉及的货币数，是通过把包含在国民所得中的以货币衡量的每一种商品的消费者剩余全部加在一起得到的。但正如马歇尔所指出的，部分因为互补商品和竞争性商品的存在，以这种方式把消费者剩余全部相加存在许多困难，这些困难即使能够通过运用复杂的数学公式从理论上克服，但在实践上却肯定是难以克服的。① 即使不考虑这些较遥远的困难，显然，也不可能建立任何拟议中的在其术语中不采用包含在国民所得的各种因素中的需求弹性的测量尺度，或者更确切地说，是有关的各种需求函数的形式。对我们来说，这些数据在相当长的时间内是、而且很可能是难以获得的。因此，任何有关使用这些数据的测量尺度的想法，都必须予以排除。

第 4 节

沿着这种考虑所表明的思路继续前进，不久我们就会得出这样一个结论：在足以提供对国民所得的变化进行测量的尺度这样的范围内，有重大希望能加以组织的惟一数据是各种商品的数量

---

① 《经济学原理》，第 131～132 页注释。

和价格。除此之外，我们什么也得不到，因此，如果我们要在这种情况下建立任何测量尺度的话，我们**必须**使用这些数据。这样一来，我们的问题就变成：如果可能的话，以什么样的方式从这些数据中建立一个与在上一章中所得出的国民所得的变化定义相一致的测量尺度？解决这一问题的努力可以从这样三个方面入手：第一，一般性的研究分析，即如果所有有关数量和价格的信息均可获得的话，那么，哪一种测度与该定义最接近；第二，定量分析，即实际上我们可以获得的，从有关数量和价格的样本信息中建立起来的哪一种可实际应用的测量尺度，最接近于以上的测量尺度；第三，一般和定量分析相结合的混合性研究分析，即实际应用的测量尺度，作为以上测量的指数，其**可靠性如何**？

第 5 节

在着手分析第一个、而且是最重要的问题时，我们不得不马上承认，完全的成功是不可能的。根据在上一章所提出的定义，国民所得从一个时期的观点看（在这一时期，偏好和购买力分布属于一种情况）将以一种方式变化，从一个时期的观点看（在这一时期，偏好及购买力分布属于另一种情况），将以一种不同的方式变化。为了与此相一致，我们测量国民所得的变化也需要用两个数字来表示，如果偏好和购买力分布在两个时期中各不相同，从第一个时期的观点出发，其变化用一个数字表示，从第二个时期的观点出发，其变化用另一个数字表示。仅仅建立在数量和价格之上的测量尺度，是难以满足这种要求的。因为，虽然我们可以知道，当偏好及购买力分布属于 A 种情况时，时期 I 的实际数量和价格，以及当偏好和购买力分布属于 B 种情况时，时期 II 的数量和价格，但我们不可能知道，如果偏好和购买力分布属于B种情况时，时期I的数量和价格，以及如果偏好和购买力分布属于A种情况时，时期II的数量和价格。因此，我们最可能希望的是这样一种测量尺度：它与所要比较的两个时期中的任一时期的偏好及购买力分布状况无关，而是当国民所得的内容以不论偏好和购买力分布状态如何，只要它们在两个时期中完全相同，以货币衡量的经济福利将增加这样一种方式变化时，这一测量尺度也总是增加。即使我们能够获得有关数量和价格的全部数据，仅在这些数据的基础上建立一个比这个同我们的定义更为一致的测度，也是不可能的，显然，这种一致的程度是很不完全的。

第6节

对以上情况我们已有所了解，现在让我们转到在获得充分数据的基础上建立测量尺度的问题——从现在开始我们把其称之为充分数据的测量尺度——它将尽可能地与上一节所明确说明的适度的目标相一致。我们所需要的是这样一种测量尺度：每当国民所得的内容以这样一种方式变化时，它将能够表示出国民所得的增加，即，就任一时期的货币而言，①对具有固定偏好和购买力分布的特定大小的团体来说，对于增加了的物品的货币需求比对减少了的物品的货币需求要大；②或者，换句话来说，这一团体在第

① 考虑到以下事实，这句话是很有必要的：如果这一团体的总的货币收入发生了变化，那么，第二时期的钱和第一时期的钱就不是一码事儿了。

② 或许对以前用文字叙述过的东西，在这里用符号来重复一下更好一些，即若任何商品的需求曲线方程式是 $p=\phi(x)$，则对 h 单位增量的货币需求是 $\int_0^{x+h}\phi(x)-\int_0^{x}\phi(x)$，而不是 $\{(x+h)\phi(x+h)-x\phi(x)\}$.

二时期获得的以货币表示的经济满足，比它在第一时期获得的以货币表示的经济满足要大。当然，这并不是要求，如果当以货币表示的增加的经济满足为 E 时，我们的测量尺度将表示增加 1%，而当以货币表示的增加的经济满足为 2E 时，我们的测量尺度将表示增加 2%。这不仅不必要，而且，在国民所得仅由惟一的一种商品构成的特殊情况下，它甚至还将导致自相矛盾的结果。但是，它要求，当以货币表示的增加的经济满足为 E 时，我们的测量尺度将表示**某种**增加，当以货币表示的增加的经济满足大于 E 时，它将比经济满足的增加为 E 时表示的增加更大一些。这就是我们所要建立的理论框架，问题是要发现何种理论能最好地实现我们业已明确说明的目的。①

① 欧文·费雪教授在其《指数的编制》一书中所进行的杰出研究中，似乎采取了这样一种观点：有一种绝对正确的方法可以用来建立这种测量尺度，所谓绝对正确，就是该方法建立的测量尺度并非仅仅能满足我们想要达到的特殊目的。考察了许许多多不同种类的指数后他发现，去除掉那些具有明显技术缺陷的指数，剩下的指数虽然是采用迥然不同的方法编制的，但得出的结果却大致相同，他由此得出结论说："从人的角度说，指数是一种绝对精确的工具"(第 229 页)。不错，不同的方法所得到的结果极为相近，无疑会使人联想到，某处存在着一个绝对正确的结果，这些方法都在向其逼近。但是，就我所能理解的说来，其实没有理由接受这种形而上学的联想。让我们作个类比，看看这样一个测量尺度，它旨在确定一组树的平均高度。人们可以很容易地发现这组树的算术平均高度、几何平均高度或任何其他平均高度。在许多情况下，所有种类的平均数都会带来与此非常相似的结果。但这并不能算作一个证据，表明天上存储有一个理想的平均高度，它不同于上述那些平均高度，而且在绝对的意义上，比上述任何一个都更为精确或正确。固然，有正确的算术平均数，有正确的几何平均数，有正确的调和平均数；但在我看来，若认为存在着一个绝对正确的平均数原型，那却是一种幻觉。我们要达到某一目的时，可以问：是算术平均数还是几何平均数能最好的服务于我们的目的？如果这两种平均数恰巧相同，则我们很幸运，即使偶然挑选了错的一个，也没有多大关系。但我们必须就此打住，若再说更多的东西，就不合适了。不过，有理由认为，当费雪教授宣称为价格指数挑选公式可以不考虑所要达到的目的时，他是在比我窄的意义上使用目的这个词，因而不会同意我在此处说的话。

第 7 节

在我们想要比较的两个时期的第一时期，任何给定大小的团体将其购买力花在一商品组合上，在第二时期花在另一商品组合上。当然，估算每一商品组合时不要重复计算相同的东西，也就是说，包含的应该是提供给消费者的直接服务（如医生的服务）、制成的消费品和一部分当年生产出的耐用机器，[①]而不应包含生产这些东西所消耗的原料或劳动服务，当然也不应包含“证券”。在此阶段，暂且忽略这样一个事实，即在一商品组合中可能有某些种类新发明的商品，而在另一商品组合中则毫无这些新发明的商品。我们可以把第一个商品组合称为 C_1，它包含 $x_1, y_1, z_1 \cdots$ 个单位各类商品；可以把第二个商品组合称为 C_2，它包含 $x_2, y_2, z_2 \cdots$ 个单位同类商品。假设上述各类商品每个单位的价格在第一时期为 $a_1, b_1, c_1 \cdots$；在第二时期为 $a_2, b_2, c_2 \cdots$。假设我们的货币收入总额在第一时期为 I_1，在第二时期为 I_2。由此可以得到以下命题：

1. 如果我们在第二时期购买的各类商品的比例与第一时期相同，也就是说，如果我们在两个时期购买的都是 C_1 这个一般形式的商品组合，那么，我们在第二时期购买的各类商品就等于在第一时期购买的各类商品乘以分数

① 为了与第 3 章给出的国民所得定义保持一致，必须这么做。倘若我们给国民所得下的定义是，国民所得只包含当年实际消耗的东西，那么机器便不计入国民所得。根据我们的定义，我们应严格地把超出维持资本不变所需的所有新厂房设备包括在内，减去当年生产消费品所消耗的那部分厂房设备的价值。

$$\frac{I_2}{I_1} \cdot \frac{x_1 a_1 + y_1 b_1 + z_1 c_1 +}{x_1 a_2 + y_1 b_2 + x_1 c_2 +}$$

2. 如果我们在第一时期购买的各类商品的比例与第二时期相同，也就是说，如果我们在两个时期购买的都是 C_2 这个一般形式的商品组合，那么，我们在第二时期购买的各类商品就等于在第一时期购买的各类商品乘以分数

$$\frac{I_2}{I_1} \cdot \frac{x_2 a_1 + y_2 b_1 + z_2 c_1 + \cdots}{x_2 a_2 + y_2 b_2 + z_2 c_2 + \cdots}$$

根据这两个命题，再作某一假设，就可以部分地解决我们的问题。

第 8 节

如果在第二时期，一个曾经购买了 C_2 形式的商品组合（即 $x_2, y_2, z_2 \cdots$）的人，转而购买 C_1 形式的商品组合，则可以肯定，他的行为不会改变价格，他可以按价格 $a_2, b_2, c_2 \cdots$ 购买其新组合中的物品。类似的命题对于单个人在第一时期也成立，这个人不购买商品组合 C_1，转而购买商品组合 C_2。但是，若是整个一群人或者说一个有代表性的人，如此改变消费，则不能肯定，价格不会被改变。如果这群人在第二时期不购买商品组合 C_2 转而购买商品组合 C_1，则它将不得不支付比如价格 a_1', b_1', c_1'。同样，如果这群人在第一时期不购买商品组合 C_1 转而购买商品组合 C_2，则它将不得不支付价格 a_2', b_2', c_2'。上一节末尾提及的那个假设是，$\{x_1 a_1' + y_1 b_1' + z_1 c_1' + \cdots\}$ 等于 $\{x_1 a_1 + y_1 + b_1 + z_1 c_1 + \cdots\}$，以及 $\{x_2 + a_2' + y_2 b_2' + z_2 c_2' + \cdots\}$ 等于 $\{x_2 + a_2 + y_2 b_2 + z_2 c_2 + \cdots\}$。这

意味着，这群人在第二时期只要愿意，便能购买同样的C_1组合，尽管它这样做的决定会导致价格变化，就如同该决定并未引起价格变化，它能够做到的一样；而且类似的命题对这群人在第一时期也成立。如果涉及的所有商品都是在供给价格不变的条件下生产的，则上述假设会与事实完全一致。在实际生活中，对许多商品而言，可以合理地假定，消费变化引起的价格上升，大体上能抵消价格下降；因此，一般说来，我们的假设基本上符合实际情况。不过，必须记住，下面的论证均以这一假设为前提。

第 9 节

让我们从这样一种情况着手论述，即第 7 节中列出的两个分数要么都大于 1，要么都小于 1。如果它们都大于 1，这意味着，那群人只要愿意，就能在第二时期比在第一时期购买更多的商品，不管购买的是C_1形式的商品组合还是C_2形式的商品组合。因而，它在第二时期选择C_2这个事实证明，它购买的C_2组合所产生的（以货币衡量的）经济满足，要大于C_1组合所产生的（以货币衡量的）经济满足（该C_1组合大于它在第一时期购买的组合），[①]所以，毫无疑问，要大于它在第一时期实际购买的C_1组合所产生的（以货币衡量的）经济满足。但是，因为爱好和分配未发生变化，第二

① 这个命题及据此得到的结果取决于这样一个条件，即这群人**能**按时价想买什么就买什么，想买多少就买多少。倘若规定了官方最高限价，倘若由于实行配给制或由于没有足够多的商品满足需求，人们按时价购买商品的活动受到限制，当然就不能满足这个条件。第一次世界大战期间，法定价格常常偏离实际价格——至少在德国是这样——使情况更加复杂。

时期的实际 C_1 组合所产生的(用货币衡量的)经济满足,等于第一时期的实际 C_1 组合所产生的(用货币衡量的)经济满足。因此,如果两个分数都大于 1,第二时期购买的 C_2 组合所产生的(用货币衡量的)经济满足,就必然大于在第一时期购买的 C_1 组合所产生的(用货币衡量的)经济满足。采用类似的推理,可以证明,如果上述两个分数都小于 1,则相反的结果成立。因而在此情况下,以下两个分数中的任何一个

$$\frac{I_2}{I_1}\cdot\frac{x_1a_1+y_1b_1+z_1c_1\cdots}{x_1a_2+y_1b_2+z_1c_2\cdots} \text{ 或 } \frac{I_2}{I_1}\cdot\frac{x_2a_1+y_2b_1+z_2c_1+\cdots}{x_2a_2+y_2b_2+z_2c_2+\cdots},$$

或介于它们之间的任何表达式,将满足第 6 节提出的条件,我们的测量尺度要测量出国民所得的变化,就得满足这个条件。

第 10 节

因此,在上述情况下,我们设定的条件并不决定测量尺度的选择,而只是规定了选择的范围。范围的大小取决于这两个分数彼此相差的程度。在某些情况下,它们之间有一种近乎相等的关系。譬如,在 19 世纪末叶,英国人获取几乎每样重要商品的能力都提高了,其主要原因都一样,即运输的改进,因为制造业取得的大部分改进,降低了运输工具的价格。在另一些情况下,这两个分数的差距则很大。我或许可以找到直接适用的实例,但我必须满足于举出这样一个实例,它比较的不是同一群人在不同时间的两种状况,而是两群人在相同时间的状况。该实例只是在以下不符合实际的假设之下与我们当前的目的有关,即英国工人和德国工人的偏好相同,他们只是因为收入不同和支付的价格不同而购买不同

的东西。此实例取自商务部的报告《德国城市的生活费用》。该报告表明，撰写此报告时，英国工人的习惯性消费在德国要比在英国多花费大约五分之一，而德国工人的习惯性消费在德国要比在英国多花费大约十分之一。[①] 因此，如果用带有下标 1 的字母表示英国的消费和价格，用带有下标 2 的字母表示德国的消费和价格，则有

$$\frac{x_1a_1+y_1b_1+z_1c_1}{x_1a_2+y_1b_2+z_1c_2}=\frac{100}{120}，\text{以及}\frac{x_2a_1+y_2b_1+z_2c_1}{x_2a_2+y_2b_2+z_2c_2}=\frac{100}{110}.$$

第 11 节

虽然在截至目前讨论的那类问题中，我们设定的条件只规定了两个范围，在这两个范围之内选择测量国民所得变化的尺度，但即使在此处，为方便起见，也应在无数个可能的测量尺度当中挑选一个，尽管这种挑选可能是武断的。当我们从这类问题进入到另一类更加难解决的问题时，却不再那么需要作纯粹武断的选择。有时，上述两个分数中的一个大于 1，另一个小于 1。于是，它们都显然不能指示出那群人所享有的(用货币衡量的)经济满足变化的方向。假设在第二时期，那群人后来的收入比以前的收入能获得更大数量的 C_2 组合，但同以前的收入相比，获得的 C_1 组合却较少。在这种情况下，常识告诉我们，如果分数

$$\frac{I_2}{I_1}\cdot\frac{x_1a_1+y_1b_1+z_1c_1\cdots}{x_1a_2+y_1b_2+z_1c_2\cdots}$$

远远小于 1，而分数

① (敕令书，4032)，第 7 页和第 14 页。

$$\frac{I_2}{I_1}\cdot\frac{x_2a_1+y_2b_1+z_2c_1+\cdots}{x_2a_2+y_2b_2+z_2c_2+\cdots}$$

只是稍稍大于 1，则我们享有的（用货币衡量的）经济满足**或许**减少了；如果出现相反的情况，我们享有的经济满足则很可能增加了。若一个分数比另一个分数只是**稍稍**偏离 1，似可得出相似的推论，虽然把握没有那么大。如果是这样，则我们获得的经济满足（应该明白，我们谈论的是用货币衡量的满足），在第二时期**或许**会随着以下表达式

$$\frac{I_2}{I_1}\cdot\frac{x_1a_1+y_1b_1+z_1c_1+\cdots}{x_1a_2+y_1b_2+z_1c_2+\cdots}\times\frac{I_2}{I_1}\cdot\frac{x_2a_1+y_2b_1+z_2c_1+\cdots}{x_2a_2+y_2b_2+z_2c_2+\cdots}$$

或该表达式的乘方，或任何其他能作相同变化的公式，是大于 1 还是小于 1 而减少或增加。所以，用这种方法构造的分数**也许**会满足我们的测量尺度必须满足的条件。

第 12 节

在本书的前几版中，上述常识性的观点是用以下的直接分析予以辩护的。如果

$$\frac{I_2}{I_1}\cdot\frac{x_1a_1+y_1b_1+z_1c_1+\cdots}{x_1a_2+y_1b_2+z_1c_2+\cdots}$$

大大小于 1，这意味着，倘若我们在第二年购买 C_1 组合，则购买的每一项目将比第一年减少很大的百分比，因此——在偏好和分配不变的情况下——我们所能享有的满足很可能将比第一年减少许多，比如说减少 K_1。若我们在第二年不购买 C_1 组合而购买 C_2 组合，则证明，我们在第二年购买该组合所产生的满足，并不以大于 K_1 的数量而少于第一年购买另一组合所产生的满足。同样，

如果

$$\frac{\mathrm{I}_2}{\mathrm{I}_1}\cdot\frac{x_2a_1+y_2b_1+z_2c_1+\cdots}{x_2a_2+y_2b_2+z_2c_2+\cdots}$$

只是稍稍少于1，这意味着，倘若我们在第一年购买 C_2，则购买的每一项目将比第二年只少很小的百分比，因此——在偏好和收入不变的情况下——我们所能享有的满足很可能将比第二年只减少一点，比如说减少 K_2。因而，第二年实际购买的组合所产生的满足，不会以大于 K_2 的数量超过第一年实际购买的组合所产生的满足。因为在 K_1 大于 K_2 的情况下，更多的时候是第二年的购买所产生的满足少于第一年的购买所产生的满足，只有在较少的时候是第二年的购买所产生的满足多于第一年的购买所产生的满足，并且进一步因为这些不同时候的概率显然都相等，所以，第二年的购买所产生的满足**很可能**少于第一年的购买所产生的满足。我现在认为，这种推理方法错误地依赖于先验概率。因而有必要更加仔细地考察一下这个问题。为此，让我们用

q_1 表示用第一时期的收入可以获得的（和已经获得的）C_1 组合的数量；

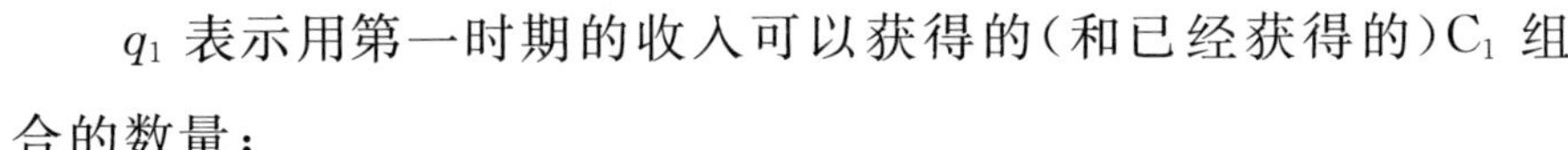

q_2 表示用第二时期的收入可以获得的 C_1 组合的数量；

r_1 表示用第一时期的收入可以获得的 C_2 组合的数量；

r_2 表示用第二时期的收入可以获得的（和已经获得的）C_2 组合的数量；

$\phi(q_1)$、$\phi(q_2)$、$\mathrm{F}(r_1)$ 和 $\mathrm{F}(r_2)$ 分别表示与这些实际的和可能的购买相联系的（用货币衡量的）满足的数量。

已知　　$$q_1>q_2 \qquad (1)$$

$$r_2 > r_1 \tag{2}$$

$$\frac{q_1}{q_2} > \frac{r_2}{r_1} \tag{3}$$

因为人们在第一时期宁愿要 C_1 的 q_1 而不愿要 C_2 的 r_1，所以我们知道 $\phi(q_1) > F(r_1)$。同样，我们知道 $F(r_2) > \phi(q_2)$。而且，由(1)，我们知道 $\phi(q_1) > \phi(q_2)$；由(2)，我们知道 $F(r_2) > F(r_1)$。

可以写作

$$\phi(q_1) = F(r_1) + A$$
$$F(r_2) = \phi(q_2) + B$$
$$\phi(q_1) = \phi(q_2) + H$$
$$F(r_2) = F(r_1) + K$$

因此，A、B、H 和 K 均为正，简单移项，则 $\phi(q_1) - F(r_2) = \frac{1}{2}(A - B + H - K)$。只要 $\frac{q_1}{q_2}$ 超过 $\frac{r_2}{r_1}$ 很多，由不等式(3)，我们就可以说，**也许** H>K。但我们并不知道 A 和 B 的值。所谓非充足理由原理，并不能使我们由这种无知中推论出**或许**(B－A)<(H－K)的命题。但只有借助于某个这样的命题，我们才能推论出 $\phi(q_1)$**或许** $> F(r_2)$。因而，根本无法对我们的常识性观点作出一般的证明。固然，$\frac{q_1}{q_2}$ 越大于 $\frac{r_2}{r_1}$，第二时期的满足**越可能**小于第一时期的满足；但是，我们却无法指出第二时期的满足以什么数值**更可能**少于第一时期的满足。正如凯恩斯先生所说，“我们面对的是概率问题，在特定情况下，我们可能有与这种问题相关的数据，但如果没有相关的数据，这种问题就是完全不确定的”。[①]

① 《货币论》，第 1 卷，第 112 页。

第 13 节

如果这个结论是正确的，则可看出，当以下两个表达式

$$\frac{I_2}{I_1}\cdot\frac{x_1a_1+y_1b_1+z_1c_1+\cdots}{x_1a_2+y_1b_2+z_1c_2+\cdots}$$

$$\frac{I_2}{I_1}\cdot\frac{x_2a_1+y_2b_1+z_2c_1+\cdots}{x_2a_2+y_2b_2+z_2c_2+\cdots}$$

当中的一个大于 1，而另一个小于 1 时，并**没有**一个居于中间的表达式，能使我们根据此表达式是大于 1 还是小于 1，而说出我们在第二时期获得的经济满足是增加了还是减少了。不过，当这两个限制性表达式均大于 1 或小于 1，因而对经济满足在两个时期之间是增加还是减少毫无疑问时，写出介于这两个限制性表达式之间的某一个表达式而不同时写出这两个表达式，实际上要方便得多。有无数个可以采用的中间表达式。在对它们作选择时，因为喜欢这个或那个没有什么深奥的原因，所以，正如凯恩斯先生所说，我们会“理所当然地受代数的优美、算术的简洁、劳力的节省以及在不同时候使用特定速记法的内在一致性等考虑的影响”。[①] 因而我建议采用物价指数中技术很成熟的两项基本检验标准，因为我们所寻求的测量尺度乃是物价指数的倒数乘以货币收入发生的相应变化，欧文·费雪教授已明确指出了这一点。首先，所选定的公式应该在“比较的一个点和另一个点之间产生相同的比率，而不论以哪一个点为基期”。[②] 如果向前计算，它显示 1910 年的物

① 《货币论》，第 1 卷，第 113 页。

② 《指数的编制》，第 64 页。

价是 1900 年的两倍，那么向后计算时，它就不应像所谓沙尔贝克式的未加权的算术指数那样显示，1900 年的物价不是 1910 年的一半。其次，选定的公式应符合费雪教授所谓的颠倒因子检验。"只要什么东西被交换而有价格，就意味着有交换、生产、消费或其他等数量，因而**物价**指数的问题包含有数量指数这一孪生问题。……没有理由对这两个因素中的一个采用某一公式，而这个公式不适用于另一个因素"。[①] 因此，所选定的公式应该是这样的，即假设我们所研究的所有商品的货币价值总额，在两年之间由 E 增加到了（E＋e），那么，如果此公式应用于价格时显示有从 P 到（P＋p）的向上变动，应用于数量时显示有从 Q 到（Q＋q）的向上变动，则

$$\left\{\frac{P+p}{P}\cdot\frac{Q+q}{Q}\right\}\text{等于}\frac{E+e}{E}.$$

除了与这些检验标准相一致外，我们还可以要求测量尺度结构简单，计算方便。把上述种种考虑综合在一起，表明以下公式

$$\frac{I_2}{I_1}\cdot\sqrt{\frac{x_1a_1+y_1b_1+z_1c_1+\cdots}{x_1a_2+y_1b_2+z_1c_2+\cdots}\times\frac{x_2a_1+y_2b_1+z_2c_1+\cdots}{x_2a_2+y_2b_2+z_2c_2+\cdots}}$$

对于我们的目的来说，是衡量变化的最令人满意的尺度。该表达式中$\frac{I_2}{I_1}$右边的部分，是费雪教授所赞扬的那种物价指数的倒数，费雪因这种指数具有一般的优点而把头等奖颁发给了它，并称其为

① 《指数的编制》，第 72 和 74 页。

"理想的指数"。[1]

第 14 节

至此讨论的公式，无论是限制性公式还是中间公式，均建立在以下不言而喻的假设之上，即包含在 C_1 组合或 C_2 组合中的商品，没有一种不是同时包含在这两个组合之中的。所以，如果在任何两年中的一年可以买到某种商品，而在另一年买不到这种商品，我们的测量尺度便完全忽略这种商品在人们购买它的那一年产生的满足。因而，只要在所比较的两个时期之间引入新商品，我们的测量尺度就是不完善的。这一点很重要，因为在与此有关的意义上，新商品不仅包括真正的新商品，而且还包括在新的时间或地点可以获得的老商品，比如 12 月份可以买到的草莓，由铁路引入印度一些地区的小麦，这些地区的人们以前不知道有小麦。显然，我们不应该把 12 月份可以买到的草莓与普通草莓同等看待，认为有关草莓的发明提高了草莓的价格，而应该把 12 月份可以买到的草莓看做是一种独特的新商品。然而，因为新商品常常直到首次被引入后经过一段时间，才会在任何人群的消费中起重要作用，所以由此造成的不完善，在相距较近的两个年份之间不会很严重。我们可忽略新商品的存在，将计算限于老商品，而不会有计算结果无效的严重风险。不过，在相距较远的两个年份之间，由于在后一年份会出现许多以前根本不存在的重要商品，因而一种测量尺度若忽略新商品，那它作为衡量（上一章所界定的）国民所得变化的尺度，

① 《指数的编制》，第 242 页。

就是几乎没有价值的。[1] 所以，除非能找到某种方法计及新商品，否则似乎就无望比较两个相距遥远的时期。不过，马歇尔发明的环比方法提供了摆脱困境的一种出路。[2] 按照这种方法，在比较 1900 年的物价水平和 1901 年的物价水平时，只需考虑在这两年均可获得的商品，而无需考虑 1901 引入的新商品和淘汰的老商品；然后比较 1901 年的物价水平和 1902 年的物价水平，这回计入 1901 年的新商品，而忽略 1902 年的新商品，依此类推。我们可以假设 1901 年的物价是 1900 年的 95%，1902 年的物价是 1901 年的 87%，1903 年的物价是 1902 年的 103%。在此基础之上，设 1900 年的物价是 100，我们可以建立一个环比。利用以上数字，这个环比为：

1900　·　·100

1901　·　·　95

1902　·　·　82.6（即$\frac{95\times87}{100}$）

1903　·　·　85（即$\frac{82.6\times103}{100}$）

把这些物价指数的倒数（它们显然就是英镑购买力的指数）放入我们测量国民所得的尺度之中，便可得到一个工具，借此可以通过一

① 类似的考虑使我们联想到，“新商品”的存在，或确切地说，不同商品的存在，对于比较两个相距遥远的地方要比较两个相邻的地方，是一个更为严重的障碍，因为在两个相距遥远的地方（譬如赤道地区和北极地区）中的一个，要比在两个相邻地方中的一个，更可能买到另一个地方没有见过的商品。在相距遥远的地方之间，从理论上说通过一连串中间地区可以应用即将讨论的环比方法，但实际上这种比较方法很可能是行不通的。

② 参看马歇尔，《当代评论》，1887 年 3 月，第 371 页及以下各页。

连串连续的步骤比较由于相距太远而无法直接加以比较的年份。这就犹如我们无法制作一根测量杆，把它带到 100 英里以外而不变形。因而我们无法直接比较相距 1,000 英里的树的高度。但是，通过比较 1 英里处的树和 100 英里处的树，再比较 100 英里处的树和 199 英里处的树，如此继续下去，则可以进行间接的比较。① 当然，必须承认，如果环比方法包含的各个连续的比较都有小误差，且在大多数情况下误差的**方向相同**，则累积的误差在相距遥远的年份之间可能很大。假如人们像发明新东西一样，同样会忘记如何制造现在正使用的东西，也许不会出现大的累积误差。但实际上，我们知道，发明的伟大进程并未像这样被抵消。因而，由环比方法带来的误差可能会集中于一个方向，以致如果该方法在两个相距遥远的年份之间赋予 1 英镑以相等的购买力，则 1 英

① 看来费雪教授未充分考虑环比方法的这个方面。假如没有新商品要加以考虑，假如在相距遥远的年份之间新商品并不重要，那我就不会与他所持的见解争论。正如他所认为的，如果是那样的话，在比较 1900 年和 1920 年时，我们的指数就应该直接依据这两年的价格和数量，而 1910 年的价格和数量（如果使用环比方法，会牵涉到它们）则是无关的，若采用它们，会造成误差。譬如，很容易看出，如果 1900 年的物价和数量状况在 1920 年完全重现，则用环比方法编制的指数很可能不会像应该的那样，给出与 1900 年相等的数字（参见《经济统计评论》，1921 年 5 月，第 110 页）。但是，如果比如说 1920 年支出的一半花费在 1900 年没有的商品上，则环比比较法就不再是替代直接比较法的拙劣方法，而是能够采用的惟一比较方法。由于这一原因，我认为，总的说来，在编制一**系列**指数时，最好是采用环比方法，而不是相对于某一基年为每一年计算出一个指数。在没有新商品的情况下，争论将不分胜负，因为环比法只能在连续的年份之间得出完全正确的结果，而另一种方法——不变权数公式除外，由于其他原因，不能采用这种公式——只能在基年和其他各年之间得出完全正确的结果。但如果有新商品，天平将向环比数列倾斜。当然，如果建立了环比数列后，我们想对环比数列中的两个年份（不是连续的两年）作较为特殊的比较，如果在这两年之间“新商品”碰巧并未带来多大麻烦，那还是为此直接计算一个新指数的好，而不必使用环比数列。

镑在后一年很可能比在前一年给具有一定爱好的代表性个人带来更多的满足。因此，如果我们的环比测量尺度测得 1900 年 1 英镑购买力的指数为 90，测得 1920 年 1 英镑购买力的指数为 100，那么，即使在此期间引入了大量新商品，放弃了大量老商品，我们也可以自信地推论说，在第 5 节假设的条件下，1920 年 1 英镑带给我们的经济满足的数量，要大于 1900 年。但是，如果将这些指数颠倒过来，我们却不能以同等的自信推论说（实际上，除非指数的下降幅度很大，否则我们**毫无**自信作这样的推论），1920 年 1 英镑带来的经济满足量，要**小于** 1900 年。

第 15 节

现在我们转而讨论本章的第二个主要问题。如果我们的选择是完全自由的，则第 13 节列出的公式就是我们应该选择的公式。但实际上却不能使用它，因为要建立这个公式，需要掌握大量的信息，而实际上并不能得到这些信息。所以，就得用我们所能获得的信息，构造一个典型的或有代表性的测量尺度，使其尽可能地接近于这个公式。我们的数据充分的测量尺度，除了表示收入变化的乘数$\frac{I_2}{I_1}$外，由两部分构成，一是 C_1 组合价格变化的倒数（所包括的不同商品的数量等于 $x_1, y_1, z_1, \cdots$），一是 C_2 组合价格变化的倒数（所包括的不同商品的数量等于 $x_2, y_2, z_2, \cdots$）。所以，我们的近似测量尺度也由两部分构成，分别表示 C_1 和 C_2 的价格变化的近似值。采用何种抽样方法能最有效地得到这些近似值呢？

第 16 节

不管我们考虑的是什么样的商品组合，无论是一般人在任何时候购买的商品组合，还是工匠、工人或任何其他人购买的商品组合，它们都会包含各种不同的商品，其价格变化的总体特征也不同。好的样本组合应包括不同性质的、具有代表性的各类商品，这些商品是国民所得的一部分，或者是我们试图测量的那部分国民所得的一部分。[①] 然而，令人遗憾的是，由于一些实际原因，无法满足这一要求，甚至必须求助于普通人不购买的商品，例如像小麦和大麦那样的商品原料。因为价格能被观察到的、且能进入我们的样本组合的商品的范围，在两方面是有限的。

首先，除了某些大量消费的物品外，向消费者索取的价格是难以弄清的。吉芬甚至曾说："实际上我发现，只有能在大批发市场上交易的主要商品的价格能够被利用"。鉴于商务部和新近设立的食品部对食品零售价格作了一些研究，这种说法现在必须加以修正，但在很大范围内仍然是正确的。然而，即便能够克服弄清零售价格的困难，这些价格也不适合于在若干年之间进行比较，因为标明价格的物品往往包含零售商和运输商不同比例的服务，因而在不同的时期往往是不同的物品。"在新鲜的海鱼只能在海边买

---

① 米切尔教授写道："制造品特别是消费品的缓慢变化，农产品价格反复无常的大幅变化，木材迅速上涨的价格等等，都是物价水平实际波动的一部分。……此种数据范围所受到的每一限制，都会使所得到的结果的重要性受到限制"（《美国劳工统计局公报》，第 173 号，第 66～67 页）。这话很正确，但千万不要以为制成品和**这些**制成品中所包含的原料都包括在内。

到时，其平均价格很低。有了铁路内地也有海鱼卖后，其平均零售价格中要比从前包含高得多的分销费用。对付这种困难最简单的方法，通常是采用某种物品的产地批发价，充分考虑商品的运输、人员和广告，把它们视为非常重要的单独项目。"[①]

其次，甚至制造品的批发价格也很难估量，因为，虽说仍叫同样的名称，制造品在特性和质量上却不断变化。斯蒂尔顿乳酪，曾是双层奶油乳酪，现在则是单层奶油乳酪。用不同收获期的葡萄酿造的红葡萄酒是不相同的。现在铁路客车上的三等座位也与 40 年前的不同。"现在有十个房间的普通房子或许要比以前的大，而且其大部分费用花在旧式房屋所没有的水、煤气和其他家庭用具上。"[②]在过去的十二年，由于冷冻和溶解的方法越来越科学，我国销售的外国羊肉的质量稳步提高；另一方面，外国牛肉的质量却下降了，因为来自北美的供应实际上已经停止，而被来自阿根廷的质量较差的牛肉取代了。[③] 试图估价许多直接服务时，也会遇到同样的困难——例如医生的服务，正如帕累托尖锐指出的，就比棉纺织业吸收了更多的支出[④]——因为这些服务虽然名称一仍其旧，可性质却常常改变。

因此，可以观察到的主要物品——不过必须承认，加拿大的官方指数和美国采用的若干种指数，试图作更广泛的调查——似乎是批发市场上尤其是大型国际市场上的原料。这些东西——当

① 参见马歇尔，《当代评论》，1887 年 3 月，第 374 页。

② 同上，第 375 页。并参看马歇尔，《货币、信用和商业》，第 33 页。

③ 伍德夫人，《经济学杂志》，1913 年，第 622～623 页。

④ 《政治经济学教程》，第 281 页。

然，战争时期除外——相对于运费一般较小的次要物品而言，近年来价格可能下降了；相对于个人服务而言，它们的价格确实下降了；相对于制造品而言，它们的价格却可能上升了，因为实际的制造方法一直在改进。我们的样本省略了各个项目的价格变化，但这些变化可能会相互抵消，因而我们的省略或许不会造成过于严重的后果。当然，想要获得真正测量尺度的努力，会因此而受到影响；几乎可以肯定，因为原料的价值常常只占成品价值的很小一部分，因而原料50％的变化，可能只引起成品5％的变化，从而会夸大所发生的价格波动。

以上所述并未完全列出我们的无能为力之处。因为想用以代表各种"组合"的样本，不仅是价格的清单，而且还是价格乘以购买量的清单，而我们对购买量的了解甚至比对价格的了解还有限。有关国内年产量的记录少之又少——关于年购买量的记录就更少了。进口数量确是有记录的，可很多重要商品并非完全来自于进口。当然，对于某些目的来说，求助于典型的支出预算，可以克服这个困难。支出预算可以使我们大致了解特定阶层的人购买某些主要物品的数量。但这种方法只能提供粗略的平均数字，使我们几乎不能区分包含在相距很近的不同年份的商品组合中的各种物品的数量。

第 17 节

接下来让我们假设，以上困难都被克服了，在所有相关的时期都可以获得既包含价格、又包含数量的样本。接下来的问题便是确定应如何给价格"加权"。乍看起来，似乎权数自然应该与包含在抽出样本的商品组合中的各种商品的数量成比例。但至少在理论上，有时可以改进这一安排。因为我们所了解的一些商品可能与排除掉的一些商品有密切关联，以至它们的价格通常在同样的意义上变化。因此，从理论上说，如果我们有几种商品的统计数字，每种商品都取自具有相同特征的不同商品大组，那么就可以不按照其自身重要性的比例，而按照其所代表的大组的重要性的比例，给各种样本商品“加权”。然而，这实际上几乎是行不通的。可能某些商品，其典型特征非常明显，可以正确地赋予它们以修正过的权数，但我们很少有足够的知识能实行这种差别待遇。一般说来，可行的最好方法，就是照原样使用我们的样本。① 因此，C_1 组合价格变化的数据充分的测量尺度是

$$\frac{x_1a_2+y_1+b_2+z_1c_2+\cdots}{x_1a_2+y_1+b_1+z_1c_1+\cdots},$$

可以得到的这一测量尺度的最佳近似值是

$$\frac{x_1a_2+y_1b_2+\cdots}{x_1a_1+y_1b_1+\cdots},$$

① 这个命题可以用反概率原理加以证明。如果有两个商品组合，一个的变化程度与所抽取的样本的变化程度相同，另一个的变化程度与所抽取的样本的变化程度不同，那么，从前者抽取样本的方法，就会多于从后者抽取样本的方法。所以，任何一个无偏见地从某一商品组合抽取的样本，其原样都要比其修改后的样子更可能正确地代表该商品组合。然而，必须承认，有个棘手的问题，就是一种商品若其价格变化与我们样本的主要部分很不相同，它是否应包括在我们的样本中。的确，计算实际的测量尺度时，有时应该省略“极端观测值”。在这件事情上应该怎么做，取决于先验的预期，连同我们的样本的一般形式，是否表明，抽取样本的原始分布服从某个已确认的误差规律。常常很难确定先验的预期是否表明了这一点。应该补充说一句，只有当我们的样本中所包含的商品数目很小时，省略极端观测值的实际效果才可能重要；而且正是在商品数目很小的时候，非常难于找到排除某些商品的充分理由。

式中项数以样本中包含的物品的数目为限。由此可推论出，第13节末尾列出的国民所得变化的数据充分的测量尺度的最佳近似值是

$$\frac{\mathrm{I}_2}{\mathrm{I}_1}\sqrt{\frac{x_1a_1+y_1b_1+\cdots}{x_1a_2+y_1b_2+\cdots}\times\frac{x_2a_1+y_2b_1+\cdots}{x_2a_2+y_2b_2+\cdots}}.$$

第 18 节

实际上，正如上文所暗示的，我们通常无法找到一合理的物品样本，在我们比较的两个时期（或地方）的每一时期（或地方）知道人们所购买的这些物品的数量。在这种情况下，我们也许不得不满足于这样一个样本，此样本在我们比较的年份中只有一年的数量为已知。在此情形下，我们不得不截短我们的公式而采用以下形式

$$\frac{\mathrm{I}_2}{\mathrm{I}_1}\cdot\frac{x_1a_1+y_1b_1+\cdots}{x_1a_2+y_1b_2+\cdots}.$$

这就是英国商务部在生活费用指数方面所采用的（颠倒的）公式。显然，这种截短的样本不如完全的样本。但费雪教授的考察表明，截短的样本得到的结果，通常与完全的样本得到的结果并没有太大的差别。因而我们无需研究这样一个很难找到答案的问题，即是不是另外一种公式，它建立在与上面相同的数据之上，却能获得与完全样本更接近的近似值。

第 19 节

然而，在此需要说明上述公式与所谓“未加权”指数（例如索耶

贝克编制的指数)之间的确切关系。这种指数把某一年或平均若干年当做基期,把这一基年或基期所有商品的价格定为 100,把其他年份的价格表示为 100 的适当分数。如果 a_1,b_1,c_1 是基年的实际价格,a_2,b_2,c_2 是另一年的实际价格,那么这另一年英镑的购买力就是

$$\frac{100+100+100\cdots}{100\,\frac{a_2}{a_1}+100\,\frac{b_2}{b_1}+100\,\frac{c_2}{c_1}\cdots}$$

这一公式等于上一节给出的公式,当且仅当那个公式中 x_1,y_1,z_1 的数值与 $\frac{100}{a_1},\frac{100}{b_1},\frac{100}{c_1}\cdots$ 成比例时。也就是说,索耶贝克的公式可以度量某一商品组合的总价格发生的变化,该商品组合由各种商品的数量构成,这些数量是在基年或基期以 100 英镑的相等乘数售出的数量。其实,这些数量不大可能是在基年或基期售出的数量。因此,只是由于极其偶然的巧合,由索耶贝克的方法建立的公式才会与用上一节的方法建立的公式相一致;前者以任何年份或时期为基期,后者则旨在显示出基年或基期实际售出的商品组合的总价格发生的变化。

第 20 节

由以上所述,可以得到一个明显的推论。我们已看到,用索耶贝克方法编制的指数,以任何一年或时期 R 为基期;它测度这样一个商品组合的总价格的变化,该商品组合由各种商品在年度 R 以 100 英镑售出的数量构成。因此,当基期由年度 R_1 变为年度 R_2 时,我们所考察的那个商品组合(我们要测度其总的价格变

化），一般说来也会发生变化。于是，既然测度的是不同的东西，得到的结果当然也就不同；而且所得到的结果没有理由不如此不同，以至以 R_1 为基期的指数显示货币购买力上升，而以 R_2 为基期的（索耶贝克式的）类似指数却显示货币购买力下降。因而，假如我们只需对付两种商品，一种商品价格上涨一倍，另一种商品价格下跌一半，那么，若以第一年为基期，则这种指数将显示这两种商品的价格合计上涨 25%，若以第二年为基期，则显示下跌 20%。关于这种差异，商务部有关英德两国城市生活费用的出版物中的某些图表提供了一个极好的实例。在有关英国的蓝皮书中，伦敦、英格兰中部地区和爱尔兰的实际工资，是用指数方法计算的，这种指数以伦敦（相当于我们时间指数中的比如说 1890 年）为基数，那里的消费品价格和租金都用 100 表示。按照这种方法，消费品价格和租金被分别赋予权数 4 和 1。商务部发现，伦敦的实际工资等于英格兰中部的实际工资，而高于爱尔兰 3%。然而，若以爱尔兰为基数，则实际工资的指数，伦敦将为 98，英格兰中部为 104，爱尔兰为 100。在有关德国城市的蓝皮书中也出现了类似的困难。商务部以柏林为基数，发现除一个地方外，柏林的实际工资比任何其他地方都高。[①]“倘若不以柏林而以北海各港口为基数，柏林将排在第四位而不是第二位，其他地区的名次也将被改变；若以德国中部地区为基数，会使名次发生更大的变化。”[②]毫无疑问，除非被赋予很大权数的商品在价格上差距巨大或在不同时期价格发生巨大

① （敕令书，4032），第 34 页。

② J. M. 凯恩斯，《经济学杂志》，1908 年，第 473 页。

波动，否则不会出现这种巨大差异。这个事实虽然令人很感兴趣，却与我们目前讨论的问题无关。

第 21 节

在某些情况下，我们可能不了解，也没有资料可据以推测我们所要比较的任何一年的购买数量，因而我们的测量尺度所涉及的指数就不得不退而求其次，依赖于仅有价比而没有任何权数的样本。在这种情况下，前面的讨论会清楚地告诉我们，绝不要像索耶贝克那样，通过把价比归并成一个简单的算术平均数来编制指数。若采用简单几何平均数——如果任何一种商品的价格时常趋近于零，则无法采用几何平均数——或价比的中位数，则可以避免那种方法导致的自相矛盾。费雪教授曾饶有兴味地讨论了这两种指数的相对优点。[①] 这两者显然都不如第 18 节中的加权公式，如果能得到该公式所需的数据的话。

第 22 节

最后，我们必须考虑各种可行的测量尺度的**可靠性**，这种测量尺度作为数据充分的测量尺度的典型是存在的。首先，让我们假设，我们可以获得这样一个样本，其一般形态与数据充分的测量尺度相同，而且对于想加以比较的两个（或全部）时期，既可以得到价格又可以得到数量。于是可以得出以下五个一般性的结论。第一，当样本取自数据充分的商品组合所包含的大多数主要商品组，

---

① 参见《指数的编制》，第 211 页及以下各页，第 260 页及以下各页。

而这些商品组具有独特的价格变化时，我们的测量尺度可能出现的误差会比抽取的样本的代表性较小时小。第二，当样本较大时，即当样本中各项的支出构成我们花在整个商品组合上的总支出的很大一部分时，可能出现的误差会比样本较小时小。若是进行严格意义上的随机抽样，可靠性会随着样本中所包含的项数的平方根的增大而增加。第三，当构成数据充分的商品组合的每一项分别吸收花在该商品组合上的总支出的很小一部分时，可能出现的误差会比每一项分别吸收总支出的很大一部分时小。第四，当样本中的各项所显示出来的"散布"程度较小，而且各种价格在我们比较的年份之间以非常相似的程度变化时，可能出现的误差会比各项所显示出来的散布程度较大时小。由此可推论出，我们的测量尺度可能出现的误差，在相距遥远的年份之间要比在紧挨着的年份之间大，此处完全不考虑第 14 节提及的"新商品"造成的困难。正如米切尔教授根据一项范围广泛的调查指出的，原因是，批发价格在任何一年与下一年之间变化的分布，是高度集中的（比常态误差律特有的分布还要集中），但批发价格在任何一年与相距较遥远的另一年之间变化的分布却是高度分散的。"就一些商品而言，其若干年连续的价格变化趋势显然是向上的；就另一些商品而言，则呈现不变的向下趋势；还有一些商品，则没有确定的长期趋势可言。"①最后，如果我们无法得到与数据充分的测量尺度具有相同一般形态的样本，而不得不满足于第 18 节描述的那种截短的样本，那么，我们的测量尺度当然就没有如果能获得较好的样本时

① 《美国劳工统计局公报》，第 173 期，第 23 页。

那么可靠。如果我们完全没有购买数量方面的资料可资利用，而必须使用简单几何平均数或价比的中位数，我们的测量尺度就更不可靠了。但是应该指出，使用较差的指数公式而给可靠性造成的损害，例如使用小样本造成的损害，当价格变化的散布在我们比较的年份之间较小或中等时，不会很大，但当价格变化的散布较大时，却会很大。

第 7 章　经济福利与国民所得大小的变化

第 1 节

显然，假如穷人所获国民所得未减少，总国民所得的增加，如果单独发生并不伴有其他什么事情，则必然会使经济福利增加。因为，毫无疑问，如果供富人使用的商品供给量的增加，伴随着供穷人使用的商品供给量的缩减，那么，用货币衡量的经济福利以及此处界定的国民所得会增加，而与此同时，(不以货币衡量的)经济福利本身则会减少，但由于我们在上面假设穷人所获国民所得未减少，因而排除了这种双重变化。但并不能由此推论说，每一原因只要不减少穷人的国民所得，就会增加国民总所得，从而必然增加经济福利；因为一个增加了国民所得的原因，同时也会产生其他不利于经济福利的作用。所以，应考察一下实际上需要在多大程度上考虑这种可能性。

第 2 节

国民所得中包含的一些项目若可以更加容易地获得，会使消费发生变化，从而往往使趣味也发生变化。但当任何特定种类的商品变得更加容易得到时，由此引起的趣味的变化**通常**是趣味的提高。例如，当机器可供试用，物品以样品包装赠送，或作免费向公众展览时，人们对这些物品的欲望往往会提高。当人们可以很容易地进酒馆，买彩票，或上图书馆时，对饮酒、赌博或文学的喜好不仅会得到满足，还会受到刺激。当树立起整洁的榜样，建设好有照明的街道[①]，修建起模范住宅，或开辟出模范农田时，虽然仅能为住在附近的人所见而不能为其所拥有，却可以起到具体的示范作用，彰显迄今未被人们认识到的优越性。[②] 因此，“免费图书馆是发动机，能创造出欣赏高水准文学作品的能力”，储蓄银行如果限于为穷人服务的话，是“教导节俭的发动机”。[③] 同样，德国的许多城市向剧场和歌剧院提供补贴，每星期举办两三次低票价交响音乐会，它们实行的是一种**教育**政策，结出的果实是提高了人们的欣赏能力。诚然，对一种物品喜好的增加，通常伴随有对另一些能满足相同或类似目的的物品的喜好的下降，例如羊毛针对棉花，新的“最佳型号”汽车针对过去的最佳型号汽车，有时还伴随有对其他毫不相关的享受手段的喜好的下降。但是，在这种情况下，有理由认为，新喜好产生的满足会**在一定程度上**超过旧喜好产生的满

① 参见沃尔波尔的叙述，他告诉我们，安装街灯后如何增加了所在街道住户对照明的需求（《英格兰史》，第 86 页）。怀特在《电力工业》一书的第 57 页谈到了一种煞费苦心的为电灯作广告的方法。一家公司宣称可以给一住户安装六盏灯，完全不收安装费，可试用半年，房主只需支付电费。半年后，若顾客要求，公司将负责把安装的电灯全部拆走。

② 参见奥克塔维亚·希尔小姐保持房内楼梯整洁的做法，以及 H. 普伦凯特爵士对 1902 年举办的科克博览会的描述（《新世纪的爱尔兰》，第 285～287 页）。

③ 杰文斯，《社会改革的方法》，第 32 页。不过应该指出，马歇尔博士认为，这种考虑的适用范围较小。他写道：“那些在长期中显示出高弹性的需求，几乎立刻就显示出高弹性；因而，除去少数例外，我们可以说某种商品的需求是高弹性还是低弹性，而不必指明我们向前看得有多远”（《经济学原理》，第 456 页）。

足；因此，若可以更容易地获得国民所得中的某些项目，其净结果将是增加经济福利。

第 3 节

然而，以上论证并未触及事情的本质。它只与直接的短期效果有关，而与最终的效果无关。当一群人从过去所习惯和适应的较贫穷状态进入他们逐渐适应的较富裕状态时，他们从后一种状态中是否真的会比前一种状态中获得更多的满足？条件改变之后，他们的全部欲望、习惯和期望也会改变。一个人如果一生都在柔软的床上睡觉，有一天突然强迫他在露天的地上睡觉，那他会感到很痛苦；但一个一向睡在柔软床上的人，是否比一个一向露天睡觉的人睡得更好呢？罗尔斯—罗伊斯汽车世界中一百辆罗尔斯—罗伊斯汽车，是否一定能比狗拉车世界中一百辆狗拉车产生更大数量的满足？在下一章中，我将给出一些理由，用以质疑富人实际消费收入的大幅减少，如果是普遍的减少，且经过一段适应期之后，是否会显著减少他们的经济福利。类似的考虑也适用于富人实际消费收入的增加。这一点很重要。假如我国的人均收入是现在实际收入的比如二十倍，那么人均收入的进一步增加——假定人口保持不变——很可能最终不会使经济福利有任何增加。然而，在目前情况下，鉴于平均实际收入水平很低，我认为我们可以有把握地得出结论说，国民所得的增加——暂且撇开那个荒唐的假定，即增加的全部国民所得都进了已经很富有的人的腰包——不仅立即会，而且最终也会增加经济福利。改善经济状况的目标

并不仅仅是一个幻想。[①]

第 4 节

但是还有一点需要加以考虑。一个社会的经济福利，存在于使用国民所得带来的满足超过生产国民所得带来的不满的剩余部分。因此，当国民所得的增加伴随有工作量的增加时，便可以提出这样的问题，工作量的增加是否使不满超过了其产品带来的满足。不过，如果因为借助于发明等，开辟了更加有效地工作的新途径，而招致额外工作，则无需为此担心。如果因为清除了各种阻碍想工作的人从事工作的障碍，例如消除了雇主与雇工之间的争执，而招致额外工作，那也无需为此担心。如果因为采用了酬报工人的新方法，多干多少工作就多给多少报酬，而招致额外工作，同样无需为此担心。然而，也可能是由于与上述不同的情况而招致额外工作。例如，假设法律迫使整个社会每天工作十八个小时（这实际上是不可能的），该政策使国民所得增加。几乎可以肯定，在这种情况下，额外产品所产生的满足将大大少于额外劳动带来的不满。正是由于这一原因，国民所得的数量增加了，但经济福利的总量却减少了而不是增加了。这种原因在现代社会中实际上并不重要，因为除了征兵外，我们都是自愿地不是被逼迫着劳动。但是可以想象，即使在自愿的制度下，也会出现类似的情况。由于对自己的

① 关于相反的观点，参见 M. 鲍斯魁特（《世界经济文献》，1929 年 10 月，第 174 页及以下各页）。他认为，经济福利取决于收入和需要之间的关系，收入的增加，经过一段调整时期之后，会使需要增加，从而重新建立收入和需要之间的关系。因此，他得出结论说，典型人的经济福利是个常数，在长期内不会受其收入变化的影响。

实际利益抱有错误看法，工人可能会欢迎增加劳动时间，而劳动时间的增加虽然可能增加国民所得，但却会损害经济福利。而且，在雇主的剥削之下，工人可能被迫同意加班，认为这毕竟要比收入减少好些。因而会有许多因素在增加国民所得的同时却损害经济福利。然而显而易见，在与我们的讨论有关的那些一般因素中，它们所占的比例很小。一般说来，能增加国民所得而又需要增加劳动的因素，以及能增加国民所得而无需增加劳动的因素，在分配不变的条件下，将增加经济福利。

第 8 章　经济福利与国民所得分配的变化

第 1 节

如果收入从富人转移给穷人，则不同种类的商品和服务的供应比例将发生变化。昂贵的奢侈品将让位于更加为人们所需的物品，名酒将让位于肉类和面包，新机器和厂房将让位于衣物和经改进的小型住宅；并会发生另外一些类似的变化。[①] 鉴于这个事实，

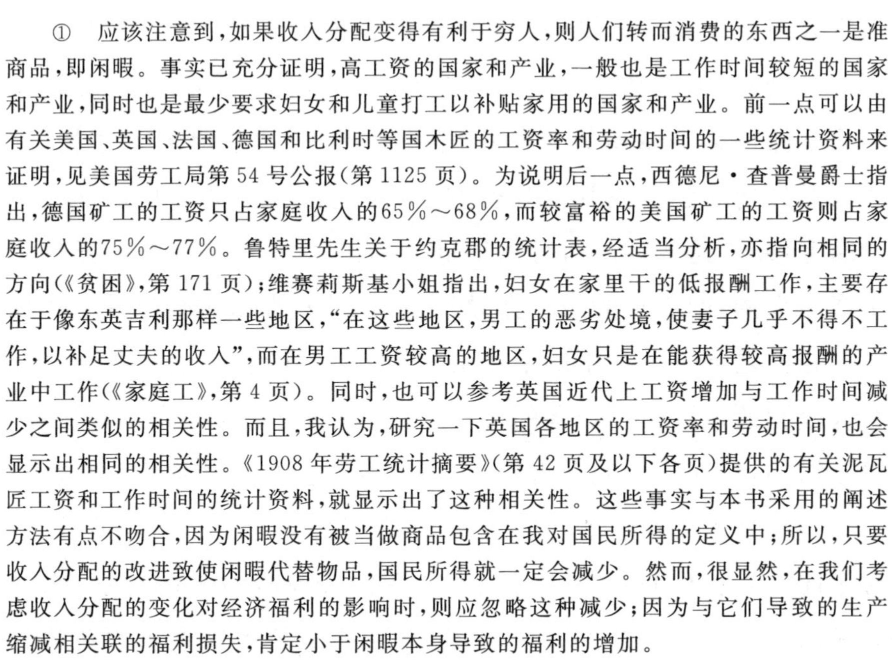

① 应该注意到，如果收入分配变得有利于穷人，则人们转而消费的东西之一是准商品，即闲暇。事实已充分证明，高工资的国家和产业，一般也是工作时间较短的国家和产业，同时也是最少要求妇女和儿童打工以补贴家用的国家和产业。前一点可以由有关美国、英国、法国、德国和比利时等国木匠的工资率和劳动时间的一些统计资料来证明，见美国劳工局第 54 号公报(第 1125 页)。为说明后一点，西德尼·查普曼爵士指出，德国矿工的工资只占家庭收入的65%～68%，而较富裕的美国矿工的工资则占家庭收入的75%～77%。鲁特里先生关于约克郡的统计表，经适当分析，亦指向相同的方向(《贫困》，第 171 页)；维赛莉斯基小姐指出，妇女在家里干的低报酬工作，主要存在于像东英吉利那样一些地区，“在这些地区，男工的恶劣处境，使妻子几乎不得不工作，以补足丈夫的收入”，而在男工工资较高的地区，妇女只是在能获得较高报酬的产业中工作(《家庭工》，第 4 页)。同时，也可以参考英国近代上工资增加与工作时间减少之间类似的相关性。而且，我认为，研究一下英国各地区的工资率和劳动时间，也会显示出相同的相关性。《1908 年劳工统计摘要》(第 42 页及以下各页)提供的有关泥瓦匠工资和工作时间的统计资料，就显示出了这种相关性。这些事实与本书采用的阐述方法有点不吻合，因为闲暇没有被当做商品包含在我对国民所得的定义中；所以，只要收入分配的改进致使闲暇代替物品，国民所得就一定会减少。然而，很显然，在我们考虑收入分配的变化对经济福利的影响时，则应忽略这种减少；因为与它们导致的生产缩减相关联的福利损失，肯定小于闲暇本身导致的福利的增加。

谈论国民所得分配的变化有利于或不利于穷人，是不准确的。每年并未产生一堆结构确定的、以某种方式分配的物品。其实，从所比较的任何两年的观点看，并没有国民所得这种东西，因而也不可能有所谓**它的**分配的变化。

第 2 节

然而，这只是文字问题而非实质问题。当我说国民所得变得有利于穷人时，我的**意思**是，在社会的一般生产力给定的情况下，穷人能得到更多的他们想要的东西，而富人得到的他们想要的东西则会减少。乍一看可能认为，只有在购买力从富人向穷人转移时，才会出现这种情况。然而，情况并非如此。即使这两个集团掌握的购买力即对生产资源的控制力保持不变，穷人也有可能受益，而富人遭受损害。如果生产某种主要为穷人消费的物品的技术得到改进，同时生产某种主要为富人消费的物品的技术退化，而其净结果是保持第 5 章所界定的国民所得不变，就会出现上述情况。如果通过配给制度或其他某种方法，强迫富人把需求从这样一些物品上移开，这些物品对穷人很重要，而且它们是在这样的条件下生产出来的，即需求的减少会导致价格下降，那么也会出现上述情况。相比之下——在第四编将会看到，这一点实际上很重要——穷人控制的该国生产资源的份额，无论是相对份额还是绝对份额，将会增加，但如果他们获得此较大份额的过程，致使他们大量消费的一些物品的成本增加，则他们实际上可能不会受益。因此，可以通过向穷人转移购买力或对生产资源的控制权以外的方法，来使分配向有利于穷人的方向变化，此方法并不**致使**这些东西转移给

穷人。尽管如此，转移购买力仍是使分配向有利于穷人的方向变化的最重要的方法，而且可以视为典型的方法。

第 3 节

在这一基础上，如果可能的话，对应于上一章在国民所得的变化和经济福利的变化之间建立的关系，需要在国民所得分配的变化和经济福利的变化之间也建立某种关系。考虑这一问题时，我们不要忘记，任何人在任何时期享有的经济福利都取决于他消耗的收入，而不是取决于他得到的收入；一个人愈富有，他消耗的收入在其总收入中所占的比例就愈小，因而如果他的总收入比如说是穷人的二十倍，他消耗的收入就可能只是比如说穷人的五倍。然而，显而易见，收入从较富有的人向性格与其相同的较贫穷的人转移，因为这可以使较强烈的需要在损害不那么强烈的需要的情况下得到满足，所以必然会增加满足总量。因而根据古老的"效用递减规律"，无疑可得到以下命题：任何使穷人手中实际收入的绝对份额增加的因素，只要从任何角度看不导致国民所得缩减，一般说来就增加经济福利。[①] 另一种考虑进一步加强了这个结论。穆勒写道："人们并不想富有，而是想比别人富有。贪婪的或占有欲强的人，倘若在其所有邻人或同胞当中是最贫穷的人，那无论他拥

① 此处不考虑这样一种难以处理的情况，即无论从变化前还是从变化后的角度看，转移都导致国民所得缩减，而从其他角度看，转移却不导致国民所得缩减。此后将假定，我们讨论的国民所得的变化从两种相关的角度看都或者为正或者为负，因而除非有特殊原因，否则我们只说国民所得增加和减少。

有多少财富，也很少会感到满足或根本不会感到满足”。[1] 里格纳诺先生更为详尽地写道：“由虚荣创造的需要，既可以由精力的大量耗费来满足，也可以由精力的少量耗费来满足。只是由于存在大量财富，才使得满足这种需要必须耗费很多精力而不是很少精力。其实，一个人若想显得比另一个人富有一倍，即想拥有比另一个人多一倍的财物（珠宝、衣服、马匹、花园、奢侈品、房屋等），他的这种欲望在他拥有十件物品而另一个人拥有五件物品时与他拥有100件物品而另一个人拥有五十件物品时，可以同样充分地得到满足”。[2] 由此可见，区别于绝对收入的相对收入所起的作用，对于仅能提供生活必需品和基本舒适品的收入而言可能较小，而对于数量大的收入而言可能较大。换言之，富人的收入带来的满足，较大部分来自于其相对数量，而不是其绝对数量。只要所有富人的收入一起减少，这部分满足就不会消失。所以，当资源控制权由富人转给穷人时，相对于穷人经济福利的增加而言，富人遭受的经济福利损失，要比只考虑效用递减规律时少得多。

第 4 节

当然必须承认，如果富人和穷人分属两个不同种族，具有不同的心理构造，富人同穷人相比天生能从任何给定的收入中获得更大量的经济福利，那么改变分配而增加福利的可能性就会受到严重怀疑。而且，即使不作任何关于天生种族差异的假设，有人也会

---

① 有关社会自由的遗著，见《牛津和剑桥评论》，1907年1月。

② Di un socialismo in accordo colla dottrina liberale，第285页。

认为，富人由于受到良好的教育和训练，同穷人相比，能从给定的收入中——比如说一千英镑——获得大得多的满足。因为，任何人若已经习惯于某一生活水平，突然发现自己的收入增加了，往往会把多余的收入花费在各种刺激性的娱乐上，如果把其直接影响和间接影响都考虑进去的话，这些娱乐可能会导致满足遭受实际的损失。不过，对于这一论点，可作出以下充分的回答。固然，长期受穷的人，其喜好和脾性或多或少已适应了其环境，在某个时候若其收入突然急剧增加，他很可能会大手大脚地乱花钱，这几乎不会或根本不会增加经济福利。但是，如果较高的收入能维持相当长的一段时间，这个阶段会过去的；而如果收入是逐渐增加的，或者更好，收入的增加不被直接觉察到——例如通过价格下降——则根本不会出现胡乱花钱的时期。无论如何，认为穷人愚蠢得很，他们收入的增加丝毫也不会增进他们的福利，会把似是而非的论点推至极点，以致无法合情合理地进行讨论。我认为，正确的观点是由普里格尔和杰克逊两位先生在专门提交给济贫法委员会的报告中很好地表达的："在没有技术和受教育程度最低的那部分人口中，酗酒现象会继续存在；随着工人阶级中一部分人就业稳定性的增加和工资的提高，这些人的尊严和个性都将提高。伴随着全国工资的增加，饮酒支出的减少，是我们所拥有的最鼓舞人心的进步征象之一"。[①] 事情的实质是，即便在现在的情况下，穷人的心理结构不好，收入的增加一时不会给他们带来什么益处，可经过一段时间之后——特别是如果时间足够长，新的一代人能成长起来的

① （敕令书，4795），第 46 页。

话——拥有这样的收入，通过教育和其他方法，在他们身上可培养出各种能力，从而能够适应和享受增加的收入。因此，从长期来看，富人和穷人之间性情和爱好的差异，可以通过在他们之间转移收入来克服。所以，显而易见，这种差异不能当做一个论据来否认转移收入的益处。①

第 5 节

然而，以上这种一般性的推理，虽然对于从形式上为我们的论点辩护或许是必需的，但却不一定能使我们实际确信它是有根据的。为此，只需回顾一下我国最近收入的实际情况就够了。目前没有充足的资料能准确地计算出收入分配情况。不过，依据鲍利博士的著作②，我们可以尝试着对第一次世界大战前的一段时期作出以下粗略的估计。我国 12,000 个最富有的家庭获得了国民总收入的大约 1/15；最富有的 1/50 人口获得了国民总收入的大约 1/4；最富有的 1/9 人口获得了将近一半的国民总收入。剩下的一半多一点，留给自谋职业者、年收入低于 160 英镑的薪金领取者以及全体工资挣取者去分配。下表是鲍利博士对国民收入在上述最后一群人的一部分之间的分配所作的估计，把分析稍稍向前推进了一点。

① 当然，同样地，当我们采取长期观点时，以下论点也会失去其大部分力量，即有人认为，富人实际收入的减少会造成特殊的损害，因为这会迫使他们放弃长久养成的习惯。

② 《经济学季刊》，1914 年 2 月，第 261 页；以及《战前工业产品的分配》，1918 年，第 11 和 14 页。

普通全日成年工人的每周货币工资
(包括对实物工资的估价)[①]

工资	人数	百分比
15 先令以下	320,000(主要是农业工人)	4
15/-至 20/-	640,000	8
20/-至 25/-	1,600,000	20
25/-至 30/-	1,680,000	21
30/-至 35/-	1,680,000	21
35/-至 40/-	1,040,000	13
40/-至 45/-	560,000	7
45 先令以上	480,000	6

研究这些数据时我们必须记住，同较为富有的家庭相比，在丈夫只有很少收入的家庭中，妻子和孩子更可能也挣取工资；因而家庭之间的收入分配很可能比个人之间的收入分配更适用。不过，这是个比较小的问题。所引用的数字的具体含义，在同一作者战前对四个工业城市生活状况的研究中，非常明白地显示出来。这些城市总共有"大约 2,150 个工人阶级家庭，9,720 人。这些家庭中有 293 家即$13\frac{1}{2}$%，这些人中有 1,567 人即 16%，生活在非常贫困的状态中"，即收入极低，多么精打细算，也无法维持适当的最低生活。"在 3,287 个儿童中，有 879 个即 27%，生活在不能达到健康生存所必需的最低标准的家庭中。"[②]当然，富裕阶级的超额

① 取自《当代评论》，1911 年 10 月，第 1 页。

② 《生计与贫困》，第 46～47 页。贫困儿童所占比例较高的原因有二，一是贫困家庭的人口总是比其他家庭人口多，二是大家庭本身即是生活贫困的原因。参见鲍利，《社会现象的测度》，第 187 页。

收入，并不表示相应的超额消费。我国每年新投资的主要部分（战前或许为 3.5 亿镑），以及中央和地方政府支出的很大部分（超过 2 亿镑），必须从他们的收入中提供；因此，每年能够由富人和中等收入的人用于奢侈品的支出不会超过 3 亿镑。而且，有关货币收入的估计数字，往往夸大富人的相对实际收入，因为对于相同的服务，这些人常常要比穷人支付更高的价格。例如，伦敦的许多商店对所谓“大户”实行差别待遇，旅馆收费也常常是歧视性的。有人甚至认为，富人的货币收入中有高达 25% 的收入，在花费时不能代表实际收入。[①] 同样，有关货币收入的估计数字由于忽视了有利于穷人的差别待遇，有时会使穷人的实际收入显得比实际少。譬如，鲍利博士指出：“肉店老板或许可以对白天的顾客提高价格而不致太影响销路，但对晚上的顾客却不能这么做。在这种情况下，工人阶级所受的价格上涨的影响会小于富人阶级。星期六夜晚的大批量购买活动尤其是这样”。但作了所有这些限定之后，上面引用的数字仍无可置疑地表明，战前和现在都有大量多余的收入在富人手里，用鲍利博士的话来说，可用转移的方式来“处置”。

第 6 节

鲍利博士和乔西亚·斯坦普爵士，对战后特别是 1924 年英国和北爱尔兰的收入分配作了一些研究。从这一研究看出，最富有阶级（其收入超过 9,400 镑，按照战前物价水平，这大致相当于

---

① 厄威克，《奢侈与生命的虚掷》，第 87 和 90 页。

5,000镑)的税前收入有所减少。[①] 两位作者得出了以下一般结论。工资挣取者、其他收入挣取者和非劳动所得之间的收入分配,稍稍有所变化,更加有利于劳动阶级了。体力劳动者的平均实际收入有所增加,保险计划和其他公共支出也变得对他们更加有利。此外,他们的每周工作时间减少了大约1/10。这种变化可以与得自房产和具有固定利率的投资的实际收入的减少相联系。各种迹象表明,税前的总利润在两年(即 1911 和 1924 年)的总收入中所占的比例,大致相同。在挣工资的阶级中,妇女和非技术工人的工资得到了相当大的实际提高;绝大多数技术工人 1924 年至少与 1911 年挣的一样多(扣除物价上涨因素)。[②] 鲍利博士战后对上一节提到的四个城市的生活状况作了第二次调查,清楚地显示出,这些变化对穷人的生活具有重大意义。他写道:"即便假设在某个星期遭受失业之苦的所有家庭没有适当的收入来源,而且他们的失业是长期的,穷人的比例在 1924 年也只是 1913 年的一半多点。如果没有失业,城市贫困家庭所占的比例则会降至 1913 年的 1/3 (3.6%对 11%),城市穷人所占的比例则会降至 1913 年的 1/4 强(3.5%对 12.6%)"。[③] 而且,假定就业充分,1924 年有一个男人正常挣钱而处于贫困之中的家庭所占的比例,只是 1913 年的1/5,即便计入失业的最大影响,也只是 1913 年的一半稍多一点。[④] 这

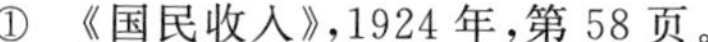

① 《国民收入》,1924 年,第 58 页。

② 同上,第 58～59 页。

③ 《贫困减少了吗?》,第 16 页。这段话中给出的 1913 年的百分比和《生计与贫困》一书中给出的百分比有差异,原因是后一本著作没有计入 480 户中上产阶级家庭(参见《生计与贫困》,第 46 页脚注)。

④ 《贫困减少了吗?》,第 21 页。

种巨大改善，部分（约占整个的 1/3）要归因于每个家庭子女数目的减少；但主要（占剩下的 2/3）还是要归因于非技术工人实际工资率的提高。然而，尽管有这种改善，尽管“计入税收的全部影响后，富人手中可用于储蓄和支出的实际收入确实比战前少了”，[①]但是，不仅税前的收入分配，而且税后的收入分配仍然很不平均。例如 1924 年，约有一亿镑的净收入即英国总收入的约$2\frac{1}{2}$，确实仍由 3,000 个家庭所享有。所以，我们应毫不犹豫地得出结论说，只要总的国民所得不减少，在相当大的范围内，以富有阶级享有的实际收入的相等减少为代价，最贫困阶级享有的实际收入的任何增加，都几乎肯定会增加经济福利。

第 7 节

应该注意到，上述结论并不完全等于这样一个命题，即在其他条件不变的情况下，任何能使国民所得的分配更趋平均的措施，都会增加经济福利。如果社会只由两个人组成，这个命题就确实成立。但是，在由两个以上成员组成的社会中，“能使国民所得的分配更趋平均”的含义却含糊不清。帕累托测度分配不平均的程度时采用的方法是，用大于任何 x 值的收入的项数的对数除以 x 的对数。这种测量方法很难应用，除非我们接受帕累托的观点，即在任何给定的收入分配中，这两个对数之间的比值，对于 x 的所有数值，都差不多是相同的，即便如此，有人仍会争论说，他的测量尺

① 《国民收入》，1924 年，第 59 页。当然，必须记住，对富人征收的重税有很大一部分用以支付战时借款的利息，仍然进了富人的腰包。

度的倒数——它当然会显示出较小的平等程度，而测量尺度本身却会显示较大的平等程度——是否不比测量尺度本身更可取。[①]在测量不平等的其他尺度中，人们最熟悉的是偏离平均数的均方差。用这个标准可以证明，假定社会成员间的脾性相同，收入分配不平等的减少，虽然并非必然会，但却**很可能**会增加总的满足量。[②]

① 参见吉尼，《可变与易变》，第 72 页。

② 设 A 为平均收入，n 为收入的项数，a_1，a_2…为偏离平均数的离差，则根据我们的假设，总满足

$$=nf(\mathrm{A})+(a_1+a_2+\cdots)f'+\frac{1}{2!}(a_1{}^2+a_2{}^2+\cdots)f''+\frac{1}{3!}(a_1{}^3+a_2{}^3+\cdots)f'''+\cdots$$

但我们知道，$\{a_1+a_2+\cdots\}=0$.

我们无从知道第三项以后的各项之和是正还是负。但$\frac{1}{2}\{a_1{}^2+a_2{}^2+\cdots\}f''$肯定是负。所以，如果第四项和以后各项都小于第三项，则可以肯定，而且一般说来很可能，$(a_1{}^2+a_2{}^2+\cdots)$愈小，总满足愈大。当然，前一数值会在与均方差或标准差$\sqrt{\Sigma\frac{a^2}{n}}$相同的意义上变化。达尔顿博士在一篇令人感兴趣的文章"收入不平等的测度"中指出，在许多收入大大偏离平均值的社会中，上述论证表明的可能性非常低（《经济学杂志》，1920 年 9 月，第 355 页）。

第 9 章　对人口数量产生的影响

第 1 节

上面两章丝毫未谈到国民所得分配的变化可能会对人口数量产生的影响。现在必须补救这个省略。对于前面得出的有关国民所得的数量和分配的一般结论，有人会反对说，任何人群享有的国民所得的增加，都会使其人口增加，直至每人的收入降至原来的数量，因而国民所得的增加不会带来持久的利益。实际上，这个论点常常用在体力劳动者收入的增加产生的影响上；当然，它在这一范围要比在任何其他范围显得有道理得多。因而考察一下该论点的这个方面就足够了。我将首先从整个世界的角度，或从想象中的一个孤立国家的角度考察这个论点，然后探究所取得的结果对于处在现代国家大家庭之中的一个国家需要作何种程度的修改。在从这两个方面即将展开的讨论中，必须明白，我们心目中工资挣取者收入的增加，并不包括国家为鼓励多生儿育女而有意和公开给予的奖励所引起的收入的增加。在英国的老济贫法之下，实际上就给予这种奖励；我国现行的所得税法，也在一定程度上起了这种作用；战争爆发前不久法国颁布的一项法律[①]，亦采取了类似的政策。穷人收入的这种增加，当然有促使人口增加的趋势，就某些实

① 参见《经济学杂志》，1913 年，第 641 页。

际问题而言，这一点很重要。但我们现在所关注的，并不是通过实行差别待遇而诱使人们生育子女的那种收入增加。

第 2 节

如果我们暂时忽略收入的增加对欲望和爱好的深层影响，我们的讨论实际上就会变为对著名的“工资铁律”的有效性的考察。根据这个“规律”，持续增加的人口会不断把工人的收入压低至“仅能满足生存的水平”，因而工人的人均实际收入在任何情况下都不可能增加。顺便应该指出，即便真有这样一种规律，也不能断然否认，工人收入的增加会增加经济福利。因为仍然可以认为，只要普通工人家庭在整个一生中获得的满足超过不满而有剩余，则人口的增加本身就意味着经济福利的增加。[①] 但是，对于我当前的目的而言，则无需深究前述那个可疑的论点。人口的增加并不会把人均收入压低至事前确定的“仅能满足生存的水平”。无疑，任何人群所获得的国民所得的增加，其直接的结果都可能是使人口**有所**增加。众所周知，英国的结婚率与 19 世纪上半叶的小麦价格负相关，而与 19 世纪下半叶的出口、票据交换所收益等等正相关，[②] 并且死亡率随着财富的增加而下降，反之亦然。但是，若宣称收入

① 但参看西奇威克的看法：“至少很令人怀疑的是，像英国普通非技术工人那样的人，其数量的单纯增加，能否认为会使人类幸福总量有实质性的增加”（《政治经济学原理》，第 522 页脚注）。同能使**人均实际收入**最大化的人口相比，在给定条件下能使幸福总量最大化的人口，似乎有充足得多的理由称为最适度人口。所以，目前较为流行的在前一种意义上使用最适度人口这个词的做法，是令人遗憾的。

② 参见帕累托，《政治经济学教程》，第 88 页及以下各页。并参见马歇尔，《经济学原理》，第 189～190 页。

的增加会极大地刺激人口增长，以致工人的收入会再次被压低至以前的水平，那就与经验相悖了。体力劳动者可以采用两种方式来利用其增加了对物质产品的要求权，一是用于增加其人口数量，二是用于提高其生活舒适水平。马尔萨斯《政治学原理》一书中两段相互对照的话，可以很好地说明这两种方式的差异。一方面，他发现，18 世纪将马铃薯引入爱尔兰后增加的财富，“几乎全都用于养活人口多的大家庭”。另一方面，1660 至 1720 年间英国谷物的价格下跌时，工人“增加的实际工资，有很大一部分花在了显著改进所消费的食品质量和明显提高舒适和方便水平上”。[①] 不可能先验地预测增加的收入以何种比例用于这两个方面。这种比例会随着时间和地点的不同而变化。譬如，勒鲁瓦—比利指出，近来在比利时和德国，增加的收入主要用于人口的增加，在其他欧洲国家，则主要用于舒适水平的提高。[②] 但几乎可以肯定（这是关键所在），用于人口增加的部分不会把增加了的对自然的控制力带来的全部成果都吸收掉。

第 3 节

正如上一节的开头所指出的，以上论证未考虑收入的增加可能产生的更深层的影响。以布伦塔诺教授为首的一个重要学派承

---

① 《政治经济学原理》，第 252 和 254 页。赖特先生在评论 19 世纪后半叶出生率的下降时认为，增加了的对自然的支配力，在表现为价格的下降时，要比表现为货币工资时，更可能提高舒适水平；因为人们不易看见货币背后的东西（《人口论》，第 117 页）。

② 《财富的分配》，第 439 页。

认，任何阶级的物质繁荣程度的提高，其直接的影响，一般说来都是提高结婚率，从而提高出生率。但他们坚持认为，从长期来看，繁荣程度的提高将提高精神和文化水平，更多地考虑子女的前程，更多地考虑生儿育女以外的满足。因此，他们认为，从长期来看，任何阶级收入的增加，可能根本不会提高，反而实际上可能降低其出生率和人口。[①] 于是，布伦塔诺教授宣称，财富的增加和文化水平的提高，"正如对不同阶层以及对处于不同发展阶段的相同阶层和相同人群所作的比较告诉我们的，将导致出生率下降……。随着繁荣程度的提高，婚姻以外的享乐也将增加，同时对子女会有更加细腻的感觉，这些事实都趋于减少生儿育女的欲望"。[②] 例如，同没有任何东西留给子女因而行为不受经济动机影响的人相比，那些有一些财产留给子女的人，更多地受这一事实的影响，即如果家庭很大，在他们死后其遗产必须分成许多小股。希伦博士 1906 年对伦敦作的统计研究，详尽证实了这种观点。在选定的一些地区，他发现了每 100 个已婚妇女的生育数与社会状况的各种指数之间的相关系数。所选择的指数是：从事自由职业的男人所占的比例、每 100 个家庭中女仆的人数、每 1,000 个男人中普通劳动者的数目、两个以上的人居住在一个房间的人口所占的比例以及每 1,000个人中穷人和精神病患者所占的比例。他发现，低繁荣指数常与高出生率一起出现。针对这一结果，必须指出这样一个事实，即低繁荣指数亦伴随有高婴儿死亡率。然而，调查表明，高死亡率

① 参见莫伯特，《社会科学文献》，第 34 卷，第 817 页。并参见阿夫塔林，《周期性的生产过剩危机》，第 1 卷，第 208～209 页。

② 《经济学杂志》，1910 年，第 385 页。

并不足以抵消高出生率；由此得出的结论是，"经济最不繁荣和文化水平最低地区的已婚妇女（当然，这些贫穷的已婚妇女嫁给的男人也很贫穷），生育的子女也最多"。[①] 而且，对 1851 和 1901 年状况的比较，揭示出这样一个惊人的事实："这种关系的强度在最近 50 年中增加了几乎一倍"。[②] 希伦的研究结果，被稍后各项更大范围的调查所充分证实。例如，尤尔先生写道："目前（1920 年），毫无疑问，婚后生育率总的说来是从较高阶层和自由职业阶层的很低数字，逐渐上升至非技术工人的很高数字"。[③] 同样，史蒂文森博士经过精细的研究后得出结论说："各社会阶层之间婚后生育率的差异，1861 年以前很小，而 1891 至 1896 年却迅速加大至最大。其后各阶层间的少许接近，可能是表面的而不是实际的。各社会阶层间生育率的差异，总的说来是一种新现象"。[④] 直到上一世纪中叶，虽然较高阶层（他们的全面赚钱能力比体力劳动者发展得晚）趋向于晚婚，因而趋向于生育较少的孩子，但这种趋向几乎被他们的较低死亡率抵消了。当时他们的婚后生育率并不比现在低多少，他们的婴儿存活率只比现在略低。现在，由于他们的生育率

① 《人类生育能力与社会状况的关系》，第 15 和 19 页。贝蒂荣先生指出，一般说来，高出生率与高死亡率是相关的（《法国人口的减少》，第 66 页及以下各页）。这种相关，部分是由于子女的死亡促使父母多生孩子，部分是由于高出生率意味着许多孩子出生在恶劣环境中而易于死亡。因此，纽肖尔姆博士说，所观察到的相关"或许主要是由于子女多的家庭常见于最贫穷的阶级，而这些阶级特别容易受造成高婴儿死亡率的因素的影响"（"关于婴儿死亡率的第二份报告"（敕令书，6909），第 57 页）。埃尔德顿在《关于英国出生率的报告》第一部分中，对于英格兰北部地区也得出了相似的结论。

② 《人类生育能力与社会状况的关系》，第 15 和 19 页。

③ 《出生率的下降》，第 31 页。

④ 《皇家统计学会会刊》，1920 年，第 431 页。

相对而言下降很大，他们的婴儿存活率要比当时低得多。① 这些由统计数据得出的推论，其依据其实并没有乍看起来那么坚实有力。高度富足与低出生率之间的相关，可能部分是由于子女少的家庭更加有条件积聚财富，而富人区与低出生率之间的相关，可能部分是由于这些地区是家仆和其他依附者——他们的生育率特别低——聚集的地方。② 而且，财富与子女小的家庭之间的相关，很可能部分是由于生理上生育能力低的家族只需在较少的人之间分割遗产，因而往往比普通人富有。③ 但是，这些因素虽说很重要，可有理由认为，它们并不能完全解释所观察到的事实。前面所说的繁荣产生的深层影响，大大增强了我们的结论具有的分量，即在孤立的社会中，穷人命运的改善不会由于引起人口大量增加而被抵消。

第 4 节

若考虑到这样一个事实，即在现代世界中，没有哪个国家是与

---

① 《皇家统计学会会刊》，1920 年，第 471 页。

② 参见勒鲁瓦—博留的证论："人们可以发现，在富人区，老年夫妇、退休者、仆人（这些人的生育力特别低）的比例较高，一年之中只在城里生活一段时间的人所占的比例也较高；因而，富人区的出生率较低，由此不能推论出任何东西。人们把拥有 135,000个居民的第 16 区称为富人区，把拥有 104,000 个居民的第 8 区也称为富人区。然而，很明显，真正的富人在这些所谓富人区的人口中不会占 1/10，或许连 1/20 都不到；甚至在巴黎 1,000 个人中也没有 100 个富人；这些地区人口中的绝大部分是仆人、看门人、小店主和技术高超的工人。因此，人们依据巴黎的这些所谓富人区的出生率得出的结论，是没有价值的"（《人口问题》，第 399 页）。

③ 参见达尔文，"优生学与经济学及统计学的关系"，《皇家统计学会会刊》，1919 年，第 7 页。

其他国家隔绝的，问题就不那么简单了。当然，如果各国体力劳动阶级的实际收入，都因为该阶级的平均能力水平的提高而增加，就不会出现导致移民的诱因。但是，如果体力劳动阶级的实际收入由于某个发现或发明而增加，或由于某项政策而增加，实施该政策大大改善了一个国家的经济状况，而其他国家的经济状况没有什么改善，那就会出现导致移民的诱因。如果采取立法措施或其他措施使收入从某一社会的较富裕成员向较贫穷成员转移，也会出现相同的情况——当然，条件是移居入境的穷人不被排除在享受这些措施的好处之外。[①] 这些考虑很重要；因为它们表明，趋于增加一个国家内工资挣取者的人均实际收入的许多因素，其最终朝这一方向施加的影响，要比乍看起来似乎会产生的影响来得小。不过，不应忘记，外来移民虽然会减少这些因素在遭受主要影响的国家产生的作用，但却可以间接地改善其他国家劳动者的命运。因此，无论如何，经济状况的改变所带来的有利影响不会被消除，而只会散布于更加广阔的地区。在遭受其主要影响的国家，经济福利必然会有**某种程度的**增加。

第 5 节

以上讨论否定了这样一种观点，即工资挣取者实际工资的增加对经济福利产生的有利影响，会被人口的膨胀抵消。但它并未

① 养老金提供的移民诱因，可以通过执行这样一条规定而变得很小，就是规定只有居住比如说满 20 年，才有资格享受养老金；因为遥远的利益只会对行为产生很小的影响，而如果像领取养老金那样，死亡的可能性使享受利益不仅是很遥远的事，而且还是不确定的事，情况就更是这样了。

否定这样一种观点，即收入从富人向穷人的转移对经济福利产生的有利影响，也会被人口的膨胀抵消。因为，达到此结果，并不需要穷人增加的经济福利被消灭，而只需使穷人增加的经济福利小于富人损失的经济福利。不可否认，**有可能**发生这种情况。但在像英国这样的国家，有理由认为，发生这种情况的可能性很小，因为在英国，财富的分配极不平均，可以大幅削减许多高收入，而对经济福利不会造成什么损害。

第10章　国民所得与人口质量

第1节

第7、8两章得出的一般结论，直到最近一直像在那两章中那样被人们叙述着，并未引起争论或争议。但近年来，人们掌握的生物学知识取得了巨大进展。以前，经济学家实际上在某种程度上不得不考虑经济因素对人口数量的影响，不得不考虑由环境所决定的人口质量，但却没有提出过经济因素对由基本的生物属性所决定的人口质量产生的影响。现在，情况不同了。生物统计学家和门德尔学派学者都把注意力转向了社会学，并坚持认为，正确理解遗传规律对经济学具有极其重要的意义。据说，经济学家在像我那样讨论国民所得状况对福利的直接影响时，是在白白浪费精力。直接影响毫无意义；重要的实际上仅仅是分别对良好血统或不良血统家庭的大小产生的间接影响。因为各种形式的福利最终都取决于远比经济安排更加根本的东西，即取决于影响生物选择的一般力量。我有意有点含糊地叙述这些主张，因为我急于想以一种建设性精神而不是批判精神来考察由此提出的问题。在以下各节，我将努力尽可能准确地说明，近来生物学的发展实际上在多大程度上影响了经济学。为此，我首先将区分出生物学取得的某些研究成果，这些成果虽然价值巨大，但严格说来却与经济学无关；其次，我将考察这样一种一般性的主张，即生物学的新进展使

前面各章显示的经济学研究方法变得无足轻重，可有可无了；第三，我将考察一些重要方面，在这些方面，这门新的学问开始直接触及我试图考察的那些问题，并使得我必须修正已经得出的结论。

第2节

到目前为止，现代生物学研究对社会学作出的最重要贡献，是它确信，某些先天缺陷具有明显的遗传性。无论对遗传的生理机制采取何种观点，实际的结果都是一样。我们知道，有先天缺陷的人如果结婚的话，会把有缺陷的组织遗传给自己的一些孩子。对于值得拥有的一般素质，特别是精神方面的素质，我们却没有那么明确的了解。巴特森在写出下面的话时提出了明智的告诫："虽然对于何者构成极端的不适当，我们的经验是相当可靠的和明确的，但在估计对社会有用或可能有用的素质方面，或估计所需要的这种素质的数量比例方面，却几乎没有什么东西指导我们。……在有较高精神素质的人身上，尚没有任何东西暗示他们采用的是何种简单的遗传方法。这些精神素质以及较为发达的体力，都可能产生于许多因素的巧合，而不是产生于拥有某个基因"。[①] 而且，惠桑夫妇正确地指出，好素质，如才能、德性、健康的身体、健美、美丽动人等，"从遗传的角度看，与至此考察的一些坏素质有本质的不同，因为好素质依赖于许许多多因素的同时出现。这种同时出现在遗传过程中肯定很难追踪到；在遗传过程中，每一特质可以单独遗传，不同特质可以联系在一起，或根本不相容，人的素质的遗

① 《门德尔的遗传原理》，第305页。

传方式要比我们在植物和动物那里看到的复杂得多。各种因素的复杂组合造就了能干或富有魅力的男人或女人的人格；我们目前掌握的知识远远不足以使我们能够预测这种组合将如何在他们的子孙身上重现”。[①] 我们在这个领域实际上被重重的无知包围着，必须谨慎而再谨慎。唐卡斯特说得好：“在这方面，仍然必须遵循经验准则和常识，直至科学能以确定无疑的声音说话的时代来临”。[②] 最近，已故的弗朗西斯·高尔顿爵士提出了这样一种权威的观点：“那些研究过这个问题的人，了解的实情已足够多，在他们的头脑中对一般结果不再有疑问，但除了在极端情况下，从数量上说了解的实情还没有充足到能证明采取立法行动或其他行动为正当的地步”。[③] 最好不要忘记，贝多芬的父亲是酒鬼，他的母亲死于肺病。[④] 我们对某些缺陷的无知却没有这么严重。这些缺陷正是高尔顿心里想的极端情况。不少医学界人士长期以来一直极力主张，应强制性地阻止弱智者、白痴、梅毒患者、肺病患者生儿育女，这可以从源头上消除大批有缺陷的人。这个问题在有精神缺陷的人当中特别紧迫，因为如果放任他们的话，他们的生育率往往极高。例如，在皇家弱智者委员会举行的听证会上，“一个经验特别丰富的证人特雷德戈尔德博士指出，那些让孩子上公立小学的家庭，平均有 4 个孩子；而那些送孩子上特殊学校的退化家庭，平均有 7.3 个孩子，尚不包括死产儿”。[⑤] 况且，弱智妇女常常在特

① 《家族与民族》，第 74 页。

② 《独立评论》，1906 年 5 月，第 183 页。

③ 《概率，优生学的基础》，第 29 页。

④ 参见巴特森，“英国优生学协会主席就职演说词”，载《自然》杂志，1914 年 8 月，第 677 页。

⑤ 《家族与民族》，第 71 页。

别年轻时就开始生孩子；必须记住，即使家庭的大小不受影响，早婚也不是一件无关紧要的事情；因为，降低任何人群的正常结婚年龄，“各代人相互接续的速度都会加快，从而该人群的子嗣在总人口中所占的比例将增加”。① 然而，弱智者并不是需要加以限制生育的惟一人群。一些学者建议，某些形式的犯罪和某些助长贫穷的特质，亦可用同样方式从种族中消除。卡尔·皮尔逊教授提出一种观点，这种观点如果正确的话，将大大增加此种政策达到其目标的可能性。他认为，种类完全不同的缺陷是相关的，“有某种类似于胚种退化的东西，它会表现在相同器官的不同缺陷上，或不同器官的缺陷上”。② 巴特森依据不同的理论表达了相同的意思，他说有“迹象表明，在极端情况下，不适者具有较为明显的遗传原因，常常可以看出是由于存在着某一简单的遗传性因素”。③ 总之，正如上面最后引证的那位学者所说，毫无疑问，“某些严重的身体和精神缺陷，几乎可以肯定还有某些致病的素质，以及某些形式的罪恶和犯罪，如果社会有决心的话，是可以根除的”。④ 这是一个极其重要的结论，也是一个乍看起来似乎在某种程度上不费很大劲

① 海克拉夫特，《达尔文学说与种族进步》，第144页。

② 《国民优生学的范围及重要性》，第38页。

③ 《门德尔的遗传原理》，第305页。

④ 同上，第305页。不过，应该记住，某一不良的隐性特质无法仅仅靠阻止表现有这种特质的人生育而予以消除；因为在许多表面正常的人的基因中也会带有这种特质。弱智似乎是一种隐性特质（参见盖茨，《遗传与优生学》，第159页）。计算表明，如果现在有3%的人口是弱智者，那么，单靠将那些显示有这种特质的人隔离或使他们绝育，得经过250代人（即大约8,000年）才能将这一比例降至$\frac{1}{100,000}$。然而，区分出表面正常而带有隐性弱智特质的人，却是一项远远超出我们目前能力的工作（参见上引书，第173页）。

就可以实际运用的结论。时常有因犯罪或精神错乱而带污点的人，被强制送交政府机构。此时，在仔细研究后，通过永久性隔离，或可能的话，像在美国的某些州那样，经法律批准后，通过外科手术，可以使他们不能再生育。[①] 我们掌握的知识似乎足以允许我们在这方面采取某些慎重的步骤。毫无疑问，这种政策会增进社会的一般福利和经济福利。为这个结论，为人们由此而希望采取的重大步骤，我们要感谢现代生物学。然而，这个结论却超出了经济学的范围，丝毫未影响前几章得出的结论。

第 3 节

因此，我转而讨论另外一种观点，其与经济学的相关性是绝对不容置疑的，这种观点认为，我们在本书中进行的所有这些研究都是不重要的，方向都是错误的。概括地说，其指责如下。经济上的改变，例如改变国民所得的大小、构成或分配，只会影响环境；而环境根本不重要，因为环境的改善并不会影响享受这种改善的人所生育的孩子的素质。庞尼特教授就持有这种观点，他宣称，卫生、教育等等“顶多只是转瞬即逝的沾标剂，它们延缓了但却增大了所要解决的困难。……永久的进步是生育问题，而不是教学问题；是配子问题，不是教育问题”。[②] 洛克先生[③]甚至更为强调这个意思。从实践方面看，这些学者的观点实质上与卡尔·皮尔逊的观点一

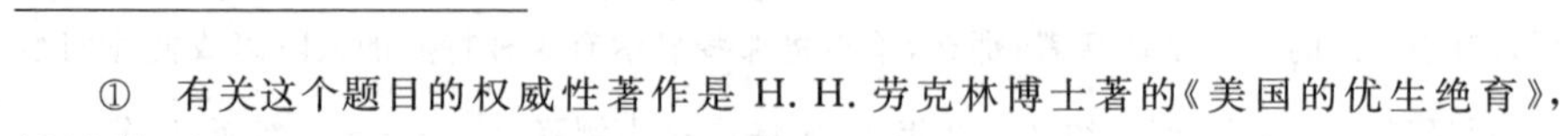

① 有关这个题目的权威性著作是 H. H. 劳克林博士著的《美国的优生绝育》，1922 年。

② 《门德尔的学说》(第 2 版)，第 80～81 页。

③ 参见 R. H. 洛克所著的《变异、遗传和进化研究的最新进展》。

致。

当然，所有这些观点的科学基础是这样一种论点，即后天的特质产生于环境的影响，是不遗传的。至少就较为复杂的多细胞生物体而言，这种论点认为，最终形成生物后代的生殖细胞，从一开始就不同于形成生物身体的细胞。例如，威尔逊先生写道："如果认为遗传是从父母的身体发生于子女的身体，那就完全错了。子女是从父母的生殖细胞而非父母的身体获得性格遗传，生殖细胞并非由其所产生的身体获得其特质，而是得之于其血统中早先存在的相同种类的生殖细胞。因此，可以说，身体是生殖细胞的产物。就遗传而言，身体仅仅是生殖细胞的携带者，为后代照管生殖细胞"。[①] 唐卡斯特采取了实质上相同的观点："早期的遗传理论认为，生殖细胞是由身体产生的，因而必然要么包含有身体各部分的样本，要么至少包含有产生于那些部分的某种单元，能致使它们在下一代身上发展。逐渐地，随着对遗传和生殖细胞实际起源的研究不断取得进展，生物学家放弃了这种观点，转而相信胚种的连续性，也就是认为，生殖质产生于以前的生殖质，身体是生殖质的一种产物。因此，子女像父母，不是因为子女产生于父母，而是因为子女和父母都产生于同一家系的遗传物质"。[②] 如果这种观点是正确的，则生物体的确定的特质，其出现便取决于在其生殖细胞中存在着确定的结构或物质，因而不会直接受到某一祖先后天获得的素质的影响。只有不确定的特质，才会受到后天素质的影响。

① 威尔逊，《发展和遗传中的细胞》，第13页；转引自R. H. 洛克，《变异、遗传和进化研究的最新进展》，第68页。

② 《遗传》，第124页。

例如这样一些特质，它们可以被认为是产生于生殖细胞和身体其他细胞的相互交感，或产生于接受液体或易溶的物质。当然，由此而保存的特质并非完全不重要。使生殖细胞处于有毒的环境中是否会对生殖细胞的后代产生永久性影响，这个问题似乎尚无定论。J. A. 汤姆逊教授写道："使生殖细胞与身体一起中毒和以特定方式影响生殖细胞，使其发育时能复制父母的特定变异，这两者之间有很大差异"。[①] 生殖细胞过的并不是"一种有魔法保护的生活，不受作为其携带者的肉体在日常生活中遇到的偶然事件或意外事件的影响"。[②] 相反，有证据表明，不仅像酒精这样的直接有毒物质，而且连父母遭受的伤害，都会影响生殖细胞的营养，从而导致后代的整体衰弱，由此造成不良的性格特征，尽管对**其后代的后代**会造成多大影响是有疑问的。但生物学家的一般观点似乎是，一代人后天的特征对下一代人素质的影响，同这一代人先天的特征所产生的影响相比，无论如何是很小的。[③] "教育之于人，正如肥料之于豌豆。受教育者本身会因受教育而变得更好，但他们的经验一点也不会改变其后代的不可改变的本性。"[④]同样，"疏忽、贫穷和父母的无知，虽然造成的结果很严重，却没有显著的遗传效应"。[⑤]

这种生物学论点，在专家中占主导地位，外行人无权对其表示异议。如前所述，它是这样一种观点的科学基础，即经济条件由于

① J. A. 汤姆逊，《遗传》，第 198 页。

② 同上，第 204 页。

③ 洛克，《变异与遗传》，第 69～71 页。

④ 庞尼特，《门德尔的学说》，第 81 页。

⑤ 艾科尔兹，"向体质退化委员会提供的证词"，报告，第 14 页。艾科尔兹博士的观点似乎是用归纳方法得出的，而不是依据一般的生物学原理所作的推论。

属于环境范畴，因而从长期的观点来看，实际上并不重要。我接受上述生物学前提。但我不同意其社会学结论。西德尼·韦布教授温和地反对把注意力过多地放在社会问题的生物方面。他写道："使所有婴儿都出生于优良血统，然后使他们一代又一代地成长为坏人，这毕竟没有多大用处。一个世界若其成年人都出身良好但身体和道德都不正常，那这个世界并不诱人"。[①] 然而，我的批评要比这更为深入。庞尼特教授和其同事会接受韦布先生的观点。他们完全承认，环境会影响直接生活于其中的人，但他们认为，环境不重要，原因是环境不会影响接下来几代人的先天素质，因而不会产生任何持久的结果。我的回答是，一代人的环境**会**产生持久的结果，因为它会影响未来几代人的环境。简言之，环境像人一样，也有子女。虽然教育等等不能影响物质世界的新生命，但它们却能影响观念世界的新生命；[②]观念一旦产生或一旦被某一代人所

① 《优生学评论》，1910年11月，第236页。

② 可以对这两个世界中的进化过程作一有趣的比较。在这两个世界，我们可以发现三个因素，即突变的**发生**、**传播**和**冲突**。

在这两个世界中，发生突变的**种类**似乎都是偶然的，无法加以控制的，尽管有人认为，在这两个世界中，环境的巨大变化和特殊种类的环境，都会激发突变。例如雷氏认为，战争或移民等大动乱，以及由于缺乏旧材料或由于掌握了特别有效的新材料而在某一行业中采用新材料（例如在建筑业中使用钢铁），便是有利于发明的条件，因而他认为，安定的农业地区很少产生发明（《资本的社会学理论》，第172～173页）。而且，在这两个世界中，**可变性**一旦增加，发生"好的"突变的可能性就会增加。因此，在其他条件不变的情况下，有利于变化的环境是达到善的一种手段。譬如，在谈到地方政府时，马歇尔写道："所有变化的力量，只要与秩序和管理的省时省力相一致，就几乎是纯粹的善。进步的前景会由于相同试验的重复和许多人之间思想的交流而增加，其中每一个人都有机会实际检验其建议的价值"（《呈交给地方税皇家委员会的备忘录》，第123页；并参见布恩，《工业》，第5卷，第86页；以及霍布豪斯，《民主与反动》，第121～123页）。

接受，无论能否物化为机器发明，都不仅会从根本上改造接下来几代人享有的环境，[①]而且还会为进一步的发展铺平道路。其原因是，虽然每一个新人必须从其上一辈开始的地方开始，但每一项新发明却会继承上一项发明。[②]这样一来，便会使环境发生永久性的变化，或确切地说逐渐的变化，而既然人们承认，环境会对实际生活于其中的人们产生重要的影响，这种变化就会产生持久的效果。诚然，在动物中和在原始种族中，这一点并不重要。因为在这里，某一代在观念领域中创造的东西，不容易传给其后代。“人类居住得很分散，无法相互交往时，相同的发明要作出一百次。其努力及其成就会随着家庭中某个人或最后一个成员的死亡而消失，因为发明是靠口授传下来的。”[③]但在文明人当中，有了书写和印刷术后，思想却能永久流传下来，从而使每一代人都有能力为后代人塑造和重新塑造理想的环境。塔德领会了这一点，他写道：“促进进一步的生产是资本的主要功效，资本这个词就应该这么来理解。

另一方面，突变在观念当中的传播并不像在有机体当中那样进行。在后者当中，突变了的成员，只要生存了下来，其繁殖能力就不会受到自己是否适应竞争的影响，而前者却会受影响。失败的动物和取胜的动物，只要存活了下来，就同样有可能生育后代。但在观念世界中，失败者可能不育，胜利者则可能多产。

更为显著的差异是，两个集团中突变成员之间发生的冲突具有不同的性质。在物质世界中，这一过程是消极的——失败者遭淘汰。在观念世界中，这一过程是积极的——成功的观念被采用和模仿。由此而产生的一个后果是，一般说来，成功的试验要比成功的“运动”传播得快得多。

①　参见菲斯克，《发明》，第 253 页。

②　这种考虑为国家出资把当前这一代女孩培养成称职的母亲和家庭主妇提供了强有力的理由，因为，只要一代人受到这样的教育，就很可能确立起家庭的传统，起初由政府出资传授的知识，就会不再需要任何人付费而传播给以后各代人。（参见“体质退化部际委员会报告”，第 42 页）

③　马耶夫斯基，《科学与文明》，第 228 页。

但资本是由何而来的呢？是由商品或特殊种类的商品而来的吗？不是，而是由记忆所保存的幸运的试验而来的。资本是传统或社会记忆。资本之于社会，就如同遗传或有生命的记忆（这是个神秘的词）之于生物。人们节省和储存一些产品，用于建造发明者所构想的模型的新复本；这些产品之于这些模型（它们才是真正的社会生殖细胞），就如同子叶（它仅仅是储存的食物）之于胚胎”。① 培根曾宣称：“引入新发明似乎是全部人类活动中最有价值的部分。新发明带来的利益可泽及全人类，而政治活动带来的好处只能惠及某个国家的人民；后者只能持续几个时代，而前者则会永久存续”。② 马歇尔以同样的精神写道：“假如世界上的物质财富被毁，而借以创造物质财富的观念保留了下来，则物质财富会很快恢复。但如果失掉的是观念而不是物质财富，那么物质财富就会缩减，世界就会重新陷入贫困。而且，如果失掉关于纯粹事实的大部分知识，保留下了建设性的思想观念，则很快会重新获得前者；可如果失掉建设性的观念，世界将重新进入黑暗时代”。甚至以上这些引述的话，也并未能完全说清楚这个问题。正如马歇尔在另一处所说：“任何变化若能使某一代工人得到更高的收入，并使他们能有更多的机会发挥自己的才能，都会增加他们可以提供给自己子女的利益；与此同时，他们自己的才智、智慧和远见增加后，这种变化也将使他们在某种程度上更加愿意为子女的幸福牺牲自己的快乐”。③ 而这些子女变得更加强健和聪明后，一旦长大成人，便能

① 《社会逻辑》，第 352 页。

② 《经济学原理》，第 780 页。

③ 同上。

为自己的子女提供更好的环境(我所谓的环境包括母亲在产前和产后所享有的物质环境),由此而循环往复,效果越来越大。[①] 上一代人环境的改变会产生各种力量,可持续不断地改善以后各代人的环境,从而提高人类的素质(当前的环境只对人类的素质负有部分责任)。因此,庞尼特教授的断言过于武断了。[②] 与生儿育女毫无关系的事情,不仅**能够**带来永久性的进步,而且还**能够**带来越来越大的进步。我们确实不应满足于**能够**这个词。有充足的理由认为,人类的**大脑**机能在各个历史时期取得的巨大发展,与生殖细胞的显著变化没有关系。随着人口密度的增加,思维能力通过并不比前代人天生具有优良得多的生殖细胞的人们之间的接触与合作得到了提高。"人口问题方面有个看似矛盾的现象。自然状态下物种的变化,完全依赖于生殖细胞的变化;人类出现之前我们祖先的变化,也取决于人口的质量;但是,要解释广义近代史上最突出的事实(即知识与能力的加速进步),则应该在人口数量而不是质量的变化中寻找原因。"[③]因而,我们的结论是,在影响后天素质的因素和影响先天素质的因素之间,并不存在某些人所认为的那种根本差别。两者是同样重要的;无论哪一方的研究者都无权轻视另一方的研究成果。

---

① 伦敦教育委员会 1905 年的观察结果表明了这一点的重要性。该委员会注意到,婴儿死亡率低的年份出生的孩子,具有好于平均水平的体格,反之亦然。(参见韦尔斯,《取代旧世界的新世界》,第 216 页)

② 在其著作后来的版本中,庞尼特教授的论点不再那么武断了,与我们前面的论述不相抵触了。(参见《门德尔的学说》,第 3 版,第 167 页)

③ 卡尔—桑德斯,《人口问题》,第 480～481 页。

第 4 节

接下来我将讨论本章第 3 节提到的第三个论题，即新的生物学知识在多大程度上使我们必须修正第 7 章和第 8 章得出的结论。可以回想起，这些结论的大意是，在其他条件不变的情况下，(1)国民所得数量的增加(只要这不是靠对工人施加过大的压力获得的)，以及国民所得分配有利于穷人的变化，可能会增加经济福利，并通过经济福利，增加一般福利。针对这些结论，受过生物学训练的批评者认为应该采取谨慎的态度。他们觉得，沿着上述第一条路线取得的进步，会不会由于阻碍自然选择的自由作用和使孱弱的儿童得以生存，而产生一种造成国民衰弱的影响？沿着上述第二条路线取得的进步，会不会由于有意照顾劣等家系，也产生类似的有害作用？难道没有理由担心，光辉灿烂的进步潮流是一种假象，在其向前奔流时裹挟着灾难的种子？我们宣称会带来福利的那些变化真的那么重要吗？现在必须依次考察一番这个论点的这两个部分。

第 5 节

许多学者一直在强调，总财富的增加会危害国民的活力。体质弱的孩子，在艰苦的环境中会夭折，而在舒适的环境中则能存活下来，且自己亦能生儿育女。[①] 有人甚至认为，一些曾获得了巨额财富的民族和贵族最终衰亡的奥秘就在于此。其实有些缓和因素

① 海克拉夫特，《达尔文主义与种族进步》，第 58 页。

可以用来减弱这种观点的力量。首先,根据最新的生物学观点,孱弱的孩子的存活,如果其孱弱在某种程度上是偶然因素造成的,而不是先天的缺陷造成的,则最终不会给其家族造成损害,因为这种孱弱的孩子所生的子女很可能是强壮的。其次,婴儿期的孱弱不一定就表明先天身体孱弱。尤尔先生用数学方法考察了可以得到的统计资料后指出,或许"婴儿的死亡率只对婴儿期的一些特殊危险具有选择性,其影响很少超过生命的第二年,而病婴引致孱弱的效应,时间则较长"。[①] 这些缓和因素虽不能推翻,但却多少限定了这一论点,即财富的增长,若不伴有防护措施,可能会导致种族的先天素质退化。还有另一个缓和因素,虽不那么具有根本性质,却也很重要。因为,即使种族的先天素质受到一些损害,却不能由此而说,其后代的先天素质和环境素质也受到这样的损害。如果说财富的增加会消除那些有助于根除不适者的因素,那它也会消除那些使适者变弱的因素。这种双重作用的总的效果很可能是有益的而不是有害的。地方政府委员会就婴儿死亡率和一般死亡率的关系发表的一份重要报告表明,情况确实是这样。在这份报告中,纽肖尔姆博士直接抨击了这样一种观点,即那些有助于降低婴儿死亡率的改善,由于使体弱者能存活下来,必然有损于人口的一般健康。相反,他发现,"一般说来,在婴儿死亡率高的郡,人们在20岁之前的死亡率也极高,而在婴儿死亡率低的郡,人们在20岁之前的死亡率也较低,尽管这一优势在20岁以后并不像在20岁以前那么大。……根据一般的经验,有理由认为,患病人数大致上

① (敕令书,5263),第82页(1909~1910年)。

是随着死亡人数而变化的；毫无疑问，同婴儿死亡率较低的郡相比，在婴儿死亡率高的郡，(不算移民)患病者较多，青年人和成年人的健康水平也较低”。[①] 的确，纽肖尔姆博士的论点会遭到这样的反驳，即各郡已查明的婴儿死亡率和成人死亡率的差异，可归因于各郡居民素质的差异。所以，该论点未能证明，财富增加因改善了环境而产生的有益的直接影响，会超过财富增加因阻碍自然选择而产生的有害的间接影响。[②] 也许，有害的作用真的较强，但在统计数字中被掩盖了，因为它作用于从小体格就较好的人——他们能赚较多的钱，因而生活得较好，就表明了这一点。这种批评会削弱纽肖尔姆博士根据统计数字提出的论点所具有的力量。尽管如此，直接观察到的事实依然存在，即良好的环境可消除那些往往会削弱适者的因素。连同本节开头提出的那些考虑，这一事实驳斥了以下观点，即国民所得的增加和必然与之俱来的环境改善，携带有使后代孱弱的种子，因而最终有损于经济福利，而不是增进经济福利。无论如何，只要采取第 2 节提出的隔离不适者的政策，就可以很容易地完全抵消可能产生这种作用的危险。正如汤姆森教授指出的，只要不允许孱弱者生儿育女，保护孱弱者就不会带来生物学上的灾祸。[③] 所以，没有必要放弃我们的结论，即那些有助于增加国民福利的因素，一般说来也有助于增进经济福利，并通过经

① 1909～1910 年的报告(敕令书,5263),第 17 页。

② 卡尔·皮尔逊教授在卡文迪什讲座(见其讲稿第 13 页,1912 年出版)中,严厉批判了纽肖尔姆博士的论点(这在一定程度上是由于误解了该点所要达到的目的)。纽肖尔姆博士在他的第二份(1913 年)报告(敕令书,6909,第 46～52 页)中作了答复。

③ 《遗传》,第 528 页。

济福利，增进总福利。

第6节

改善国民所得分配而对国民活力和效力构成的威胁，似乎仅从推理看就很巨大。因为分配的改善可能会改变后代人分别出生于富人阶级和穷人阶级的比例。这样一来，如果同富人阶级相比，穷人阶级构成效率较低的家系——如果经济地位真的是先天素质的指标——那么，分配的改善必然会改变先天素质的一般水平，因而从长期来看，必然会以越来越大的力量影响国民所得的数量。可我不同意一些人的观点，他们认为，贫穷与先天的无效率是明显而确定无疑地相关的。无疑，极端的贫穷是成年人无能、身体弱和其他"不良"素质的结果。但这些不良素质一般说来是与不良环境相关的。因而可以认为，"不良"素质主要不是不良原始性格特征的结果，而是不良原始环境的结果，若把这视为毫无价值的论点，那是荒谬可笑的。[①] 然而，尽管并非不言自明，可我认为，贫穷和"不良原始性格特征"之间有很大的关联。因为在较富有的人当

① 许多有关社会问题的统计调查都遇到了这类困难。譬如，若干年前，舒斯特先生发表了一份有关才能遗传的有意思的研究报告，以牛津大学的学生以及哈罗公学和查特豪斯公学的学生为例说明了这一点。但是，有一个事实却在某种程度上——虽然无法说是在**何种**程度上——损害了他的研究成果的价值，即拥有能干的父母往往与接受良好的正规教育以及非正规教育有关。舒斯特先生认为(第 23 页)，这一因素造成的误差不会太大(并参阅卡尔·皮尔逊，《生物学》，第 3 卷，第 156 页)。另一方面，尼斯法罗先生在他有关《穷人阶级》的研究中，则强调了环境在造成穷人阶级身体和心理劣势方面所起的作用；但他似乎没有用证据来证明他的以下结论的正确性，"所有这些因素——归根结蒂——与其说植根于个人的身体结构中，还不如说植根于当代社会的经济环境中"(第 332 页)。

中，总是有一些人起家于贫穷的环境，这种环境是他们与那些仍然贫穷的伙伴从小共享的。随着受教育等的机会能更多地被穷人获得，这种运动会变得更为明显。同样，在穷人当中，当然也有一些人是从较优越的环境中沦落到穷困境地的。在**这些**较富有的人具有的原始性格特征当中，可能有一些素质有助于发挥效率；而在**这些**较贫穷的人具有的原始性格特征当中，可能有一些相反的素质。[①] 因此，影响较富有者和较贫穷者的相对生育率的因素，（从效率观点看）很可能确实会在同一方向上影响原始性格特征“较好”者和“较差”者的相对生育率。假如穷人阶级富裕程度的增加确实会导致生殖率的提高，那么，国民所得分配的改善便会增加最佳家系以外的父母所生子女的数目及其所占的比例。然而，众所周知，最底层阶级的生殖几乎不受经济考虑的阻碍，因而全体穷人富裕程度的增加只会增加最底层阶级以外的较贫穷者所生子女的数目。所以，整个人口的平均素质不一定会降低。但事情不一定止步于此。前面提及的布伦塔诺教授的研究表明，某一阶级富裕程度的增加，从总体上说趋于降低而不是提高该阶级的生殖率，而且他说明了为何有理由相信，这一趋势不会被随之而来的死亡率的降低完全抵消。[②] 因而，看来可以预计，国民所得分配的改进实

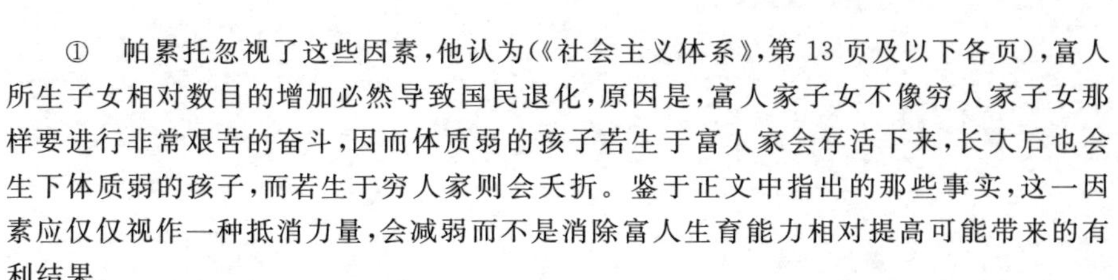

① 帕累托忽视了这些因素，他认为（《社会主义体系》，第 13 页及以下各页），富人所生子女相对数目的增加必然导致国民退化，原因是，富人家子女不像穷人家子女那样要进行非常艰苦的奋斗，因而体质弱的孩子若生于富人家会存活下来，长大后也会生下体质弱的孩子，而若生于穷人家则会夭折。鉴于正文中指出的那些事实，这一因素应仅仅视作一种抵消力量，会减弱而不是消除富人生育能力相对提高可能带来的有利结果。

② 参见前引书，第 9 章，第 13 节。

际上会减少劣等家系所生子女占的比例。简言之，这种生物学上的考虑，非但没有修正第 8 章得出的结论，即分配的改善会增进经济福利和一般福利，反而在目前情况下，给予了这个结论以某种支持。所以，第 8 章的结论连同第 7 章的结论丝毫未受损伤。

第 11 章　将要遵循的讨论方法

以上各章已证明，经济福利在很大程度上会受到(1)国民所得的数量和(2)国民所得在社会成员之间的分配方式的影响。如果影响国民所得数量的因素不影响其分配，影响其分配的因素不影响其数量，那么余下的讨论将很简单，便可以依次分别讨论这两组因素。然而，实际上，同一些因素常在两个方面同时发挥作用，结果便很难找到一种完全令人满意的阐述方法。权衡了各种方法的相对优点后，我打算按以下方式展开讨论。在第 2 编和第 3 编中，我将研究某些因素是如何影响经济福利的，这些因素均通过影响国民所得的数量作用于经济福利。我不打算考察可适当地置于这一题目下的所有因素，几乎不讨论发明与发现、广大国外需求来源的开辟、销售方法的改进以及资本积累的增长。第 2 编将讨论一般的社会生产资源如何分配于各种不同的用途，第 3 编将讨论不同方面的劳动组织。讨论完这些问题后，第 4 编致力于研究本来是通过作用于国民所得的数量而影响经济福利的因素，实际上会在多大程度上通过作用于国民所得的分配而影响经济福利，并研究出现这种不协调时产生的各种问题。

第 二 编

国民所得的数量和资源在不同用途间的分配

第1章　导论

第1节

本编讨论这样一些因素，这些因素通过影响一国生产资源在不同用途或行业间的分配而增加或减少国民所得的数量。在整个讨论中，除非有相反的说明，否则不考虑这一事实，即一些资源常违背所有者的意愿未得到利用。这并不影响我们提出的论点的本质，而只是简化了其表述。导论性的这一章旨在说明摆在我们面前的问题的一般范围。

第2节

古典经济学家的一些乐观追随者认为，只要政府不进行干预，“利己心的自由发挥”就会自动使任何国家的土地、资本和劳动得到很好的分配，带来比除这种“自然”机制外的任何其他安排更大的产量，从而带来更多的经济福利。甚至亚当·斯密本人在把国家行为当做一个例外，赞成国家“建立并维持某些公共工程和某些公共机构，因为绝不能指望个人或少数人出资建立和维持这些工程和机构”时，亦指出，“任何一种学说，若要特别鼓励某一产业，违反自然趋势，把过大一部分社会资本引入该产业，或要特别限制某一产业，违反自然趋势，强迫原来要投入该产业的一部分资本离开……，那只能阻碍，而不能促进社会向富强的迈进，只能减少，而不能增加其土地和劳动年产物的实际价值”。[①] 当然，在任何抽象或一般的意义上解释这段话，都是不合理的。亚当·斯密的脑子里想的是他所知道的实际世界，组织得井井有条，有文明开化的政府和契约法。他不会不同意稍后一位经济学家所说的一句名言：“人类的活动沿着两条路线进行，第一种活动是生产经济货物或转变其形态，第二种活动是将他人生产的商品占为己有”。[②] 致力于占有他人商品的活动显然不会促进生产，若将其转入产业之路，则会促进生产。所以，我们必须明白，他假设存在着一些法律，这些法律旨在而且也能够阻止**单纯的**占有行为，如盗匪和职业赌徒的所做所为。按照他的设想，自身利益的自由发挥“在一些方面是受一般社会制度，尤其是家庭、财产和国家的限制的”。[③] 更为一般地说，当一个人从另一个人那里获取商品时，他不应该靠抢夺而应该通过公开市场上的交易获取，在公开市场上，讨价双方都具有足够的行为能力，都对各种情况有充分的了解。然而，有理由认为，甚至亚当·斯密也没有充分认识到，天赋自由学说需要在多大程度上用特殊法律加以修正和保障，才能促进一国的资源得到最有效的利用。一位学者最近曾说，“利己心的作用之所以一般说来是有益的，并不是因为每个人的自身利益与全体的利益具有某种天然的巧合，而是因为人类的各项制度安排得很巧妙，能迫使自身利

① 《国富论》，第 4 篇，第 9 章，倒数第 3 段。

② 帕累托，《政治经济学手册》，第 444～445 页。

③ 坎南，《地方税史》，第 176 页。并参见卡弗，《社会正义论文集》，第 109 页。

益朝着有益的方向起作用”。[①] 因此，虽然撇开制度不论，对每一个人有益的是，所有个人，包括自己在内，都不偷盗，而不是大家都偷盗，但是，如果一个人不能诱使他人学习自己不偷盗的榜样（他实际上做不到这一点），或如果没有一条惩罚偷盗的法律或其他制裁方法，他个人不偷盗则对他不会有益处。这种将利己心引入社会轨道的强制性法律手段，可以用一些文明国家对财产所有者的绝对权力施加的限制来加以很好的说明，譬如巴伐利亚的法律禁止森林的所有者不准行人通过其土地，法国和美国的法律禁止个人点燃自己的房屋，以及各国通行的一种做法，即只要为了普遍利益而迫切需要，就可以征用个人的土地房屋。[②] 而且，现代国家的法律对某些种类的契约——如赌博中欠下的债务、限制贸易的契约、免除某些法定义务的协议等——采取的态度，也说明了这一点，这些契约被认为违反公共利益，因而被法庭视为无效。[③] 各国为了把利己心引入有益的渠道，都很周密地对各项制度作了调整。但即使是最先进的国家也有失误和不完善之处。我们在这里不讨论组织上的缺陷，这些缺陷有时会导致牺牲较高的非经济利益以满足不那么重要的经济利益。除此之外，还有许多障碍会使社会资源不能以最有效的方式在不同用途和行业之间分配。我们在以下各章便要对比展开研究。这种研究要进行一些困难的分析，但其目的是可以达到的。它力图较为清楚地说明，政府目前或将来

① 坎南，《经济评论》，1913 年 7 月，第 333 页。

② 参见伊利，《财产与契约》，第 61 和第 150 页。

③ 同上，第 616 和第 731 页。

在哪些方面能控制经济力量的活动，使其增进经济福利，并由此而增进全体公民的总福利。①

① 参见马歇尔的说法："还有许多事情要做，要仔细收集有关需求和供给的统计资料并科学地分析它们，以发现社会能最有效地做哪些工作，把个人的经济活动纳入能最大限度地增加幸福总和的渠道"(《经济学原理》，第 475 页)。

第2章　社会和私人净边际产品的定义

第1节

既然我们把国民所得视为连续的流量，我们自然也就不把创造国民所得的资源理解为资源存量，而理解为同样连续的流量；而且我们运用类推方法，不把这些资源在不同用途或地方间的分配设想为一个分为若干部分的静止水池，而是设想为一条分为若干支流的大河。无疑，由于不同产业使用的设备的耐用期不同，由于整个工业具有动态的或不断变化的趋势，这一概念包含着许多困难。然而，尽管有这些困难，这个一般性概念对于达到我们当前的目的来说却足够精确了。我们当前的目的是给在整个这一编中极其重要的两个概念下一个合适的定义，即**私人净边际产品的价值**和**社会净边际产品的价值**。关键的一点是，必须把这两个概念也设想为流量——设想为**每年**运用一定数量资源的边际增量**每年**所产生的结果。在此基础上，我们便可以着手下定义。

第2节

为完全精确起见，有必要区分资源的边际增量这个词具有的两种不同含义。资源的边际增量可以设想为是从外部增加的，因而构成现有资源总量的净增额，也可以设想为是从另外某一用途或地方转移给我们正在研究的特定用途或地方。如果资源的增量对某一用途或地方的生产的影响，与用于其他方面的资源数量无关，则这两种边际增量的净产品将相同。然而，常常并不能满足这种相互无关的条件。因而，正如下一章将要更充分地说明的，用于某一企业的第 n 个单位的资源，将根据用于同一产业中其他企业的资源数量是更大还是更小，而产生不同数量的产品。得自边际资源增量的净产品，按以上两种方式加以解释，或许可以区分为两种，一种是添加性的净边际产品，另一种是代替性的净边际产品。然而，一般说来，得自任何用途或地方的这两种边际资源增量的净产品，彼此都不可能有显著的不同，因而就大多数目的而言，可以将它们视为相等。

第 3 节

于是，撇开这一点，接下来我们不得不把用于某一用途或地方的资源的净边际产品，较为准确地界定为用于该用途或地方的边际资源增量的**结果**。这等于说，一定数量资源的净边际产品，等于加上或减去资源的一很小增量而对这些资源的总产品产生的影响。然而，这本身尚不充分。因为可以用各种不同的方法加上或减去一很小的增量，而这会相应地产生不同的结果。我们在此来看一种方法。对于我们而言，用于任何用途或地方的任何资源流量的净边际产品等于，该资源流量**经适当组织后**所能产生的产品总流量和跟该流量相差一很小(边际)增量的资源流量**经适当组织后**所能产生的产品总流量这两者之间的差额。在这个说明中，**经适当组织后**这个短语很重要。如果我们想到的净边际产品是两项数量很接近的资源的产品间的差额，那么我们通常想象资源的组织适合于两个数量中的一个，而不适合另一个。然而，既然我们的兴趣在于两个很接近的资源**流量**的产品间的差额，自然就可以设想这两个流量中的每一个都组织得最适合于自身。这正是我们所需要的概念。J. B. 克拉克教授用实例很好地说明了这一点。他写道，投入一家铁路公司的资本的边际增量，实际上是“两种运货和载客设备之间的差异。一种是现有的铁路，连同其用现有资源可达到最完善程度的所有设备。另一种是减少一个单位的资源后所能兴建和装备的铁路。一条实际存在的铁路和一条可能兴建的铁路之间质量上的全部差异，实际上是该公司目前使用的资本的最后增量。这最后一单位资本的产品是该铁路所能实际生产的产品与减少一单位资本后可能生产的产品之间的差额”。[①]

第 4 节

还必须说明另外一点。某一生产要素的净边际产品，是减去该生产要素**任何**一(小)单位而给总产品造成的影响。因此，边际单位不是任何特定的单位，更不像一些学者所认为的，是最差劲的单位——如所雇用的最不称职的工人。边际单位是**全部完全一样的**单位总和中的任何一(小)单位，而且我们在想象中也是把单位总和划分为完全一样的单位。然而，边际单位虽说是**任何一个**单位，可却不是**随便哪一位置上的**单位，而是**设想位于边际上的**任何

① 《财富的分配》，第 250 页。我在上面引用的句子中用“生产”一词取代了“赚取”一词。

一个单位。借助于一个实例，可以非常清楚地说明这一点的重要性。在任何产业中减掉一个照管新机器或在舒适岗位工作的工人并且不采取任何其他措施，这对总产量产生的影响，当然要比减掉一个照管旧机器或在艰苦岗位工作的工人产生的影响严重。因而该产业中劳动的净边际产品为采取以下做法对总产量产生的影响，即减掉任何一个(相同的)工人一天的劳动，如果有必要的话重新分配剩下的工人，以使由此而无人照管的机器或无人填补的岗位是迄今所使用的生产力最低的机器或岗位。

第 5 节

明白了上述这些之后，接下来我们就得确切地区分两种净边际产品，我已分别称之为**社会**净边际产品和私人净边际产品。社会净边际产品，是任何用途或地方的资源边际增量带来的有形物品或客观服务的净产品总和，而不管这种产品的每一部分被谁所获得。例如，正如下一章将更充分地说明的，火车头喷出的火星会给周围的森林造成无法补偿的损害，由此而可能使没有直接关系的人付出代价。在计算任何用途或地方的资源边际增量时，所有这些影响都应包括在内——其中有些是正面的，有些则是负面的。而且，某一产业中一个企业所使用的资源数量的增加，会给整个产业带来外部经济，从而降低其他企业生产一定产量的实际成本。所有这一切都应计算在内。就某些目的而言，还应计入对人们的喜好和对人们得自购买和拥有的满足产生的间接影响。然而，我们的研究对象主要是第 1 编第 3 章和第 5 章所界定的国民所得和国民所得的变化。所以，心理上的影响被排除在外，除非特意作出相反的说明，否则任何数量的资源的社会净边际产品，都被认为只包括有形物品和客观服务。私人净边际产品，是任何用途或地方的资源边际增量带来的有形物品或客观服务的净产品总和中的这样一部分，该部分首先——即在出售以前——由资源的投资人所获得。这有时等于，有时大于，有时小于社会净边际产品。

第 6 节

用于任何用途或地方的任何数量的资源的社会净边际产品的**价值**，就是该社会净边际产品在市场上所值的货币总额。同样，私人净边际产品的价值，就是私人净边际产品在市场上所值的货币总额。因此，当社会净边际产品和私人净边际产品相等而且投资者将其所获得的东西售出时，则相对于一定数量的资源而言，这两种净边际产品的价值，便等于该产品的增量乘以该数量的资源用于生产该产品时出售该产品的单位价格。[①] 例如，假设投资于织布的一百万个单位资源每年生产的这两种净边际产品是相等的，则这两种产品的价值，便等于一百万个单位资源**加上**一很小的增量，比如说一百零一万个单位资源生产的产量超过一百万个单位资源生产的产量时多出的布的匹数，乘以生产该产量时每匹布的货币价值。[②] 顺便应指出，这不同于，而且千万不要混同于，使用

---

① 这一定义暗中假设，实售价格等于（边际）需求价格。如果政府对价格的限制使实售价格暂时低于边际需求价格，净边际产品的价值就得解释为净边际（有形）产品乘以边际需求价格，在这种情况下，边际需求价格也就不等于实售价格。

② 参见马歇尔，《经济学原理》，第 847 页。细心的读者会注意到，即使**添加性的**净边际产品与**替换性的**净边际产品相等，净边际产品的**价值**也会随着净边际产品是被解释为添加性的还是替换性的净边际产品而有差异。不过，一般说来，这种差异极其微小。

一百零一万个单位资源时全部产品的货币价值超出使用一百万个单位资源时全部产品的货币价值的那一数额——如果有超出额的话。

第 3 章　社会净边际产品的价值与国民所得的大小

第 1 节

让我们假设，一定数量的生产资源正在被使用，在不同行业和地方之间不存在移动费用，而且只有一种资源安排能使各处的社会净边际产品的价值相等。[①] 在这些假设之下，很容易证明，同任何其他资源安排相比，这种资源安排会使国民所得较大。这可以根据第 1 编第 5 章给国民所得大小的变化所下的定义推论出来。用于某一方面的资源生产的社会净边际产品的价值，是衡量用于该方面的资源的边际增量所产生的满足的货币尺度。因此，每当任何一种用途中的资源生产的社会净边际产品的价值小于任何另一种用途中的资源时，便可以通过把资源从社会净边际产品的价值较小的用途转移到价值较大的用途，来增加货币尺度所测量出的满足总额。由此可推论出，既然根据假设，只有一种资源安排能使社会净边际产品的价值在所有用途中相等，这种安排就必然是能使本书所界定的国民所得最大的安排。[②]

---

① 本书第 3 编第 9 章第 2 节展开的这些应加以考虑的因素，此处暂不讨论。

② 顺便应提及一个小问题。在**完全不**使用资源的活动中，资源的净边际产品的价值，一般说来会小于使用**一些**资源的活动中资源的净边际产品的价值。这显然并不意味着，在任何与国民所得最大化相悖的意义上，净边际产品的价值不相等。但是，假如

第 2 节

可以用上述结论来证明，当社会净边际产品的价值不完全相等时，减少它们之间不相等的程度可能有利于国民所得。但这个结果不能不加解释地搁在一边。假如运用资源的用途只有两个，则以上结果的意义会十分清楚，其有效性也不容置疑。但实际上，运用资源的用途很多。这就产生了一个困难，我们在另一处已提及这个困难。[①] 许多个价值之间较大或较小程度的相等这一概念的含义，是模糊不清的。我们是应该用平均值的平均差，或标准差，或可能的误差，还是应该用其他某种统计学指标来衡量相等的程度？如果我们把标准差当做衡量尺度，则类似于第 109 页脚注的那种推理会证明，不同用途中的社会净边际产品的价值之间不相等程度的降低，**很可能**会导致国民所得增加。但是，除非不相等程度的降低是一组（一个以上）单个价值的变化引起的，**其中每个变化本身**趋于减少不相等，否则，不相等程度的降低不一定会增加国民所得。因此，如果资源配置的改变使一些低于平均值的社会净边际产品的价值全都提高，或使一些高于平均值的价值全都下降，则国民所得肯定会增加。但是，如果有这样一个因素开始起作用，它虽然从总体上说减少了社会净边际产品价值间的不相等，可却提高了**一些**高于平均值的价值，降低了**一些**低于平均值的价值，

在完全不使用资源的活动中，资源的净边际产品的价值大于使用一些资源的活动中资源的净边际产品的价值——例如某项由于某种原因人们未能加以利用的有利可图的投机活动，那么，这种不相等就是一种实实在在的不相等，就与国民所得的最大化相悖。

① 参见本编第 8 章第 7 节。

那么国民所得就不一定会增加。不过，这种困难并没有很大的实际意义，因为我们必须考虑的那些阻碍社会净边际产品价值相等的因素，大都是一般的因素，在它们起作用的几乎所有方面都在相同的意义上起作用。

第 3 节

接下来让我们考虑这个事实，在实际生活中，将资源从一个地方或行业移至另一个地方或行业，常常要花费用；让我们考察一下，由于存在这个事实，究竟在哪些方面必须修正前面得出的结论。这个问题的要点可展示如下。假设在 A 和 B 两个地点之间，每年可以用相当于 n 先令的资本费用移动一个单位资源，在此期间，被移动的一个单位资源在新的地点仍用于生产活动。在这种情况下，只要 B 地点社会净边际产品的年价值，超过 A 地点社会净边际产品的年价值且超出额大于 n 先令，则将资源从 A 移至 B 就会增加国民所得；而如果 B 地点社会净边际产品的超额价值已降至 n 先令以下，移动资源便会使国民所得遭受损失。如果 A 和 B 之间初始的资源配置，使 B 地点社会净边际产品的价值超过（或低于）A 地点社会净边际产品的价值的幅度少于 n 先令，比如说是 $(n-h)$ 先令，那么，现行的资源配置——在这种资源配置下，两地社会净边际产品的价值相差 $(n-h)$ 先令——就是最好的配置，当然不是绝对意义上的最好配置，因为如果没有移动费用，可能会有更好的配置，[①]**而是相对于初始配置和现有移动费用而言的**最好

---

① 参见本编第 5 章第 6 节。

配置。应该指出,它不是仅仅相对于现有移动费用而言的最好配置。我们不能说,当移动费用等于 n 先令时,一种能使 A 和 B 地点社会净边际产品的价值相差某一规定数目先令的资源配置,最有利于国民所得。惟一准确的说法是,当 A 和 B 之间的移运费用等于 n 先令时,最有利于国民所得的,是维持现行的资源配置,不管这是什么样的配置,只要这种配置不使社会净边际产品价值的差距大于 n 先令;而且,即使现行的资源配置使差距大于 n 先令,但只要转移的资源足够多,把差距降至 n 先令,新的资源配置对国民所得也是最有利的。

第 4 节

以上两节陈述的结论建立在这一假设之上,即只有一种资源配置能使各处的社会净边际产品的价值相等——或者说,考虑到移动费用,为有利于国民所得,能使各处的社会净边际产品的价值几乎相等。如果用于各种用途的资源数量愈大,所生产的社会净边际产品的价值愈小,则这个假设便是正确的。然而,有两种情况却不是这样。首先,使用更多的资源生产某种商品,经过一段时间以后,能使组织方法得到改进。这意味着,递减的供给价格[①],会使较大数量资源的净边际(有形)产品超过较小数量资源的净边际(有形)产品;只要出现这种情况,用于生产该商品的各种不同数量资源的社会净边际产品的价值,就**可能**(尽管当然不是**必然**)相同。其次,使用更多的资源生产某种商品,经过一段时间后,会导致消

① 对这个概念的研究,参见本编第 11 章。

费者对一定数量的这种商品所愿意支付的单位价格上升。因为通过体验这种商品，消费者对它的喜爱会持续增加——明显的例子是对音乐和烟草的喜爱。一旦出现这种情况，较多产品的单位价值，（经过适当的一段时间后）就会大于较少产品的单位价值。由此可知，有些商品的生产在上述意义上不受供给价格递减的影响，对于这些商品而言，可能——当然并不是必定——有几种不同的资源投资数量，其社会净边际产品的价值是相同的。① 因此，前面陈述的结论需要加以修正和重新表述。的确，考虑到移动费用，**除非**在所有用途中资源的社会净边际产品的价值都相等，否则国民所得便不可能达到最大数额。因为，如果社会净边际产品的价值不相等，便总可以通过把资源从一些用途的边际转移到另一些用途的边际，来增加国民所得。但是，即使社会净边际产品的价值在所有用途中都相等，国民所得也**不一定会**达到绝对的最大值。因为，如果可以进行若干种资源配置，而所有这些配置都能使社会净边际产品的价值相等的话，那么每一种配置对于国民所得来说，就都含有可称做**相对**最大值的东西；但在这些最大值中只有一个是绝对最大值。所有相对最大值，可以说都是高于周围土地的山顶，但其中只有一个是所有山顶中最高的。而且，所有相对最大值代

① 如果用 1,000 单位资源生产某种物品时，净边际产品的价值相等，而且**由于供给价格递减**，用 5,000 单位资源时也相等，那么在后一种配置下，国民所得必然较大。如果用 1,000 单位时，净边际产品的价值相等，而且**由于喜好受到影响**，用 5,000 单位时也相等，那么，从 5,000 单位资源起作用的时期这一角度看，在后一种配置下，经济福利和国民所得都必然较大。但从另一时期的角度看，在 5,000 单位的配置下，国民所得可能较小。在这种情况下，第 63 页的定义使我们不得不得出结论说，从绝对的角度看，这两种配置下的国民所得是不能相互比较的。

表的国民所得，并不必然大于所有非最大值所代表的国民所得。相反，一项接近于能产生绝对最大值但本身并不能满足边际收益相等条件的资源配置计划，很可能比大多数能满足边际收益相等条件的计划带来更多的国民所得，从而产生仅次于绝对最大值的相对最大值。**靠近**最高峰的某一点可能高于最高峰之外的所有山峰。

第 5 节

以上论述表明，即使社会净边际产品的价值在所有用途中都相等，或仅由于移动费用而有差异，国家也还是有采取行动的余地来增加国民所得的数量和增大经济福利。为增加国民所得，采取的行动可以是发放**临时**奖励金（或提供暂时的保护），把工业系统从其目前所处的相对最大值位置拉出来，诱使其安顿在绝对最大值的位置——即安顿在最高峰上。从理论上说这是主张给予幼稚工业以**暂时**保护或其他鼓励的论点的基础；如果挑选的幼稚工业合适，给予的保护适量，又能适时取消保护，这种论点就是完全正确的。采取的行动也可以是按与前述不同的比率发放**永久性**奖励金，迫使工业系统从其所在的峰顶移至更高的一座山的山坡上，不管是山坡上的哪一位置，只要高于其目前所处的位置就行。使奖励金产生这种效果，而不是将经济系统移至它目前已经在的山上的一个不同位置，其所需的条件有点特殊。但可以证明，在某种供需状况下，某种奖励比率**必然**会产生这种效果。①

① 供给和需求曲线的形状以及奖励金的数量必须是这样的，即：当需求曲线被奖励金上移时，它并不与供给曲线相交于以前相交的一点，而在更向右的地方，与其相交与移定均衡的一点。这个条件在图形中很容易表示出来。

第 4 章　私人净边际产品的收益率和价值

第 1 节

在某种用途中，得自某一数量的某种生产资源的每一货币单位的收益率，一般说来等于该用途中该数量的该种资源的私人净边际产品的价值。所以，在不同行业和地方之间，收益率之间的关系，与私人净边际产品价值之间的关系相同；因而，收益率之间的相等或不相等，与私人净边际产品价值之间的相等或不相等是一回事。在本章和随后的四章中，为了方便，我将有时用收益率这个词——或不那么严密地，用收益这个词——取代私人净边际产品价值这个较长的同义词。

第 2 节

任何人只要控制着任何数量和任何形式的生产资源，都会试图有效地把资源分配在各种用途之间，以给自己带来尽可能大的货币收入。如果他认为，不考虑运输费用等，通过把一单位资源从一种用途转移至另一种用途，他能赚得更多的钱，那他就会这么去做。由此可见，自利心的自由发挥作用，只要不被无知所阻碍，在没有移动费用的情况下，往往在不同用途和地方之间有效地配置资源，使收益率在各个地方相等。将这个论点稍加扩展，便可以证明，在有移动费用的情况下，自利心的自由发挥作用，同样只要不被无知所阻碍，虽然不会使收益率相等，却往往会阻止不相等的差距过大，从而在有移动费用的情况下，使收益总额能达到最大值。

第 3 节

因此，如果私人和社会净产品在各个地方一致，则自利心的自由发挥作用，只要不被无知所阻碍，就往往会在不同用途和地方之间有效地配置资源，从而增加国民所得，同时增加经济福利的总额，使其达到最大值。[①] 的确，上一章最后几节所作的区分表明，可能有若干最大值，因而自利心所带来的那一个，不一定是真正的最大值。然而，这是个次要问题。对于我们当前的目的而言，最为重要的一点是，当私人净边际产品与社会净边际产品一致时，任何阻碍自利心自由发挥作用的障碍，一般说来都会损害国民所得。当然，在实际生活中，私人净边际产品和社会净边际产品时常不一致。在第 5 至第 8 章中，将不考虑这个事实，但在以后的各章中，特别是在第 9 至 11 章中，将详尽考察由此而产生的后果。

---

① 当然，为达到这一目的，自利心自由发挥作用这个概念必须排除垄断行为。参见本编第 14 至 17 章。

第5章　消除资源移动障碍所产生的影响

第1节

本章的目的是，研究减少无知和移动费用给生产资源的移动设置的障碍，会以何种方式影响国民所得的大小。为这一目的，可暂时忽略社会净边际产品和私人净边际产品之间的差异；因为，虽然某些特殊的移动障碍在妨碍私人净边际产品价值之间的相等时，会促进社会净边际产品价值之间的相等，但没有理由认为，一般的移动障碍会这么起作用。可以把社会和私人净产品之间的差异视为导致社会净边际产品价值不相等的一个因素，把移动障碍视为添加在这个因素之上的另一个因素；因而，可以预计，削弱这两个因素的力量，一般说来会相应促进人们所希望的相等。这样假定之后，在本章和下一章，为措辞的简练，我在谈及净边际产品时，将不加任何形容词。

第2节

如果将使用中的生产资源总量视为给定的，则乍一看，不花费用而减少这两个障碍，似乎必然会减少不同用途和地方间收益率即净边际产品价值的不相等，从而增加国民所得。但实际上，事情并不这么简单。令情况错综复杂的是，自由移动的障碍包含移动费用和对情况了解的不完善；因而我们必须考虑两种情况，一种是，移动费用减少而对情况的了解仍然不完善，另一种是，对情况的了解得到了改善而移动费用却保持不变。

第 3 节

显然，如果人们认为，将资源从 A 移出而用于 B 能获得更大的收益，那么移动费用的减少就会使资源作这种移动，而实际上，资源如果留在原处会更有效益。因而，在实际生活中，移动费用的减少确实**有可能**使净边际产品的价值更不相等，从而减少国民所得。然而，在附注中，技术性的论证表明，总的看来，不可能发生这种情况。[①]

① 证明如下。假设关于投资于 B 的资源的净边际产品的价值，人们的判断是正确的，但假设关于投资于 A 的资源的相应价值，人们的估计与实际相差一定数量 k。假设 A 与 B 之间的移动费用，等于分摊于以下时期的年金额，在这一时期，移动后的那个单位资源可望在新地方获得利润。就从 A 向 B 的移动和从 B 向 A 的移动而言，这种年金额不一定相同。例如，就运输而言，“下山要比上山，或顺流而下要比逆流而上容易……就语言障碍而言，从英国去德国要比从德国去英国更大”（麦格雷戈，《工业联合》，第 24 页）。不过，对于当前的目的来说，我们可以忽略这一复杂情况，用等于 n 的年金额表示每一方向的移动费用。画一图形，图中正值在 O 的右边，负值在 O 的左边。取 OM 等于 k；在 M 两边取 MQ 和 MP 等于 n。由此可以很清楚地看出，资源的净边际产品的价值在 B 点超过 A 点的数额——设这一超过额为 h——是不确定的，可以在 OQ 和 OP 两值之间，而这两个值既可以为正，也可以为负。n 值的减少可以用 P 和 Q 两点向 M 的移动表示。只要 k 和 n 的数值

M
P　Q O

M
P　　O Q

使 P 和 Q 位于 O 相对的两侧，便很显然，这些移动只会使以前可能出现的 h 的最大正值和最大负值不可能出现，而不会有其他结果。但是，当 P 和 Q 位于 O 的同一侧时——

第 4 节

当移动费用保持不变而对情况的了解得到改善时，会出现另一种复杂情况。这种改善不一定会增加净边际产品价值间的相等。因为，假设情况是：若对情况的了解是完善的，地点 A 的资源的净边际产品的价值会超过地点 B 的相应价值 1 先令，而从 B 向 A 移动一单位资源所花的费用刚好抵消这 1 先令。但让我们进一步假设，对情况的了解实际上是不完善的；人们把 A 地点资源的净边际产品的价值，估计得比实际价值高；因而他们从 B 向 A 移动的资源，多于如果他们更了解情况而会移动的数额；这样一来，A 地点净边际产品的价值超过 B 地点的数额，就小于 n 先令。在这种情况下，判断的正确程度的增加，显然会**增加** A 地点和 B 地点资源的净边际产品价值间的不相等程度，但与此同时，显然也会增加国民所得的数量。因此，不花费用而减少无知设置的障碍，总是会增加国民所得；不过，一般不是靠促进净边际产品价值间的相等做到这一点的。

第 5 节

然而，在此我们遇到了一个严重困难。到目前为止，我们一直

在这种情况下，h 的所有可能的数值当然有相同的符号——它们会使以前可能出现的 h 的最大值和最小值都不可能出现。这种双重变化似乎既可能增加也可能减少 h 的数值。因此，假如 P 和 Q 两点总是在 O 的同一侧，我们便不能推论说，n 值的减少必定会影响 h 的数值。但实际上，P 和 Q 常常在 O 对立的两侧。考虑到这些情况和其他情况，我们可以推论说，在大多数情况下，n 值的减少会降低 h 值。换言之，移动费用的减少，一般会使资源的净边际产品价值在 A 和 B 两处的不相等程度减少。而且，很显然，当 MP 和 MQ 的距离给定时，k 值越小，MP 和 MQ 距离的缩短与 h 值增加相联系的概率越小。

把使用中的资源总量看成固定的。但实际上,消除或减少生产资源移动的障碍,会改变使用中的生产资源的数量。所以,我们要问,消除障碍是否会大大减少使用中的资源数量,以致使国民所得比以前更小而不是更大。古诺的一个论点暗示,有可能出现这种结果,他说,当"以前被障碍分隔开来的两个市场之间开通了交通时,各种商品的总产量不一定会增加,因为它现在可以从一个市场输出,而由另一市场输入"。[①] 在某些情况下,(到目前为止)价格较低的市场上产量的增加额,不会与(到目前为止)价格较高的市场上产量的减少额一样大。依此类推,此前分隔开的各行业和地方间交通的开放,似乎会导致使用中的劳动总量和资本总量减少;在某些情况下,这种减少可能足以使国民所得的数量减少,尽管仍然留下来的那部分劳动或资本会在比以前有利的条件下得到使用。我想,我必须承认,由于交通的开通,使用中的劳动数量或资本数量可能减少。然而,我很难想象在什么条件下我所设想的国民所得会减少。因为,如果新条件没有使人们得自工作的总收入比以前多,人们为何会选择比以前多的闲暇呢?如果新条件没有使人们得自储蓄的总收入比以前多,人们为何愿意比以前少储蓄呢?也许作一项全面彻底的分析,会揭示出我在这件事情上未能看出的各种可能性;但这些可能性肯定很微小。毫无疑问,一般说来,前几节中根据使用中的资源数量是固定的这一假设所得出的那些结论,即使取消这个假设,也仍然是成立的。

① 参见古诺,《财富的数学理论》,第 11 章,并参见埃奇沃思,"国际价值理论",载《经济学杂志》,1894 年,第 625 页。

第 6 节

还有一个重要问题有待澄清，就是国家有时会用奖励金来减少无知或降低移动费用，这种奖励金会产生什么作用。[①] 通过把了解情况和移动资源的一部分费用转移给国家而导致的个人在这些事情上支付的价格降低，与费用的真正降低所导致的价格下降是完全不同的两回事，起作用的方式也完全不同。这两种价格下降——撇开前述例外情况不谈——都趋于增加不同地点的净边际产品价值间的相等。但是，当价格下降是由费用的转移引起时，由此而带来的相等程度的增加，则是一种**相对于现有条件而言**超出最有利情况的增加。乍一看，这种价格下降一般会使净边际产品的价值更加相等，但却有可能损害国民所得。[②]

① 参见本编第 9 章第 11～14 节。

② 为消除误解，应补充两点修正性的考虑。第一，上述反对给予某一产业奖励金以提高其流动性的论点，仅仅是反对给予任何产业以奖励金的一般论点的一个特例。因而，如果有特殊理由认为，若没有奖励金，对相关产业的投资就不会像所希望的那样进行，便可以推翻上述论点。第二，当国家负责提供信息或移动工具，并决定无偿或以低于成本的价格出售其努力的成果时，我们一般说来所面对的，就不仅是国家在这些方面提供奖励金，而且还有因采用大规模方法而导致的真正的价格下降。所以，即使奖励金这一因素在新的资源配置中被证明是有害的，该资源配置从总体上说也仍然可能是有益的。

第 6 章　情况了解不完善对收益相等的阻碍

第 1 节

在本章中，我将较详尽地研究无知所起的阻碍作用。资源宛如河流，源源不断地流淌，在不可避免的移动费用允许的范围内，奋力从收益较低的地方流向收益较高的地方。在这种奋争中，成功受阻于那些有权指导流向的人对情况了解的不完善。要想知道这造成了多大损害，就得对现代企业财务有一些了解。

162

第 2 节

首先，必须指出，收益就是不同用途中的资源在每一连续的时刻产生的收入；收益在指导正确的资源配置方面非常重要。在静态中，用一个企业过去所投资的货币总额除以该企业的净收入所得到的商，可提高一衡量目前投资收益的真正尺度。但在实际情况中，这样获得的衡量尺度常常会产生极其严重的误解。例如，一个人过去可能将 10 万英镑投入了一家工厂来生产某种东西，该工厂却被火灾毁灭了，或由于陈旧而变得一文不值。而现在投资 1 万英镑却可能给他带来了 2 千英镑的收益，这项新投资的收益为 20%，但投资总额的收益似乎是 2 千英镑对 11 万英镑，即低于 2%。不管企业的账目做得多么好，公布得多么全面，这种困难都会掩盖有关的事实。

第 3 节

接下来需要说一说的是实际账目的一般性质。个人经营的企业不公布利润。合股经营的企业，根据法律必须在一定程度上公布企业的经营状况。但是常利用股票掺水和其他手段，来对外人隐瞒实际投资额的收益率，因而，即使公布的收益率能使人对当前投资的收益和未来的前景有所了解，专家以外的人也很难对其加以利用。使困难进一步加大的是，所必须预测的前景，不是指眼前的收益，而是指相当长一段时间的收益。显而易见，就这种收益而言，即使对不久以前的情况有正确的了解，也只能向人们提供不完善的指导。鉴于这些事实，在目前情况下，看来无知几乎会完全阻止在不同时间流向不同用途的资源的收益趋于相等。不过，这种观点或许过于悲观了。马歇尔写道："虽然很难看清单个商人的经验教训，但整个行业的经验教训绝不可能完全隐藏起来，绝不可能隐藏很久。尽管我们不能仅仅看了几个拍打海岸的波涛就说出是在涨潮还是退潮，但只要稍稍耐心一点，问题就会解决的；企业家们一般都认为，某一行业的平均利润率不可能大幅上升或下降而不会很快引起人们的广泛注意。虽然有时企业家要比技术工人更难于弄清改换行业能否使自己的前途更光明，可企业家更有机会看清其他行业的现在和未来；如果他想改换行业，他一般也要比技术工人更容易做到这一点"。[①] 简言之，虽然单个企业可以成功地

① 《经济学原理》，第 608 页。

掩盖自己的真实状况，但整个行业却几乎做不到这一点。普通人可能很不了解使用资源在不同行业创办新企业所能获得的相对收益，但那些指导资源流向的人却很可能不像乍看起来那么无知。而且，在公开企业经营状况这件事情上显然还有改进的余地，[①]如果进行了改进，就会减少对情况的不了解，就会促进净边际产品价值的相等，从而增加国民所得的数量。

第 4 节

我接下来讨论不了解情况与掌管资源者的素质这两者之间的关系。在早期社会中，投资几乎完全是由企业家进行的，他实际从事各项产业并专心管理属于自己的资源。与我们的问题有关的仅仅是他们的素质；显然，所作的预测的误差可能较大，也可能较小，这全看有才干的人是不是愿意把办企业当做一项职业。在现代世界中，产业中的很大一部分投资仍然来自于实际经营企业的人们，他们把利润重新投资于企业，或者从合伙人或朋友那里获得资金，这些合伙人或朋友完全了解所有相关的情况。有人说，这种不属于狭义货币市场的筹资方法，支配着国内新投资总流量的一半以上。[②] 然而，除了这种方法外，现代世界还采用其他方法。投资于产业的很大一部分资金，来自于许许多多其他人，他们不实际经营企业。这些人一方面包括职业金融家、公司发起人或发起成立公司的辛迪加，另一方面包括普通公众中的有钱人，公司发起人诱使

① 参见莱顿，《资本与劳动》，第 4 章。

② 拉文顿，《英国的资本市场》，第 281 页。

他们投资于商业冒险事业。米切尔教授写道:“发起人的特殊职责是找到并使投资人关注新的赚钱机会、可以利用的新资源、可以开发的新工艺、可以制造的新产品、可以对现有企业采用的新的组织形式,等等。但发起人常常只是探路者,仅仅指出产业大军前进的新路线。……发起的计划总是多于现有资金所能资助的计划。通过拒绝其中的一些计划和接受另一些计划,有钱人在决定如何雇用劳动、使用何种产品和在什么地方建立企业方面,起着虽然不很显眼但却很有影响的作用”。[①] 因此,在现代产业中,很大一部分社会投资的方向,是由对建立公司感兴趣的职业金融家和普通公众中的有钱人联合控制的。对于这一复杂指挥机构的能力和商业判断,我们究竟能说些什么呢?

第 5 节

不难确定职业金融家和普通企业界人士(即以前的企业投资者)谁更有能力发现创办企业的新良机。首先,职业金融家是这一特定工作领域的专家,而普通企业界人士从事此工作的机会,即使有,也只是偶尔才有。很显然,专家会比普通人作出更准确的预测。其次,交通工具的发展,近来使许多产业具有了国际性,这使专家享有的有利条件比过去大了许多,过去精明的企业界人士只要了解**当地的**情况,就足以作出准确的预测。最后,专业化可以使破产淘汰机制更自由地发挥作用,即那些承诺为创办企业选择机会而又选择得不准确的人,将会被自动消除。当金融家和制造商

---

① 米切尔,《商业周期》,第 34～35 页。

的职能由一人承担时，这个人即使在制定商业战略上不称职，也可以靠制造技能（即良好的商业战术）兴旺发达。当这两项职能分开时，一个人若承担其中一项职能而又不如他人干得好，则会赔钱，被逐出该领域。而且，这种自然选择的效率被以下事实增大了，即一个职业金融家要进行大量的交易，结果，机遇这个因素只起很小的作用，而效率这个因素则起很大的作用。因而毫无疑问，职业金融家进入某一产业，便意味着来了这样一些人，他们同该产业中的企业家相比，能更准确地预测未来的情况。除此之外还必须指出，普通公众中那些最终为职业金融家创办的企业提供资金的人，其绝大多数预测未来情况的能力，要比普通企业界人士差得多。如果发起人总是寻求从总体上看有利的投资机会，而不是寻求能够加以巧妙操纵而变得对他们自己最有利的机会，那么追随他们的人不了解情况，也许不是什么大不了的事。然而不幸的是，通过散布虚假信息或采用其他手段，故意曲解其纯朴同事的预测，对职业金融家常常是有利的，而且也是他们能够做到的。正是这个事实，使现代制度对社会投资在具有不同价值的机会间的分配产生的最终影响，有点难以预测。在战前的德国，法律禁止发行面额极低的股票，禁止以此筹资建立新公司，仿效此做法，很可能会增加现代制度给人们带来好处的可能性；因为这样一来，某些较为贫穷的、不太了解情况的、容易上当受骗的人，就会被逐出资本市场。[①] 任

① 在德国，过去绝不允许发行面额低于10英镑的股票，通常不允许发行面额低于50英镑的股票（参见舒斯特，《德国民法原理》，第44页）。1924年，最低面额降至1英镑（20马克），普通面额降至5英镑（100马克）。

何法律法规，若能强制执行，阻止不诚实的职业金融家欺骗性地利用无知的投资者，都将相应减少普通民众作预测时出错的可能性。“这方面的措施包括：由国家审核新公司的计划书，针对欺诈性的创立公司的行为颁布法律并辅之以有效的管理，股票交易所对正式挂牌交易的证券提出更加严格的要求，以及建立更加高效的机构向投资者发布信息。”[①]

第 6 节

一种更为彻底的补救办法是，将创立公司这项工作本身保留在银行家手中——银行家的信誉自然取决于他们所建立的商业企业的**永久**成功。德国就是这么做的。德国各大银行都保留有一个由技术专家组成的工作班子，审查人们提出的创立工业企业的计划并向上级汇报，经仔细研究后，决定为哪项计划出资，简言之，这个班子就是在金融方面为工业出谋划策的参谋部。下面一段话充分表明了英国体制与德国体制的显著差别：“英国的合股公司(即银行)，按照理论，**不直接**参与为创办企业搞的筹资活动，不开展认购业务，也不从事交易所的投机活动。但正是这一事实产生了另一大弊害，即银行对新建立的公司和这些公司发行的股票毫不感兴趣，而德国体制的一个显著优点是，德国银行即便只是出于维护自身发行信誉的考虑，也得经常关注它们所建立的公司的发展”。[②] 无疑，银行充当公司发起人这一做法，包含着巨大风险，绝

① 参见米切尔，《商业周期》，第 585 页。

② 里塞尔，《德国大银行》，第 555 页。

对要求其资本额，像在德国那样，[①]相对于其负债额而言，远远大于英国银行通常拥有的资本额；否则，所创立的企业的亏损，甚或搁置在这种企业中的资金的暂时“固化”，会使银行无法满足储户的提款要求。而且，必须记住，我国是世界金融中心，并且直到最近仍是主要的黄金自由市场，这种地位使得把银行资金搁置在长期投资中，要比在其他国家更加危险。所以我并不认为，英国银行截至目前所遵行的一般政策有什么不妥。但毫无疑问，当条件允许银行安全地从事创立公司的工作时，是会带来真正的利益的。同某些类型的私人金融家相比，银行更有可能寻找真正可靠的机会，而不是寻找被人操纵得一时显得可靠的机会。的确，在某些情况下，关乎不同民族间相互对立的利益时，按上述方式运营的强大的金融机构有可能成为**政治**运动的工具，其行为有可能被非经济因素所左右。但该问题的这个方面不适合在这里讨论。

第 7 节

然而，银行家并非只有充当公司发起人才能帮助将资源引入

① 英国银行的通常做法是提供“银行贷款”，也就是说通过票据贴现或其他方法，提供只具有短期信用的垫款，而不提供“财政贷款”，即具有长期信用的垫款。有人说，这一做法不利于一些产业，在这些产业中会出现在短期内可以有利可图地扩大厂房设备的机会——以便能够例如接受某一大订单，从而进入某一新的市场；因为通过发行股票或债券来筹集新资本必然要花费很长时间。还有人说，我国银行的做法使英国商人很难进入这样一些外国市场，这些市场通常希望购买者具有长期信用。为了消除这些抱怨，法林顿勋爵任主席的财政贷款委员会建议，应该建立一个拥有巨额资本的机构，不从事银行的一般存款业务，而是时刻准备为发展国内产业和必要时为进行对外贸易提供财政贷款。这个建议已被采纳，打算建立的那个机构——不列颠贸易公司——于 1917 年 4 月获得了特许状。

生产渠道。固然，普通银行家在向商人放款时，无论是直接放款还是通过票据经纪人放款，关心的都只是贷款的安全。想借款的人提供了可以接受的抵押品后，银行家在判断借款人的偿债能力时，并不需要判断和比较不同的借款人用借款开办的企业具有的赢利能力。但当银行家向不能提供充分担保的人放款时，他们就不得不发挥更为重要的作用。他们不能仅凭还款承诺就放款，而必须为了自身的利益，仔细调查借款人可以信赖的程度，调查他打算用贷款干什么。谈到印度借款的农民时，西奥多·莫里森爵士写道："不管多么仁慈，都不能相信，印度农民渴望得到资本完全是为了能立即投资于其地产的改进和开发"。① 1907 年发表的"缅甸合作社法实施情况报告"也认为，"在缅甸，人们借款大都是习惯所致，是缺乏远见的表现，而不是出于需要；真正为了资助耕种（而不是为了生活上的奢侈）所需的资本，要比一般所认为的少得多；通过合作社或其他机构单纯提供低息资金，在民众目前的精神状态下，往往诱使人们挥霍浪费，而不是勤俭节约；最后，在缅甸，要特别注意确保信用合作社的管理，能有效地防止其成员挥霍浪费，能有效地向他们灌输勤俭节约的思想"。② 所谓"人民银行"，例如德国的瑞费森银行和意大利的一些银行，提供了一种得到大家认可的办法来实施这种控制和监督。这些银行通过一双重过程来了解必要的情况。首先，一些人作为银行的会员从而作为潜在的借款人聚集在一起，这些人都来自一个范围很小的地区，这样，管理委员会

---

① 《印度某邦的工业组织》，第 110 页。

② "报告"，第 15 页。

便能很容易地获得所有这些人的基本个人资料。能够成为会员的，只是这样一些人，他们的诚实可信和良好品行已被管理委员会所确认。在一些银行——例如意大利的人民银行——中，管理委员会从一开始就不受任何特定申请人的影响，列出一张贷款金额清单，该委员会认为，可以按照这些不同的金额向各个委员安全地放款。[①] 随后这个清单便被用做放款的依据，就像在法国，公共济贫所的清单被用做发放救济金的依据那样。其次，发放贷款时常常要求必须将其用于指定用途，借款人必须同意放款人享有某些监督权。因此，虽然在大多数土地银行（这种银行采用实物抵押制）那里，"抵押品的收益可以按借款人的意愿使用，例如用于偿还贷款，作为遗产分给幼子等"，但德国的瑞费森银行却要仔细审查借款人要把贷款用于何种用途，并规定，若借款人将其挪作他用，银行有权收回贷款。[②] 这种做法一般说来会减少盲目投资的数目，不将贷款投入收益极低的项目，从而间接地增大国民所得。

① 参见沃尔夫，《人民银行》，第 154 页。

② 关于瑞费森银行及相关银行的情况，参见费伊，《国内和国外的合作》，第一编。

第 7 章　交易单位的不完全可分性对收益相等的阻碍

第 1 节

除了上一章讨论的对情况的了解不完善外，还有移动费用需要加以考虑。当然，这种费用的一部分是必须支付给资本市场上的各种代理商的费用，如公司发起人、融资银团、投资信托公司、律师、银行家等，他们按照所涉及的投资的性质，都在不同程度上帮助把资本从其原来的地点运送到使用地点。[①] 但移动费用中还有一不那么明显的、较为特殊的部分，需要加以更加详细的研究。有关经济问题的纯数学论述总是假设，当某个地方出现了机会，可以有利可图地利用给定数量的若干种生产要素时，那个地方就能够以无限小的单位得到每种要素，而且这种单位能与任何其他要素的单位完全分开来。由于这个假设是不能成立的，因而可以很容易地看出，收益相等的趋势不会完全实现。原因是，一方面，如果一家企业，就某种生产要素而言，只能以价值 1,000 英镑的单位筹资，那么，虽然将价值 1,000 英镑的这种生产要素转移至另一个地方或从另一个地方转移走，在均衡条件下很可能无法使总收益增加，但是，若允许的话，转移少于 1,000 英镑的款项，却很可能能够

① 拉文顿出色地描述了这些代理商，参见他的《英国的资本市场》，第 18 章。

使总收益增加。简言之，当用以转移的单位并非无限小时，各种用途间收益相等的趋势，会退化为限制不相等的趋势——限制的范围会随着单位大小的每一增加而减小。另一方面，如果一家企业，就任何两种生产要素而言，只能以要素 A 和要素 B 按一定比例相结合的单位来筹资，那么，虽然将这些复杂的相互结合的单位中的一个单位转移至另一个地方或从另一个地方移走，在均衡条件下很可能无法使总收益增加，但是，单独转移一定数量的这两种要素中的任何一种，却很可能会使总收益增加。因此，当交易单位是由固定比例的两种以上要素复合而成时，各种用途间收益相等的趋势，也会退化为限制不相等的趋势。由此可见，巨大而复杂的交易单位会像移动成本那样起作用。一般说来，它们会阻碍自利心导致各种生产要素所能获得的收益在各种用途中趋于相等。

第 2 节

有一个时期，进行资本交易的单位可能确实很大。但近年来，这种单位已经以两种方式大大减小了。其中一种很明显，另一种则比较隐蔽。明显的是，银行所接受的存款额减小了——例如储蓄银行允许单独用便士存款——公司发行的股票的面额也缩小了，虽然还不那么普遍。[①] 较为隐蔽的方式有赖于这一事实，即资本的单位是一种两维实体。一个人不仅可以通过改变他在一定时期贷出的英镑数，而且还可以通过改变他贷出一定英镑数的期限，来减少他提供的资本数量。缩短贷借资本单位的时延(time-ex-

① 必须记住，正如上一章第 5 节所指出的，这种趋势偶尔也会造成损害。

tension)，在实践中具有巨大重要性，因为，大多数企业需要长期资金，而许多放款者只愿意短期贷出其资金。现代世界发展出了两种方法来根据需要缩减这种单位的时延。首先，企业家实际上是否接受短期贷款，部分取决于企业的需求弹性，部分取决于从其他地方再借款的机会。其次，可以借助于证券交易所转移长期债务——从放款人的观点来看，这是可以从企业收回贷款的另一种方法。这两种方法的适用范围截然不同。过于依赖短期贷款被认为是危险的。“企业愈多地依赖于短期信贷而不依赖于已缴资本或长期贷款，在艰苦时期愈有可能倒闭”①——原因是无法重新获得信贷。因此，一般认为，对于像新设备这样的东西来说，短期票据是一种不适当的筹资工具，因为其周转率肯定很低；短期票据只能用来支付制造商品的过程中所用原料和劳动的开销，在票据到期前商品便可以卖出去。② 不过，对于我们当前的目的来说，这两种方法之间的区别并不重要。它们实质上是相同的，因为它们都依赖于这样一个一般性概率，即整个社会的放款意愿不像代表性的个人那么易变。一方面，由于这一原因，公司可以通过在银行贴现票据，从不同的人那里以一连串的短期信用借得一部分资本，从而使每一个人能仅仅贷放几个月的时间。另一方面，为“应酬”或应付意外而进行储蓄的个人，可以不储存他想要的东西，而将其投资于长期证券，依赖于证券交易所的运作，他可以变现资本。这两种方法并非十全十美。在困难时期，贴现新票据可能很难而且费

① 伯顿，《金融危机》，第 263 页。

② 米德，《公司财务》，第 231 页。

用高昂，通过出售股票来变现资本也要付出很大代价。不过，它们有助于大大缩短资本交易单位的时延。至于劳动交易，很显然，交易单位非常小。因此，在现代世界中，撇开此处不便讨论的有关土地转让的某些特殊问题不谈，似乎只是在雇用权力方面，交易单位的巨大阻碍了自利心使收益在不同行业中趋于相等。与任何用途中运用的雇用权力的总量相比，雇用权力的一般行使者不能被认为是无限小的。这一事实带来的结果是，不同用途中雇用权力的收益无法十分相等；因而同如果雇用权力能更充分地分割相比，国民所得被弄得较小。

第 3 节

接下来让我们考虑交易单位的复杂性或复合性。在这里同以前一样，需要对资本作最多的讨论。因为商业活动中所一般了解的资本，并不是一种单纯的基本生产要素。当然，具体说来，资本要么以厂房设备的形式出现，要么以称做商誉的关系网的形式出现。但这种具体的资本，总是由两个因素即等待和不确定性的承担以不同比例组合而成的。[①] 在原始条件下，如果一个企业由一

① “等待”这种服务的本质一直被人们严重地误解了。有人认为等待就是提供货币，有人认为等待就是提供时间，而根据这两种假设，人们一直认为，等待对国民所得无任何贡献。这两种假设都是不正确的。“等待”就是推迟个人能够立即享受的消费，从而使本来会被消耗的资源充当生产工具，充当“挽具”，借此引导自然力量协助人类的努力（弗勒克斯，《经济学原理》，第 89 页）。所以，“等待”的单位是一定时间所使用的一定数量的资源——例如劳动或机器。因而，拿卡弗教授所举的例子来说，如果一个制造商每年的每一天购买一吨煤，并提前一天购买每天的供给，那么，他在该年所提供的等待就是每年一吨煤——即年吨煤（《财富的分配》，第 253 页）。用较为笼统的语言，我们可以说，等待的单位是年价值单位，或者用卡塞尔博士的不那么准确却较为简

个以上的人经营，那么每个出资人实际上就必须按这两个因素在总量中所需的比例来提供它们。他们实际上会把资本集中起来，把借出的每一英镑视为承担了相等数量的不确定性。他们是合伙人，或者如果我们愿意设想他们负有的债务是有限的，他们便是这样一家公司的连带股东，这家公司的资本完全由普通股构成。但在现代，就不需要这么做了。一个企业若需要比如 x 单位的等待外加 y 单位的不确定性的承担，就不再需要从每个提供了一单位等待的人那里获得 $\frac{y}{x}$ 单位的不确定性的承担。通过担保，其需求可以分为两个支流，这样，等待可以单独从一组人那里获得，不确定性的承担可以单独从另一组人那里获得。担保可以采取各种各样的形式。可以是保险公司向实业家的担保，保证实业家的收入不会受火灾或意外事件的影响。可以是汇兑银行提供的担保，例如在 1893 年以前的印度，进口商和出口商达成交易时，由汇兑银行以一定价格购入他们的票据，保证他们不受达成交易和票据到期之间可能发生的任何汇价波动造成的损失（或赢利）的影响。当实业家买卖大宗商品而通过划分等级可以为这些商品建立期货市场时，对于一般性的商业风险，可以由投机商来提供担保。面粉商或棉花商在承诺供应面粉或棉花时，可以购入投机商的期货合同，

明的话来说，是年镑。不确定性的承担这一概念牵涉到更为严重的困难，将在附录 I 中加以讨论。一般认为，任何一年所积累的资本量必然等于该年的“储蓄”量，对于这种看法，可附带提出一告诫。即使把储蓄解释为净储蓄，从而消除一个人贷放出去的、增加了另一个人消费的储蓄，而且不考虑临时积累起来的对银行票的**未用**兑现权，情况也不是这样；因为许多本来打算用做资本的储蓄，实际上会由于使用不当而被浪费掉，达不到原来的目的。

该合同保证以规定金额向他提供原料，而不管未来市场上通行什么样的价格。同样的担保也可以给予打算为一工业企业贴现票据的银行家，由另一银行家、或票据经纪人、或某一独立的个人同意承兑或背书该票据，或者像在苏格兰对“现金信贷”通常所做的那样，为原借款人担保。① 当一家人民银行在无限责任或认缴担保股本的基础上，实际为其当地客户借款时，它是在向中央银行提供担保。② 最后，当一个借款人通过存入附属担保品而获得一笔贷款时，他是在向银行家或其他放款人提供担保。到目前为止，最有效的担保品是政府债券和企业股票。存入这些东西，不像存入动产担保品，不会给存入者带来现时的损失，而最终接受这些东西，不像取消抵押品赎回权，也不会给债权人带来什么麻烦。此外，全世界的证券交易所为证券提供的“连续性市场”，可以保护证券持有人免受价格急剧大幅下跌之害，而人们若把不动产所有权凭证当做附属担保品来保有，则很容易遭受这种损害。③ 近年来，部分由于联合股份公司取代了合伙企业，④由债券和股票所代表的国

① 承兑人签字所提供的担保，不论是在收到商品时签发票据，还是由承兑商号出借其名称给通融票据背书，其本质都是一样的。当然，有一种被称为“大腿猪”的通融票据，承兑人是使用化名的出票商行的分号，其本质就不同了，因为这种票据上实际只载有一个名称；当担保商号的财产与原借款人的财产非常紧密地交织在一起，以致一方倒闭几乎肯定会引起另一方倒闭时，情况实质上也是如此。

② 有限责任的拥护者与无限责任的拥护者有时争论得很激烈。普通银行和舒尔茨一德利希人民银行通常采用有限责任制。另一方面，意大利的人民银行和被帝国联邦兼并前的德国瑞弗森银行（除非法律坚持实行某种小额股份制）则采用无限责任制，原因是，尽管这种银行是为穷人设立的，但他们很难成为较大的股东。

③ 参见布雷斯，《有组织的投机的价值》，第 142 页。

④ 参见费雪，《利率》，第 208 页。

民财富的比例，从而可以利用的附属担保品，大大增加了。根据施莫勒对战前若干年的估计，100年前任何国家的财富中只有很小的比例是债券和股票，而如今德国17%（里塞尔说是33%）的国民财富，英国40%的国民财富是票据财产。① 根据沃特金斯先生的调查研究，联合王国居民拥有的77%的资本价值——该资本价值在1902～1903年被课征了财产税——是"动产"，在动产中，70%是票据财产。② 因而，很自然地，能够运用担保方法把等待与承担不确定性分离开的范围，得到了极大的扩展。

第4节

然而，这并不是现代才智将复杂的资本单位分解为其组成部分的惟一方法。它使等待能与承担不确定性分离开来。但承担不确定性本身并不是一件简单的事情。使1英镑具有变为21先令或19先令的均等机会，与使1英镑具有变为39先令10便士或2便士的均等机会，不是一回事。简言之，有许许多多不同的不确定性组合，不同的人愿意承担不同的组合。此外，各种各样的经营活动也需要有许许多多不同的不确定性组合。很显然，如果单个组合不适用，而能够把许多不同的组合结合在一起，来满足任何给定的产业需求，那么，所提供的东西就能更令人满意地得到调整，以适应需要。现在已经能够做到这一点了。在以合伙方式开办企业，资本由若干人提供时，全部有关的人是使所投入的资源服从于

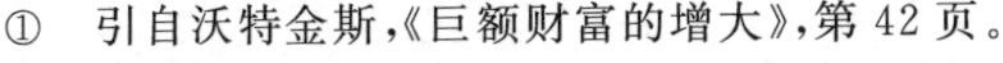

① 引自沃特金斯，《巨额财富的增大》，第42页。

② 同上，第48～49页。

相同的不确定性组合。因而，除非能找到足够多的人接受这一特定的不确定性组合，否则，创办有利可图的企业的计划就可能被搁置。在现代世界，这个困难已基本被克服了，现在合股公司都采用发行不同等级证券的办法筹资。不再让投入企业的每一英镑服从于相同的不确定性组合，所采用的筹资方法是把公司债券、累积优先股、非累积优先股、普通股以及其他特殊附属证券结合在一起。每一等级的证券都代表一种不同的承担不确定性的组合，由此而把股票细分为许多不同的等级，这可以促使资源配置朝着最有利于国民所得的方向发展，其效果与把股票较为简单地细分为两个等级的做法相同，一个等级的股票含有某种不确定性，另一个等级的股票不含不确定性。

第 5 节

还有另一种细分方法。到目前为止，我们一直隐含地假设，公司的持股方式总是保持着最初的形态。然而，实际情况并非如此；因为，在一家公司的建立之初，持有其股票要承担很大的风险，可是在其地位稳固后，情况就不是这样了。现代企业财务制度可以进行调整，使公司的股票在公司成立之初是由一类人持有，而在公司地位巩固后则由另一类人持有。譬如，在为一重要企业筹措创办费时，资金最初由认购辛迪加提供——或者由包销辛迪加担保——这种辛迪加由这样一些人组成，他们愿意冒遭受巨大损失的风险，以获得巨额收益，但不想把资本搁死很长时间。认购辛迪加在其最初阶段就可以把许多股票以微利卖给投机者和其他人，他同样愿意承担不确定性，但不愿意等待；于是，经过短暂的投机后，他们又会把股票再卖给另一些人。此后，在试验期过后，人们了解了该企业的真实情况，从而购买其股票所承担的不确定性大大降低时，那些愿意单纯等待的“投资大众”便会开始购买股票。这样，愿意承担不确定性的人和愿意等待的人，就都有机会扮演适合于自己的角色。

第 6 节

上述这些现代进展带来的主要结果是，过去进行资本交易所必需的复合单位被打碎，变成了简单而方便的组成部分。在影响劳动和土地的交易中——暂不考虑第 3 编将考察的那一事实，即有时必须把家庭当做移民单位——交易单位从来不很复杂。在企业领域里，依然存在着复杂性，因为雇用权力只有在带有一定数量的资本时，才能派上用场。但是，为合股公司工作的支薪经理人员的出现，也在很大程度上分解了该领域的复杂交易单位。所以，一般说来，我们可以得出结论说，在现代世界中，交易单位的复杂结构，已不再严重阻碍作出各项调整来使收益在各行业中相等。

第8章　不同行业和地方需求的相对变化给收益相等造成的阻碍

第1节

我们现在必须引入一个新的概念，即不同产业部门需求的相对变化。如果所有地方以某一价格对某种生产资源的需求量整个说来是不变的，而各个地方的需求量是可变的，那么，在任何两个时期之间，例如在连续的两年之间，需求的相对变化，就可以用第二年需求过大地方的需求量超过前一年相同地方的需求量的总额来衡量。如果所有地方对生产资源的需求整个说来是不固定的，那么，需求的相对变化，既可以用相同地方第二年的需求量超过前一年的需求量的总额来衡量，亦可以用第二年的需求量少于前一年的需求量的总额来衡量，**这要看这两个总额中的一个或另一个是不是较小**。

第2节

根据以上描述，可以很容易地证明，一般说来，在上述意义上，需求的相对变化愈大，阻碍资源移动从而导致收益不相等的因素的影响也就愈大。让我们把注意力集中在这样一些阻碍因素上，它们虽然在长期内不足以阻止收益趋于相等，但却足以立即阻止收益趋于相等所需的资源移动。如果各产业部门彼此相对波动，则这种阻碍会使收益**永远**不相等。穆勒用海洋中波浪的运动所作的说明，非常贴切。在地球引力的作用下，海洋各部分的水平面总是趋于相等；但是，因为受到扰动后，这种趋势需要时间来实现，因为尚未达到必要的时间，总是受到新的扰动，所以水平面的相等实际上从未出现过。显然，水平面不相等的平均程度，部分取决于这些扰动的大小。同样，很明显，收益不相等的平均程度，从资源移动受到阻碍的角度看，部分取决于不同产业部门对生产资源的需求的相对变化的大小。本章的任务就是识别出在不同情况下影响这种相对变化大小的主要因素。

第 3 节

首先，很显然，只要不同行业和地方对生产资源服务的需求受独立因素的影响，则促使某一行业或地方的需求发生变化的任何因素，都会加大总需求的相对变化。因而影响各个产业的所有因素，都与此处讨论的问题有关，我们将在第 3 编第 20 章研究这些因素。

第 4 节

其次，当正在若干个中心地区生产的某种商品的需求，在这些中心地区之间波动时，则某一因素若能阻止这种商品需求的变化反映在生产资源需求的变化中，将会减少生产资源需求的相对变化。有些厂商在过于繁忙时会把活计委托给相同产业中的其他暂时清闲的厂商去做，这种做法也会产生上述效果。当某一产业中的各厂商合并为一个公司时，此方法当然可以得到进一步的推进。

无论是在什么地方得到的订单，都可以在该公司成员之间进行分配，从而在完成这些订单时，各地对资源的需求就不会发生相对变化。

第 5 节

第三，有时会出现一些因素，致使需求从一些行业转向另一些行业。其中最明显的是气候条件的季节性变化；例如，同冬天相比，人们在夏天需要较少的煤气用于照明，需要较多的汽油用于驾车。在风气的影响下，人们由喜好一类奢侈品转向喜好另一类奢侈品，情况也是这样。而且，即使每一个人的喜好保持不变，收入从具有某一种喜好的人转移给具有另一种喜好的人，也会使需求从第一类人喜欢的产品转向第二类人喜欢的产品。因此，在损害富人的情况下穷人的收入增加，会使穷人所需商品的需求增加，富人所需商品的需求缩减，这种变化会反映在制造这两种商品的生产资源的需求上。

第 6 节

第四，有一些一般性的因素，会在相同意义上，但却在不同的程度上，影响许多行业对生产资源的需求。例如，心理因素、货币因素和其他导致通常所谓周期性产业波动的因素，由于我在别处力图解释的原因，[①]会使间接商品需求发生的波动，远比普通消费品需求发生的波动强烈。这当然意味着，生产这两种商品的生产

① 参见拙著《产业波动》，第 1 编，第 9 章。

资源的需求会相互波动。所以，任何政策若能缓和周期性的产业波动，亦将附带地减少不同产业需求的**相对**变化。

第 7 节

如果我们假设最初处于均衡状态，并想象需求在两个行业之间发生了相对变化，那么，在生产资源完成适当的转移以前，国民所得必然会降至其最大值以下。但是，对于某些目的来说，必须区分需求的两种相对变化，一是两个行业的需求都朝相同的方向变化，一是一个行业的需求上升，另一个行业的需求下降。**若工资挣取者面对需求下降仍维持刚性工资率**，那么，在萧条的产业中被辞退的工人可能会在扩张的产业中得到就业机会，但他们却不可能在虽说萧条得不那么厉害可却呈现一定萧条状态的产业中得到就业机会。所以，消除移动障碍——只要这样做的费用不太大——在第一种情况下有助于增加国民所得，但在第二种情况下却对国民所得毫无影响。

第 8 节

结束本章时应该指出，生产资源需求的相对变化，不论是发生在不同地方之间还是发生在不同行业之间，依其发生得快慢，而会产生不同的作用。如果一个行业或地方缓慢地衰退，同时另一个行业或地方缓慢地发展，那么，它们之间无需实际转移资源，就可以根据新的情况完成调整。需要做的仅仅是，在逐渐衰退的行业或地方，不完全补充耗损的资本和退休或死亡的工人；同时新创造出来的资本和达到就业年龄的青年男女，转入不断发展的地方或行业，以适应扩大的需求。在这种情况下，不需要实际转移资本或劳动，对资源转移的阻碍不会给国民所得造成损害。然而，当需求的相对变化发生得很快时，便不能完全以上述方式进行调整，若进行调整，就得实际转移资源。在这种情况下，阻碍资源移动就必然会损害国民所得，消除阻碍则有利于国民所得。从上述讨论的观点看，"逐渐的"和"迅速的"相对变化的界限究竟在哪里，取决于在相关行业和地方，资本设备在正常情况下以何种速度耗损，劳动力在正常情况下以何种速度需要替换。正如在另一处马上要指出的那样，一般说来，年流量与总存量之比，在女工中要比在男工中大得多。①

① 参见下面第3编第9章第6节。

第9章　社会净边际产品与私人净边际产品的背离

第1节

一般说来，实业家只对其经营活动的私人净边际产品感兴趣，对社会净边际产品不感兴趣。在第5章谈到的移动费用的限制下，自利心往往会使投入不同方面的资源的私人净边际产品的价值相等。但是，除非私人净边际产品与社会净边际产品相等，否则，自利心往往不会使社会净边际产品的价值相等。所以，在这两种净边际产品相背离时，自利心往往不会使国民所得达到最大值；因而可以预计，对正常经济过程的某些特殊干预行为，不会减少而是会增加国民所得。于是必须分析一下，在什么条件下，某产业中某一（第 r 个）投资增量的社会净产品价值与私人净产品价值之间，会出现背离。即使在纯粹竞争的条件下，也会出现某些一般种类的背离，在垄断竞争的条件下，会出现更多种类的背离，在双边垄断的条件下，会出现另一些背离。

第2节

如果只有一种生产资源，比如一定质量的劳动，则以上陈述便是完满的。如果有几种生产资源，但它们在各处和在所有条件下都以完全相同的比例结合在一起，则以上陈述也是完满的。但在实际生活中，有许多种不同的资源，相对于不同的产量而言，它们不仅在不同的产业中，而且在同一产业中，以各种比例结合在一起。因此，对于上一节使用的说法“某产业中第 r 个投资增量”，就需要加以进一步的说明。在某产业中，三种生产资源或生产要素的 a、b 和 c（实物）单位共同作用，可生产出 y 单位产量。当该产业的产量增加到$(y+\Delta y)$时，这几种要素的数量变为 a'、b' 和 c'。没有理由认为，$\frac{a'-a}{a}$、$\frac{b'-b}{b}$和$\frac{c'-c}{c}$会相等。我们无法把这几种生产资源视为一个整体，明确地描述其数量的变化，正是这种变化会导致商品的产量发生某种变化。所以，如果第 r 个投资增量要具有精确的含义，就必须把它解释为某种生产资源（比如一定质量的劳动）的第 r 个（实物）增量**加上**与该增量**相配合的**另外两种生产资源的无论何种增量。这些数量是完全确定的，被以下条件所决定，即：对于一定产量而言，各种生产要素必须结合得非常合适，以使其总货币成本最小。① 上述定义乍看起来似乎是有毛病的，因为根据该定义，一般说来，第 r 个投资“单位”的实际结构与第 $(r+h)$ 个“单位”是不同的。当然，如果我们所关心的是比较不同投资增量或单位的净产品，这种反对意见就是致命的。但实际上，我们是要比较由**给定投资增量**所产生的两种净产品，即社会净产品和私人净产品。对于这一目的而言，不同增量或不同“单位”相互之

---

① 因此，令 y 表示某种商品的产量，令 a、b、c 表示生产该商品的各种生产要素的（实物）数量；则 $y=\mathrm{F}(a,b.c)$。令 $f_1(a)$，$f_2(b)$ 和 $f_3(c)$ 表示这些生产要素的价格，则对于任何产量而言，各种生产要素的数量便被以下方程式所决定：

$$\frac{1}{f_1(a)}\cdot\frac{\partial \mathrm{F}(a,b,c)}{\partial a}=\frac{1}{f_2(b)}\cdot\frac{\partial \mathrm{F}(a,b,c)}{\partial b}=\frac{1}{f_3(c)}\cdot\frac{\partial \mathrm{F}(a,b,c)}{\partial c}.$$

间的关系是无关紧要的。我们的定义只是消除了一个含糊不清之处，使我们能不受阻碍地推进上一节所概述的那种分析。

第 3 节

在纯粹竞争条件下，社会净边际产品的价值与私人净边际产品的价值普遍相背离的根源是，在一些行业中，一单位资源所生产的产品的一部分，首先并不归属于投入这一单位资源的人，而是首先（即如果销售的话，在销售之前）作为一正的或负的项目归属于其他人。这些其他人可能属于以下三大类人中的一个：(1)耐久性生产工具的所有者，投资者仅是这种工具的租用者；(2)投资者所投资的那种商品的非生产者；(3)该商品的生产者。由最后一类人所引起的社会和私人净产品价值的背离，将在第 11 章中单独加以讨论。本章只关注另两类人引起的价值的背离。

第 4 节

先让我们来看某些耐久性生产工具的租赁与所有权相分离造成的那种背离。当然，耐久性生产工具的实际所有者在多大程度上将维护和改进这些工具的工作交给临时占用者去做，在不同的产业中是不同的，主要是由技术上便利与否决定的，部分也取决于传统与习惯，而且在不同的地方也依所有者和占用者的相对财富而变化。例如，在爱尔兰，由于许多地主较贫穷，全部交由佃户支付的工地费用种类，似乎要比英格兰多。[①] 细节虽有差异，但毫无疑问，在广阔范围内，用于改进耐久性生产工具的一部分投资，常

① 参见博恩，《现代爱尔兰》，第 63 页。

常是由所有者以外的人付出的。每当发生这种情况时，这种投资的私人和社会净产品就会出现某种背离，其程度的大小取决于租赁双方所订契约的条件。下面我们就讨论这些条件。

第 5 节

一定数量投资的社会净产品为已知时，在一种仅规定租约期满时将生产工具按当时碰巧的状况归还所有者的制度下，私人净产品会大大少于社会净产品。在这种制度下，第 r 个投资增量的私人净产品少于社会净产品的数额，几乎是生产工具可能得到的全部递延利益，但不一定刚好是全部递延利益，因为如果人们知道某一租用者完好地归还生产工具，这个租用者就会比不这么做的人更容易地并以更好的条件租到生产工具。就此而言，小心仔细的租用不仅会产生社会净产品，还会产生私人净产品。然而，因为常常要隔相当长的时间才重新签订契约，上述修正性的说法并不特别重要。因此，暂且把它搁在一边，我们应注意到，因为用于改进和维护生产工具的投资，其效果一般要经过一段时间才会耗尽，所以上述那种租赁导致的私人净产品低于社会净产品的幅度，在一长期租约的最初几年不会很大。但在这种租约的后几年和在短期租约的整个有效期，私人净产品低于社会净产品的幅度却可能很大。的确，人们常常看到，租期临近结束时，农民很自然地并毫不掩饰地想尽可能多地收回其资本，大肆从土地中攫取东西，以致若干年后，产量显著下降。[①]

① 参见尼科尔森，《经济学原理》，第 1 卷，第 418 页。

第 6 节

上述那种租赁，可以用地主和佃农之间的原始契约来说明，其中未对租约期满时的土地状况作任何规定。但此种情况并不限于这种契约。存在这种情况的另一很重要的领域是，向煤气公司、电灯照明公司授予"经营特许权"。在这种安排下，取得特许权的公司的设备，最终将无偿地移交给授予特许权的城市，这与对承租人的改良不作补偿规定的土地租赁制度完全一样。这种安排有一个时期支配着柏林电车公司。该公司的章程规定，"契约终止时，设置于该市街道上的所有设备，包括电线杆、电线、建于该市土地上的候车室以及专利，都无偿归该市所有"。[①] 从我们目前的观点看，这种做法类似于 1870 年的英国电车法案和 1881 年的电灯照明法案，这两个法案规定"在支付了当时价值的条件下（不包括对过去和未来利润的补偿，也不包括对强制性出售或任何其他事项的补偿），便可获得公司的设备"。因为，许多年前成立的公司的"再生产成本"（上述意义上的价值似乎就代表这种成本），可能远远低于其作为经营中的公司的价值。因此，在德国和英国的体制下，除非采取某种措施缓和那种结果，[②]否则，无论是在原有设备方面

① 比米什，《市政问题》，第 565 页。

② 当然，对于租期临近结束时进行的设备投资，英国的方法不像德国的那么严厉；因为，在短时间内，制造设备的成本可能在很大程度上是保持不变的。但是，旨在创造商誉并由此创造未来业务的投资，两者却完全一样。因此，在签订了 1905 年的协议后（根据该协议，邮政局将按照自己的意愿在 1911 年以重置成本买断国民电话公司的一部分设备），国民电话公司的董事长说，"本公司将不再开创需要时间培育和发展的业务，而只开展从一开始就能支付利息和所有其他应付费用的业务"（H. 迈耶，《公有制与电

还是在以后扩充的设备方面，这种终止特许权的方法都必然会减少投资的私人净产品，使其低于社会净产品，从而导致投资下降，远远达不到最有利于国民所得增长所需的水平。而且，很明显，这种限制性影响在特许经营期临近结束时，会极为显著。有鉴于此，科尔森先生建议，在特许状期满前 15 或 20 年就举行续订的谈判。

第 7 节

与社会净产品相比较，由我所谓的原始类型租赁契约导致的第 r 个投资增量私人净产品的不足，可以在不同程度上用补偿办法予以缓和。这可以很方便地用最近的土地租佃史来加以说明。当佃户离开租赁的工地时，对于他们给土地造成的损害或所作的改进，可以用各种办法进行补偿。实际上，租约的一些条款规定了对损害的消极补偿。其最简单的形式是，佃户若未能以“可出租的状态”归还土地，则将被罚款。这种惩罚可以通过签订明确的法律契约来直接施行；也可以通过规定佃户不得违反当地的耕作习惯

话》，第 309 页）。将柏林电车公司的特许经营权延长至 1919 年的契约，采用了一种方法来克服上面正文中谈到的那种困难。该契约特别规定，“如果在契约有效期间，市政当局超出契约的规定，要求在该市范围内扩展路线，则公司必须修建长达 93 英里的路线，其中的双轨路线可算做单轨路线。但对于在 1902 年 1 月至 1907 年 1 月奉命修建的所有路线，公司可从市政当局那里得到三分之一的建设费用，对于在 1908 年 1 月至 1914 年 1 月奉命修建的所有路线，可得到一半的建设费用。对于此后修建的所有路线，市政当局必须支付全部建设费用，并根据后来签订的协议，为运营费用支付全额补贴。除市政当局要求使用蓄电池的地方外，最初应使用架空电线触轮；但是，如果以后出现了任何其他可行的动力系统，市政当局也认为此系统更为合适，公司便可以引入该系统；而如果市政当局要求引入，公司则必须引入。如果由此而增加了公司的成本，适当扣除由新系统获得的利益后，市政当局必须给予公司以补偿”（比米什，《市政问题》，第 563 页）。

来间接施行；还可以通过修改这一有关当地耕作习惯的规定来施行，即解除此规定对富有进取心的佃户施加的简单限制，又不牺牲这一规定的目的。例如，根据 1906 年的农业租地法，佃户只要采取"适当而充分的措施保护租地不受损害或不发生退化，就可以违反当地的习惯甚或违反契约来种植耕地"，但租约期满的前一年除外。根据该条款，若佃户的行为确实损害了租地，则地主有权得到赔偿，必要时有权阻止佃户的行为。积极的补偿出现得较晚。这方面的规定，最初只是地主在年租约中作出的自愿性安排。在泰勒先生引述的约克郡的一个租约中，地主保证，佃户在租约的最后两年期间在一般耕作经营活动过程中投入的投本，可以得到"双方认为合理的"补偿。[①] 渐渐地，补偿计划获得了法律地位。在爱尔兰，1870 年的法案朝着这一方向做了一些事情——爱尔兰特别需要这样做，因为它很少采用英格兰的习惯，按照这一习惯，房舍由地主提供，永久性改良也由地主进行。[②] 1875 年，英格兰和威尔士通过了一项法案，规定了在什么条件下必须补偿租约即将到期的佃户，但允许退约。1883 年通过了一项新法案，即《农业租地法》，禁止退约。该法案区分了两种改良，一是必须征得地主同意的改良，一是不必征得地主同意的改良。[③] 苏格兰目前也有类似的法律。该法律在很大程度上废止了旧的长期租约，这些租约被修改得面目全非，现在实际上已不复存在了。[④] 详细起草所有这类法

① 参见泰勒，《农业经济学》，第 305 页。

② 参见史密斯—戈登和斯特普尔斯，《爱尔兰的农村重建》，第 20 页。

③ 参见泰勒，《农业经济学》，第 313 页及以下各页。

④ 参见泰勒，同上，第 320 页。

案时，遇到的困难是，某些“改良”并没有按其生产成本给产业增加永久的价值。如果对这些改良按其成本给予补偿，私人净产品就会超过社会净产品。实际上，这种危险基本上已被克服了，克服的办法是不把初始成本当做补偿额的依据，某些种类的改良需征得地主的同意。例如，根据 1906 年的（爱尔兰）《市镇佃户法》，当佃户提议作一项改良时，他必须通知地主，如果地主不同意，则要由郡法院裁决这项改良是否合理，是否会增加租地的出租价值。（1927 年通过的）《不列颠地主和佃户法案》也规定，在终止经营场所的租赁时，要对改良和商誉给予补偿。但即使采用这种办法，私人净产品也会稍许过大。为了使私人和社会净产品一致，在为补偿估计一项改良的价值时，必须考虑到，在更换佃户期间，土地可能有一段时间租不出去，在这段时间内，该项改良不会产生出其全部年价值。如果不考虑这一点，佃户就会比地主或社会更积极地推进投资，因为这会给他带来稍多的好处；因而，如果像种植蔬菜那样，可以不征得地主同意就进行改良，那将妨碍地主出租土地。所以，从理论上说，1906 年的农业租地法所犯的一个错误是，它把租期将满的佃户为其改良可以要求的补偿，规定为“这样的金额，此金额能充分代表这种改良给未来的佃户带来的价值”。标准应该是“给地主带来的价值”。但是，由于改良的作用通常在几年之内就会耗尽，这种小错误的实际效果可以忽略不计，不会使第 r 个投资增量的私人和社会净产品显著背离。

第 8 节

上面讨论的这些补偿办法有一个明显的缺陷，该缺陷一般会阻碍这些补偿办法想要对私人和社会净产品所作的调整。诚然，佃户在租约期满时可以为改良要求补偿。但是，他知道，由于他所作的改良，向他收的地租会提高，除非他采取极端步骤，放弃租地，否则他的补偿要求就不会实现。因而，投资的私人净产品仍然少于社会净产品。1906 年的农业租地法在某程度上缓和了这一结果——1920 年又进一步有所缓和——该法律规定，"如果地主没有合适而充足的理由，或出于与妥善的产业管理不相一致的理由，发出解除租约的通知而终止租佃关系，如果佃户的离去证明是由于他所作的改良导致地主提高地租，则佃户不仅可以要求对改良给予补偿，而且还可以要求对离开租地直接造成的损失或费用给予补偿"，这种损失或费用是由于出售或搬运家具、农具等而发生的。不过，以上补救办法在若干方面仍有不足。首先，佃户在上述条件下离开租地，没有为"商誉损失"或搬家所带的非货币性不便获得补偿，因而他依然会很不愿意离开，地主依然拥有强大的武器，可迫使他同意提高地租。其次，因出售土地而通知解除租约，没有被认为"与妥善的产业管理不一致"。于是，当佃户耕种的土地被一个地主卖给另一个地主时，佃户如果离开租地，便得不到上述第二种补偿。所以，他会更不愿意离开。然而，倘若他决定从新地主那里租土地，他"得为他进行的改良支付地租，而得不到任何补偿"。①

① 《佃农委员会报告》(敕令书，第 6030 号)，第 6 页。以需要把土地用于建筑为理由向佃户发出解除租约的通知，也是"与良好耕作并非不一致的"，因而也不给予第二类补偿。显然，在这种情况下若给予第二类补偿，会带来危险，因为这会鼓励人们把资源投在农业改良上，推迟把条件已经成熟的土地用于建筑，从而造成的社会损失会超过农业改良投资带来的利益。

很可能是由于认识到了这种危险，农民日益要求颁布法律，规定地主想出售土地时，农民可以在原有地租的基础上购买租地。与《农业租地法》类似，1906 年的（爱尔兰）《市镇佃户法》也规定，对造成的打扰必须给予补偿。该法案还规定，在所列述的情况下，也可以为"商誉"要求补偿。但即使有这个规定，所得到的调整显然也仅仅是部分的调整。[①]

第 9 节

由于补偿办法有这些不完善之处，实际上许多人认为，要进行真正充分的补偿，不仅需要对离开租地的佃户给予补偿，而且还需要在法律上保障租地使用权，并且要在法律上禁止向佃户所作的改良收取租金。当然，在某些情况下，想要取得的这种效果，无需借助于法律的干预，就可以达到。例如在比利时，习惯的力量实际上就达到了这种效果；[②]无疑，英格兰的许多地主也是以同样的精神管理其产业的。然而，很明显，并不能总是设想，当法律允许运用经济权力时，地主会自觉克制自己，不为了自己的利益运用这种权力；的确，如果能这样设想的话，上面讨论的所有那些精心设计的补偿法律就是多余的了。我们由此而需要考虑，是否应该由法律保障租地使用权和"公平地租"。采用这种做法主要有两个困

① 应该指出，人们之所以赞成给予补偿，并不是因为这有利于佃户。尼科尔森教授说得对，"对改良的补偿并不像一般所认为的那么有利于佃户，因为这一特权本身就具有货币价值；也就是说，地主将要求得到，佃户也能够支付，相应较高的地租。在所谓可提高土地价值的旧租约下，地租之所以较低，是因为永久性的改良最终归地主所有"（《经济学原理》，第 1 卷，第 322 页）。参见莫里森有关印度情况的叙述（《印度一个邦的工业组织》，第 154～155 页）。

② 参见朗特里，《土地与劳动》，第 129 页。

难。首先，所授予的租地使用权不能是绝对的；因为，如果是绝对的，有时会造成巨大的经济浪费。所以，对租地使用权的保障，看来必须以较好的耕作为条件。而且，还必须"以土地不被征用为条件，无论是征用来租给或分配给农民，用于建造工棚，用于城市发展，用于开矿，还是用于修建水道、道路和公共卫生设施。为了这些目的而需要征用土地时，土地法庭有权终止租佃关系，同时确保佃户得到适当补偿"。[①] 精确地列出可以得到补偿的适当条件，可能不是一件容易的事情。其次，如果地主能随意提高地租，迫使佃户解除租约，则保障租地使用权显然就是虚幻的，在这种情况下就必须设法强制实施公平地租。仅靠禁止提高地租，做不到这一点，因为在某些情况下，提高地租是合理的。例如，有时完全与佃户的行为无关，而由于农产品价格的某种一般变化导致土地的价值增加，若将这种好处从地主手里拿走而给予佃户，那是不公平的。因此，适当的做法似乎包括建立一个法庭来规定地租，或至少解决所发生的地租纠纷。假如土地法庭或所建立的任何其他机构，是无所不知，无所不能的，当然也就没有人会反对这么做。但是，由于人类的所有机构都肯定是有缺陷的，佃户有可能故意使租地的价值下降以压低地租。在爱尔兰的法定地租制下，防止这种弊端的方法是，法庭有权拒绝修改地租。但实际上并未使用这种补救方法。修改地租时，决定性因素常常不是生产率，而是产量，尤其是第十五年的产量。[②] 博恩教授这样说明了由此带来的结果："两兄

① 《土地研究报告》，第 378 页。

② 史密斯—戈登和斯特普尔斯，《爱尔兰的农村重建》，第 24 页。

弟将一农场分为价值相等的两份，其中善于耕作的那一个经法庭批准地租降低了7.5％，不善于耕作的那一个经法庭批准地租降低了17.5％”。[①] 所以，很显然，同简单的补偿法律相比，保障租地使用权和采用法定地租，实际上并不会使私人净边际产品和社会净边际产品更加接近。这两种净边际产品之间的差距，只有在拥有土地的人和投资于土地的人是同一个人时，才能完全消除。但在其他一些方面，这常常是不经济的。因为，特别是如果农民是小农的话，他们作为所有者可能很难筹集到较大的改良所需的资本，而在英国目前的土地制度下，这种改良通常要由地主来进行。详尽讨论由此而引出的争议颇多的问题，超出了本书的范围。不过，以上所述将足以说明私人净边际产品和社会净边际产品之间的一种背离，这种背离往往出现在这样一些行业中，在这些行业中，对耐久性生产工具的投资要由不拥有这些工具的人来完成。

第 10 节

我现在转而讨论第 3 节所区分的社会和私人净产品的第二种背离。在这里，问题的实质是，一个人 A 在向另一个人 B 提供某种有偿服务时，会附带地也向其他人(并非同类服务的生产者)提供服务或给其他人造成损害，但却无法从受益方获取报酬，也无法对受害方给予补偿。如果我们学究气十足地固守第 1 编第 3 章给国民所得下的定义，那就有必要进一步区分各种产业，在一些产业中，未补偿的利益或损害可以很方便地与货币衡量尺度发生关系，

---

① 博恩，《现代爱尔兰》，第 113 页。

在另一些产业中则不是这样。不过，这种区分仅具有形式上的重要性，而不具有实际上的重要性，会模糊而不会说明主要问题。所以，我在即将列举的例子中，将有意忽略这一点。

我可以先举出许多这样的实例，在这些实例中，私人净边际产品之所以低于社会净边际产品，是因为附带地向第三方提供了服务，但从技术上说却很难向他们索取报酬。例如，正如西奇威克所说，“很容易发生这样的情况，一座位置适宜的灯塔产生的利益，肯定会被许许多多船只所享受，但对其中大多数船只却无法方便地征收通行费”。① 同样，在城市中花费人力物力建造私人花园时，也会提供无从得到补偿的服务；因为，这些花园尽管不让公众进入，可却改善了周围的空气。投资修建道路或电车轨道时也是这样（尽管应考虑到在其他方面所造成的损害），因为这会提高附近土地的价值，当然，如果按照所享受到的改良，对土地所有者课征一种特别的改善税，就另当别论了。投资造林也是如此，因为对气候产生的有利影响，常常会扩展到造林者所拥有的森林以外。花钱在私人住宅门前安装电灯也是这样，因为这必然也为街道提供照明。② 投资防止工厂烟囱排烟亦是这样，③因为在大城市中，工

① 《政治经济学原理》，第 406 页。

② 参见斯马特，《经济学研究》，第 314 页。

③ 据说在伦敦，煤烟致使从天文学上说可能具有的阳光只剩下了 12%，而每五次大雾中就有一次是由煤烟直接引起的，同时所有大雾都被煤烟弄得污浊不堪，迟迟不肯散开（J. W. 格雷厄姆，《日光被毁》，第 6 和 24 页）。看来在许多情况下，愚昧无知和惰性阻碍了防煤烟装置的采用，尽管这种装置会增加燃料的效能，从而对使用者是有利可图的。然而，从公共利益着眼，不管划算不划算，都应该使用这种装置。无疑，采用机械加煤机、热鼓风等方法，实际上可以使工厂的烟囱不再冒黑烟。同煤烟相比，法律对制碱厂排放的有毒气体应实施更强有力的限制。

厂烟囱排出的煤烟会使社会遭受无从得到补偿的巨大损失，这表现在建筑物和植物受到的损害、洗涤衣物和清扫房间的花费、提供额外人工照明的花费等许多方面。[①] 最后且最为重要的是，把资源用于基础科学研究也是这样，在这种研究中，常常会有意外的、实用价值很高的发现，而且投资完善发明和改进工艺也是如此。后者具有的性质，常常使它们既不能申请专利，也不能保密，因而它们最初给发明者带来的全部额外报酬，很快就会以降价的形式转移给普通大众。实际上，专利法旨在使私人净边际产品和社会净边际产品更加接近。诚然，专利法通过为某些种类的发明提供预期的报酬，并没有明显地刺激发明活动，因为发明活动大都是自发的，但是，专利法却把发明活动引入了有益于普通大众的轨道。[②]

对应于上述私人净边际产品低于社会净边际产品的投资，还

① 例如，1920 年部际委员会关于减少煤烟和有毒气体的中期报告，包含以下内容：

“17. **煤烟造成的实际经济损失。**——我们不可能对煤烟给整个社会造成的损害，作全面而准确的统计说明。但我们可以引述以下调查。”

“1912 年，在美国的匹兹堡，一个由工程师、建筑师和科学家组成的专家委员会，进行了一项详尽的调查，调查报告估计，煤烟污染使匹兹堡付出的代价每人每年约为 4 英镑。”

“18. 1918 年曼彻斯特空气污染顾问委员会进行的一项颇有价值的调查，比较了曼彻斯特(多煤烟的城市)和哈罗盖特(无煤烟的城市)的家庭洗涤费用。调查者分别从曼彻斯特和哈罗盖特获取了 100 份可适当加以比较的调查问卷，问询内容是工人阶级家庭每周的洗涤费用。这些调查问卷表明，在曼彻斯特，每个家庭每周用于燃料和洗涤材料的额外费用为七个半便士。仅考虑燃料和洗涤材料的费用，不考虑额外的劳动，并假定中产阶级家庭的损失不比工人阶级家庭大(由此而会大大低估损失)，则整个这座城市 75 万人口每年的损失总额在 29 万英镑以上。”

② 参见陶西格，《发明者与造货者》，第 51 页。

有许多其他投资，在这种投资中，由于从技术上说很难对附带的损害要求给予补偿，私人净边际产品往往大于社会净边际产品。例如，当某一土地占有者实行禁猎而导致野兔蹂躏相邻土地占有者的土地时，就会给第三者造成无从补偿的附带损害，除非这两个土地占有者是地主与佃户的关系，通过调整地租而可以给予补偿。同样，当城市中某一住宅区某块地皮的所有者，在这块地皮上建工厂，从而在很大程度上破坏了邻近地方的舒适环境时，也会给第三者造成无从补偿的附带损害；或者，当他在这块地皮上建造的房屋遮挡了对面房屋的光线，[①]或者当他在拥挤的市中心投资建高楼，减少了邻近地方可供呼吸的空气量和游戏空间，从而损害了邻近住家的健康和工作效率时，在较小程度上也会给第三者造成损害。此外，花钱买汽车和驾驶汽车从而磨损路面，亦会给第三者——这回是普通公众——造成无从补偿的附带损害。假设公众的喜好不变，投资生产和销售酒类也是如此。要根据投资于酒类生产的最后一英镑生产出的私人净产品，推算出社会净产品，就得像萧伯纳先生所说的那样，从投资中扣除雇用警察和盖监狱的额外费用，因为生产酒类必然间接地带来此种费用。[②] 在某种程度上，对外投资一般也是这样。因为，如果外国人可以通过出售许诺，从我们这里获得他们需要的一些出口商品，他们就不必向我们运送同样多

① 在德国，大多数城市规划都不允许发生这种反社会的行为；但在美国，地皮所有者个人却似乎可以完全自由地处置其土地，在英国，地皮所有者个人也享有很大的自由(参见豪，《变动中的欧洲城市》，第 46、95 和 346 页)。

② 《都市交易常识》，第 19～20 页。

的商品；这意味着，我们的出口商品和进口商品之间的交换比率将变得对我们稍稍不利。就某些种类的对外投资而言，还应考虑更为严重的反作用。例如，若对外投资增量的间接效果，或用于为此获得让步的外交行动的间接效果，是一场实际的战争或为防止战争所作的准备，那么，就应把这些事情的成本从该增量产生的利益中扣除，然后才能计算出它对国民所得的净贡献。这样做了之后，投资的社会净边际产品到头来很可能是负数，即使是对这样一些国家的投资，也不例外，在这些国家，有许多非常有利可图的机会尚未得到利用，可以同腐败的官员拼命讨价还价，因而投资者常常可以获得很高的收益。而且，当对外投资是向某一外国政府发放的贷款，使该政府得以进行一场否则便不会发生的战争时，普通英国人因这场战争造成的世界贫困而遭受的间接损失，也应该从英国金融家得到的利息中扣除。于是，社会净边际产品也很可能是负数。不过，私人净产品超过社会净产品的最佳实例，或许可以得自妇女在工厂中的工作，特别是在分娩前或分娩后的工作；因为毫无疑问，这种工作除了为妇女带来收入外，还常常为其子女的健康带来严重的损害。[①] 有时发现，在这种工作和婴儿死亡率之间存在着很低的相关性，甚至存在负相关，但这并不能证明这种罪恶不存在。原因是，这种工作盛行的地区可能非常贫困，而这导致了妇女在产前和产后工作。贫困显然对儿童的健康有害，在其他条件相同的情况下，母亲辞掉工厂工作的家庭可能要比其他家庭更贫

① 参见哈钦斯，《经济学杂志》，1908 年，第 227 页。

困，这种更为严重的贫困带来的罪恶，可能要比工厂工作带来的罪恶更大。[①] 这可以解释大家所知道的统计事实。所以，这些统计事实丝毫也不妨碍我们认为，**在其他条件相同的情况下**，母亲在工厂工作是有害的。统计事实所表明的仅仅是，禁止妇女在产前或产后工作，必须伴之以对由此而变得窘迫的家庭给予救济。[②]

第 11 节

在此需要注意一个有点似是而非的谬见。一些不习惯于作数学分析的论者认为，在引入了生产某些商品的经过改进的方法后，为开发这些方法所投入的资源的社会净边际产品的价值，便会低于私人净边际产品的价值，因为后者不包括这种改进使现有设备价值降低所应作的扣除；因而正如他们所认为的，要得出社会净边

① 参见纽肖尔姆，《关于婴儿和儿童死亡率的第二份报告》(敕令书，第 6909 号)，第 56 页。对于童工上夜班也可以这样来看。的确，夜间工作部际委员会没有获得任何有力的证据，证明这种工作有害于儿童的健康。但该委员会发现，这种工作在另一方面有损于儿童，即实际上剥夺了他们在业余补习班接受教育的机会。我国的工厂法所依据的**理论**似乎认为，只有在不连续生产会造成巨大损失的情况下，才应允许 14 至 18 岁之间的未成年人在夜间工作。但在实践中，工厂法却允许工厂在并非一定要连续生产的情况下雇用未成年人在夜间工作。因此，该委员会建议，未来应根据生产情况，而不是不考虑生产情况而只根据生产场所、工厂或车间，来决定是否允许雇用未成年人在夜间工作。((敕令书，6503)，第 17 页)

② 参见《地方政府委员会年度报告》，1909～1910 年，第 57 页。有人提出，如果工厂女工在上班时能请未婚女人照料自己的家，便可以消除工厂工作造成的有害结果，这种看法是错误的，因为它忽略了这一事实，即妇女照料自己的孩子有其特殊的个人价值。在伯明翰，人们似乎认识到了这个事实，因为，据说在战前，已婚妇女常把孩子托给别人照管，经过一段时间尝到由此带来的恶果后，大都便离开工厂，重返家庭(参见凯德伯里，《妇女的工作》，第 175 页)。

际产品的价值，就应包括这种扣除。[1] 如果这种观点是正确的，也就有理由在决定是否批准修建铁路时，看铁路公司是否补偿现有运河而定，有理由为了市营电车公司的利益而拒绝给公共汽车颁发营运执照，有理由阻止建立电力照明公司以使市营煤气公司能继续为地方税作贡献。但实际上，这种观点是不正确的。一般说来，用于**改进生产某种商品的方法**的资源的社会净边际产品，与私人净边际产品并无差异；因为老生产者由于其产品价格下跌所遭受的损失，被这些产品的购买者由于价格下跌所获得的利益抵消了。如果进行了新的投资后，旧机器继续以降低了的价格生产和以前一样的产量，这一点便可以看得很清楚。如果由于这种变化，旧机器的产量减少了，则乍看起来似乎有问题。但好好想一想就会明白，旧机器以前生产的任何一个单位的产量，都不会被新机器生产的产量所取代，除非新机器生产该单位产量的**总成本**小于旧机器生产该单位产量的**直接成本**，也就是说，除非新机器能以极低的价格生产该单位产量，以致旧机器以那一价格生产该单位产量毫无利润可赚。这意味着，新机器从旧机器那里接过来的每一单位产量，都必须以**降**得很低的价格卖给公众，降低幅度要等于旧机器如果该单位产量的话，在扣除了直接成本后所能得到的全部收入。由此证明，旧机器的所有者，就其任何一个单位的原产量而言，

---

① 例如参见 J. A. 霍布森，《社会学评论》，1911 年 7 月，第 197 页，并参见《黄金、物价和工资》，第 107～108 页。甚至西奇威克也有支持正文中所述论点的嫌疑（参见《政治经济学原理》，第 408 页）。人们似乎未注意到，这一论点如果成立的话，国家就有理由禁止使用可以节省技工服务的新机器，直至掌握这种技术的那一代技工死光为止。

其遭受的损失都被消费者获得的相等利益抵消了。因此，就新机器从旧机器那里接过来的任何一单位产量而言，把旧机器的所有者遭受的损失视为生产该单位产量的社会成本的一部分，是不正确的。

当然，还可以作出另一尝试来避免得出这个结论。姑且承认，就直接影响而言，一般的商业策略是有道理的，即对改进生产方法的投资不会因为关心其他人现有设备的收益而停止。不过，还有间接影响需要加以考虑。如果昂贵的设备很快就会由于新发明而收益减少，那会不会阻碍制造这种设备呢？假如能以某种方法保证经改进的生产方法不因生产方法的进一步改进而过快地陈旧，那从整体上说会不会鼓励人们引入经改进的生产方法呢？对于这个问题的直接回答，无疑是肯定的。然而，另一方面，还应考虑这一事实，即人们提出的策略往往是，虽然有较好的生产方法，但仍使用较差的生产方法。这两种影响结合在一起，总的说来是会带来益处还是害处，是个似乎难以明确回答的问题。但这一软弱无力的结论并不是最后的结论。到目前为止，我们的论证一直假定，发明先进方法的速度与实际采用先进方法的速度互不相关；正是在这一假设的基础之上，我们对不同策略所作的比较未能得出明确的结论。然而实际上，如果以前发现的最佳生产方法正在被人们使用，其实际作用正在被人们观察到，而不是为了现有设备而将其搁置起来，则更加有可能随时进行改进。因此，搁置策略不仅会间接地推迟采用已发明的先进方法，而且还会推迟发明新的先进方法。这几乎肯定会改变力量均衡。所以，适合于竞争性产业的策略，一般说来要比相反的策略具有更大的社会效益。实业家在考虑引进先进生产方法时，若顾及这种积极行动可能给其他实业

家带来的损失，那是不利于社会的。一些城市推迟建立电力照明公司，以等待其煤气公司的设备磨损完，这种例子是不值得仿效的，也不能用社会和私人净产品的差异来为其进行成功的辩护。有切身利益的市议会可能采取阻挠行动，阻碍有益于社会的进步，我国已认识到这种危险，颁布了法律，授权中央政府可以推翻地方政府对申请建立私人电力企业作出的否决。1910 年，商务部就阿德鲁森公司在萨尔科特地区的电力照明许可证问题发表了一份报告，从其中摘录的下面一段话，可以说明商务部遵循的政策："商务部一向认为，以与煤气公司相竞争为反对理由，即便煤气公司属于地方政府，这也不是充足的理由证明他们拒绝颁发电力照明许可证有道理，因而商务部决定阿德鲁森公司不需要取得同意"。①

第 12 节

至此我们只考虑了由于存在着无从补偿的服务和损害而导致的私人和社会净产品的背离，暗中假定人们的一般喜好保持不变。这与第 2 章第 5 节对社会净产品所下的定义相一致。不过，正如我们在那里所指出的，对于某些目的而言，需要采用较为宽泛的定义。这样做时，我们发现会出现另一因素使社会和私人净产品发生背离，这一因素虽然对国民所得的实际内容不重要，却对经济福利很重要，它的表现形式是，**消费者从消费并非受到直接影响的东西中获得的满足**会受到无从补偿的影响。因为，一些人现在能够消费新商品这一事实，会在其他人那里产生心理反应，直接改变他

---

① 参见努普，《城市商业原理与方法》，第 35 页。

们从消费旧商品中得的满足量。可以想象，这种反应可能导致他们得自这种商品的满足增加，因为可能正由于某种东西已被替代而或多或少显得古色古香，他们才喜欢使用这种东西。但一般说来，所产生的是另一方向的反应。原因是，在某种程度上，人们喜欢最优质的东西，仅仅因为这种东西品质最优；于是，一旦创造出新的最优品，其品质超过旧的最优品，旧的最优品中的价值因素就会被摧毁。因此，如果制造出了一种改进型的汽车，则热衷于赶时髦的人就会从旧汽车那里几乎得不到任何满足，尽管在制造出新汽车之前，拥有一辆汽车曾使他感到那么强烈的快乐。在这种情况下，用于生产改进型汽车的资源的社会净边际产品要少于私人净边际产品。[①] 在城市中采用电力照明，在某种很轻微的程度上，对煤气也会产生这种心理反应；这种可能性可以辅助上一节所述的荒谬的辩护理由，提供一真实可信的理由，来为一些市政当局推迟引入电力的政策辩护。不过，这种有效的辩护理由几乎肯定是不充分的。实际用于支持市政当局不允许与其煤气公司竞争的理由，是上一节所叙述的那些。一般说来，它们与心理反应无关，因而像与运河有利害关系的人用来反对批准修建早期铁路的理由一

① 应该指出，正文中的论点甚至适用于这样一种情况，即以前消费的产品完全被新的竞争产品所取代，因为实际上已没有人从旧产品那里得到递减的满足；因为除非人们对旧产品的欲望已被我们所说的心理反应所减少，否则旧产品不会被完全取代。而且，以上论证表明，发明实际上**可能**减少总经济福利；因为发明会使劳动从其他形式的生产性服务中撤出来，以制造某种物品的新品种来取代旧品种，而假如没有发明，旧品种会继续使用，所产生的经济福利会和新品种一样多。广义地说，新武器的发明也是这样，只要所有国家都了解这种发明，因为如果敌国也掌握经过改进的武器，掌握这种武器就不会给一个国家带来优势。

样，是完全荒谬的。

第 13 节

显而易见，我们到目前为止所讨论的私人和社会净产品之间的那种背离，不能像租赁法引起的背离那样，通过修改签约双方之间的契约关系来缓和，因为这种背离产生于向签约者以外的人提供的服务或给他们造成的损害。然而，如果国家愿意，它可以通过“特别鼓励”或“特别限制”某一领域的投资，来消除该领域内这种背离。这种鼓励或限制可以采取的最明显形式，当然是给予奖励金和征税。很容易举出一般的实例，来说明这种积极的或消极的干预政策。

就生产和销售酒类的企业而言，任何一单位投资的私人净产品，要远远大于社会净产品。因而，几乎所有国家都对这些企业征收特别的税。马歇尔赞同以同样方式对待在人口密集地区用于兴建房屋的资源。他向皇家劳工委员会作证时建议，“任何人在人口已非常稠密的地区兴建房屋，都必须为修建免费游乐场捐钱”。[①] 可以一般地运用这一原则。英国运用这一原则(虽说运用得很不全面，只是局部地运用)，向汽车使用者课征汽油税和汽车牌照税，将得到的收入用于维修公路。[②] 国民保险法案也巧妙地运用了这

① 皇家劳工委员会，第 8665 号提案。

② 这项原则之所以运用得不全面，是因为公路局管理的、得自这些税的收入，“不应该用于一般的公路维护，而应该全部用于进行新的、特定的公路改进”(韦布，《皇家公路》，第 250 页)。这样，从总体上说，驾车者便不是在为自己给普通公路造成的损害付钱，而是由于付了钱而可以得到对自己而不是对普通公众有用的更多服务。

一原则。该法案规定，当任何一地区的患病率特别高时，如果可以证明此高患病率是由雇主、地方政府或自来水公司任何一方的疏忽或不慎引起的，则由此而发生的超额支出将由他们负担。一些论者认为，可以用差别税的形式将这一原则运用于得自对外投资的收入。但由于第 10 节所描述的不利因素只是某些对外投资有，其他对外投资则没有，所以上述做法并不能令人感到满意。而且，对外投资已处于很不利的地位，一是由于对国外情况两眼一抹黑，二是由于在国外赚取的收入常常除了要缴纳英国的所得税外，还要缴纳外国的所得税。

任何一单位投资的私人净产品，在像农业这样的产业中都低得出奇，而这些产业间接地有助于培养出适合于军事训练的公民。部分由于这一原因，德国给予农业间接的保护性奖励金。一种更为极端的奖励金，是由政府提供所需的全部资金，此种奖励金给予城市规划、警务、清除贫民窟等服务。在某些行业中，普及先进生产方法的工作，也可以获得这种奖励金，在这些行业中，由于可能的受益者蒙昧无知，开展这项工作很难收费。例如，加拿大政府已建立了一项制度，“根据这项制度，任何一个农民，甚至无需付邮费，就可以询问与其业务有关的事情；[①]内政部在一段时间内有时也提供耕作方面的实际指导”。[②] 许多国家的政府在提供劳动信息方面，也采用了相同的原则，免费提供职业介绍所的服务。在联合王国，各种农业协会都是自发建立起来的组织，用所收的会费提

① 马弗，《有关加拿大西北部的报告》，第 36 页。

② 同上，第 78 页。

供类似的奖励金。用霍勒斯·普伦基特爵士的话来说，其宗旨中很重要的一部分是，“免费帮助那些在恬静的田园中生活的人，获得更广泛的观察机会，更多地了解工商业事务”。[①] 1909 年的发展法案也遵循了相同的方针，规定要向农业科学方面的科研、教育和实验提供赠款。

应该附带说明，有的时候，当受影响的个人之间关系高度复杂时，政府会发现，除了给予奖励金外，还要运用某些官方控制手段。例如，人们逐渐认识到，政府应坚持的一条原则是，在每个城镇，某一行政管理机构应有权限制在某一地区允许修建的房屋数量，限制房屋所能达到的高度（因为，即使房间不是很多，兴建营房式住宅也会造成过度拥挤），并一般地控制个人的建筑活动。[②] 期望投机商各自为政的建筑活动会产生一个规划良好的城市，就像期望一个独立不倚的艺术家在画布上不连贯地作画会产生一幅完美图画那样徒劳。根本不能依赖“看不见的手”来把对各个部分的分别处理组合在一起，产生出良好的整体安排。所以，必须有一个权力较大的管理机构，由它干预和处理有关环境美化、空气和阳光这样的共同问题，就像处理煤气、自来水等共同问题那样。因此，战前不久，仿照德国长期以来的做法，通过了伯恩斯先生提出的极为重要的城市规划法案。该法案第一次提出，应根据整个城市的结构

---

① C. 韦布，《工业合作》，第 149 页。

② 道森先生认为，这种过度拥挤在德国城镇中很普遍。他写道：“由于严格执行有关的规定，街道过于宽阔，这大大增加了建房成本，为了收回成本并赚取尽可能多的利润，建筑商开始竖向而不是横向扩展所建的房屋”（《德国的城市生活与政府》，第 163～164页）。因此，德国的市政当局现在常常控制建筑物的高度，规定了所允许的高度，从市中心向市郊逐渐递减。

而不是单个建筑的结构来控制建筑活动，并把这种控制权明确地授予了那些愿意接受此种权力的市政会。该法案第二部分的开头这样说："对于任何正在开发的或可能用于建房的土地，均可依据本法案这部分的各项规定，制定一项城市规划方案，总的目的是确保该土地及相邻土地的规划和使用符合适当的卫生、舒适和便利条件"。该方案可以像德国的习惯做法那样，在实际建房许多年之前就制定出来，从而事先设计好未来发展的路线。而且，如果愿意的话，还可以扩大此方案的范围，把已经建有房屋的土地也包括在内，规定"如果为实施此方案认为有必要，可以拆除或改变该土地上的任何建筑"。最后，如果地方政府疏忽懈怠，不主动制定城市规划方案，可以授权中央政府的有关部门命令它们采取行动。不过，有理由认为，一旦人们完全了解和熟悉了城市规划，在爱乡之心和各地方之间相互竞争的作用下，就愈来愈不需要从上面施加压力了。

第 14 节

到目前为止，我们讨论的是在纯粹竞争的条件下，社会和私人净产品之间可能发生的背离。在垄断竞争[①]（即若干大卖主之间的竞争，每个大卖主的产量都占总产量的很大比例）的条件下，会出现一种新的投资方式。这些卖主会竞相做广告，其惟一的目的是把对某种商品的需求从某一供给来源转移至另一供给来源。[②]

---

① 参见本编第 15 章。

② 在纯粹竞争的条件下，无需做这种广告，因为根据假定，小卖主想卖多少，市场就会按市价吸收多少。实际上，垄断竞争包含所有形式的不完全竞争。

诚然，就质量划一的且很容易检验的商品如食盐、木材、谷物等而言，几乎没有机会这么做；但是，如果质量很容易检验，特别是如果商品可以少量出售，可以很容易地为顾客进行特殊的包装，便有很多机会做广告。[①] 当然，严格说来，并非所有的广告都是竞争性的。相反，有些广告可以达到社会目的，告诉人们存在着一些适合他们喜好的物品。甚至有人说，“做广告是分类销售的必然结果”，是从中间人所做的复杂工作中分离出来的一部分，中间人以前既销售商品，又展示商品。[②] 没有广告，很多有用的物品例如新机器，或有用的服务例如人寿保险，或许不会引起真正需要它们的潜在购买者的注意。而且，有些广告可以使消费者产生一些全新的欲望，满足这些欲望可以确确实实地增加社会福利；与此同时，人们普遍有了这些欲望后，便可以大规模地从而廉价地生产满足这些欲望的商品。[③] 人们由此而可能赞同希腊政府为大批无核小葡萄干的生产者（无需提及一个一个生产者的姓名）设计的独特的广告制度，[④]当然，人们越来越喜爱无核小葡萄干，很可能在某种程度就不喜爱其他东西了。不过，对于我们的目的来说，没有必要估计出严格的竞争性广告在全部广告中所占的比例——据估计，总广告费，英国每年为 8 千万英镑，全世界每年为 6 亿英镑。[⑤] 很显

① 参见詹克斯和克拉克，《托拉斯问题》，第 26～27 页。

② 参见肖，《经济学季刊》，1912 年，第 743 页。

③ 参见有关“建设性”和“战斗性”广告的讨论，见马歇尔的《工业与贸易》，第 304～307页。

④ 参见古多尔，《广告术》，第 49 页。

⑤ 同上，第 2 页。

然，现代世界中的很大一部分广告严格说来是竞争性的。[①] 不仅一些较为明显的广告是竞争性的，例如画展、报纸短讯、旅行推销员等等，[②]而且一些较为隐蔽的广告也是竞争性的，例如在商店橱窗中大量展示珠宝，允许赊欠(记账和催要不好收回的欠款都是要花钱的)，在对销售者来说不方便的、花费高昂的时间开门营业(这也要多花钱)，等等。很显然，在某种程度上，这种投资由于可以为投资者保留或获得"显要地位"，就像国家军备支出一样，会带来大量的私人净产品。一条表示由连续的投资增量所产生的私人净产品的曲线，会在很长的距离内显示出正值。这条曲线与表示连续的投资增量所产生的社会净产品的对应曲线具有什么关系?

首先，各竞争对手竞相花钱做广告，最终可能导致他们结盟。如果发生这种情况，则垄断竞争状态诱导的支出便会导致纯粹垄断。似乎无法一般地确定纯粹垄断和垄断竞争对产量产生的相对影响。因此，无法一般地说出，表示连续投资增量的社会净产品的曲线是否会在其任何一部分线段上显示出正值。

其次，相互竞争的垄断者所支付的广告费用可能会相互抵消，致使整个行业的状况就像谁也没有支付广告费用那样。因为很显然，如果两个竞争对手的每一方作出相同的努力来从另一方吸引

---

① 应该指出，这种广告的目的，实际上是把顾客从竞争对手那里拉到自己这边来，采用的手法可能非常恶劣，以致无法被现代国家的法律所容忍。例如在某些欧洲国家，谎称在展览会上拿了奖，欺骗性地宣称特价销售破产企业的存货，直接诋毁竞争对手的人格或产品，把自己的产品冒充成著名公司的产品，等等，均为犯法行为，该受处罚(参见戴维斯，《托拉斯法与不公平竞争》，第 10 章)。

② 当然，投入这些东西的资源是用生产这种短讯所实际使用的资本和劳动来衡量的，而不是用有关的报纸为它们索取的垄断费(如果收取这种费用的话)来衡量的。

公众的好感，那结果就像哪一方也没有作出努力那样。这一点在巴特沃思先生 1908 年向商务部铁路公会提交的备忘录中有非常明确的说明。他指出，在竞争制度下，敌对公司的高级职员将大部分时间和精力用于“谋划如何为自己的线路争取运载量，而不是研究如何把节约措施与工作效率最好地结合在一起。目前，铁路公司高薪职员的许多时间和精力都放在了商业界丝毫不感兴趣的工作上，对于他们所服务的股东的利益而言，这种工作之所以有必要，只是由于各公司之间存在着激烈的竞争”。[①] 在这种情况下，表示连续投资增量的社会净产品的曲线，将整个显示为负值。

第三，广告支出可能仅仅导致在市场上某一厂商制造的商品取代另一厂商制造的相同数量的同样商品。如果我们假设 A 和 B 进行的生产服从供给价格不变的法则且每一单位产量包含相等的成本，则很显然，对于整个社会而言，公众向这两个生产者中的哪一个购买商品，是无关紧要的事。换言之，这两个生产者中的每一个在建立压力另一方的商誉上所使用的全部资源，其社会净产品等于零。如果把一些订单从 B 转移至 A，可减少生产商品的总成本，那么 A 用于从 B 那里争抢订单的一些单位资源，就会产生正的社会净产品，而 B 用于从 A 那里争抢订单的所有单位资源，则会产生负的社会净产品。如果我们假设，效率较高的厂商 A 和效率较低的厂商 B 在此种敌对行动中使用大致相等的资源，以致它们的努力相互抵消，就好像哪一方也没有作出努力那样，那么很

① （敕令书，4677），第 27 页。

显然,从总体上看,这种努力的任何一复合单位的社会净产品还是等于零。不过,有点儿理由认为,生产效率低的厂商往往要比生产效率高的厂商更喜欢做广告。因为,显而易见,它们有更大的动机做表面文章,例如进行特殊的包装,从而使人们无法对它们和其他生产厂商以某一价格提供的商品的实质进行比较。这表明,表示连续投资增量的社会净产品的曲线,有可能全部显示出负值。

以上各节的讨论表明,一般说来,投放于竞争性广告的第 r 个资源增量所产生的社会净产品,根本不可能与私人净产品一样大。竞争者若彼此特别保证不做广告,则可以减少由此造成的浪费,律师、医生和伦敦证券交易所会员之间就是这么做的。如果不这么做,国家可以通过对竞争性广告(假如可以把竞争性广告与非竞争性广告区别开来的话)课税和禁止做竞争性广告,来对付这种弊害。若消除了垄断性竞争,则可以根除此弊害。

第 15 节

我们现在转而讨论双边垄断的情况,在双边垄断之下,各个买主和卖主之间的关系不会被周围的市场限定死。存在这种意义上的双边垄断,意味着理论上的不确定性,因而可以运用各种活动和资源,来改变交换比率,以有利于垄断者中的某一方。这种不确定性的性质按照垄断者是固化单位还是代表性单位而有所不同。所谓固化单位是指单个的个人、合股公司等,所谓代表性单位是指工会、雇主联合会等,其官员可以为确立工资率而谈判,但即使确立了工资率,其会员仍可按照自己的意志继续工作或放弃工作。对于某些目的来说，这种区分很重要，不应被忽视。[①] 但它与我们目前的研究没有直接的关系。因为，无论这种不确定性具有什么性质，都可以看得很清楚，用于操纵交换比率的活动和资源，会产生正的私人净产品；但它们却不能——即便是最早的那一部分也不能——产生正的社会净产品，而且在某些情况下，它们会产生负的社会净产品。[②] 这里所说的活动主要是指（因为抢劫中运动的体力并不能用在交换中）议价这种脑力活动，是指以下两种欺诈中的一种。一种是有关待售物品的自然性质的欺诈，一种是正确地描述了待售物品的自然性质后，有关该物品的合理未来收益的欺诈。

第 16 节

关于议价本身没有什么需要说明的。显而易见，用于该目的的智慧和资源，不管是这一方还是另一方使用的，也不管成功与否，对于整个社会来说不会产生净产品。在卡弗教授看来，实业家的很大一部分精力就用于这种活动，他们的很大一部分收入也产生于这种活动。[③] 这些活动是白费的。它们对私人净产品有贡献，而对社会净产品无贡献。但这一结论并未穷尽此题目。人们

① 就固化单位而言，结清轨迹（即可议价的范围）在契约曲线之上，就代表性单位而言，则在两条交互需求（或供给）曲线的某些部分之上。关于这一点和相关各点的专门讨论，参见拙著"双边垄断下的均衡"（载《经济学杂志》，1908 年 1 月，第 205 页及以下各页）；并参见拙著《劳资和睦的原理与方法》，附录 A。

② 应该明白，这里所说的净产品指的是国民所得的净产品。当然，不可否认，如果穷人在议价中战胜富人，则会有正的经济满足净产品，如果富人在议价中战胜穷人，则会相应地有负的经济满足净产品。

③ 参见《美国经济协会会刊》，1909 年，第 51 页。

常指出，只要客户，不论是顾客还是工人，能被榨取，雇主就往往把精力用在榨取上，而不是用在改进工厂的组织管理上。当他们这么做时，甚至最初用于议价的资源所产生的社会净产品也不仅可能是零，而且可能是负数。发生这种情况时，带来收入的税，虽然有可能对情况有所改进，但却无法给予完全的补救。要给予完全的补救，就得绝对禁止议价。但绝对禁止议价几乎是行不通的，除非由某一国家机构把价格和销售条件强加在私人企业头上。[①]

第 17 节

就待售物品的自然性质进行欺诈时，采用的手法有缺斤短两、掺假、以次充好和做虚假广告。在合作时代之前，"工业城市的穷街陋巷到处都是小店铺，出售各种劣质商品，使用的量具都未经过检验"。[②] 在较小的程度上，这些做法现在依然盛行。销售"生产资料"时，则很少采用这些做法，因为此时买主常是大企业，如铁路公司，它们拥有组织严密的检验部门。但是，向穷人和无知的买者出售"消费品"（特别是像秘方药那样有点神秘的消费品）时，甚至向不那么有经验的买者例如农民出售生产资料时，却仍然会受到某种诱惑采用欺诈做法。对卖者来说，"提供似乎有用而不是真正有用的商品，总是有利可图的，假如这两者之间的差异能逃过人们的注意的话"。[③] 关于待售物品的合理未来收益，玩弄欺诈手法的

① 许多国家有关私人职业介绍所的立法与此有关。关于这种立法的描述，参见贝克尔和伯恩哈特，《职业介绍所管理史》。

② 阿夫斯，《合作》，第 16 页。

③ 西奇威克，《政治经济学原理》，第 416 页。

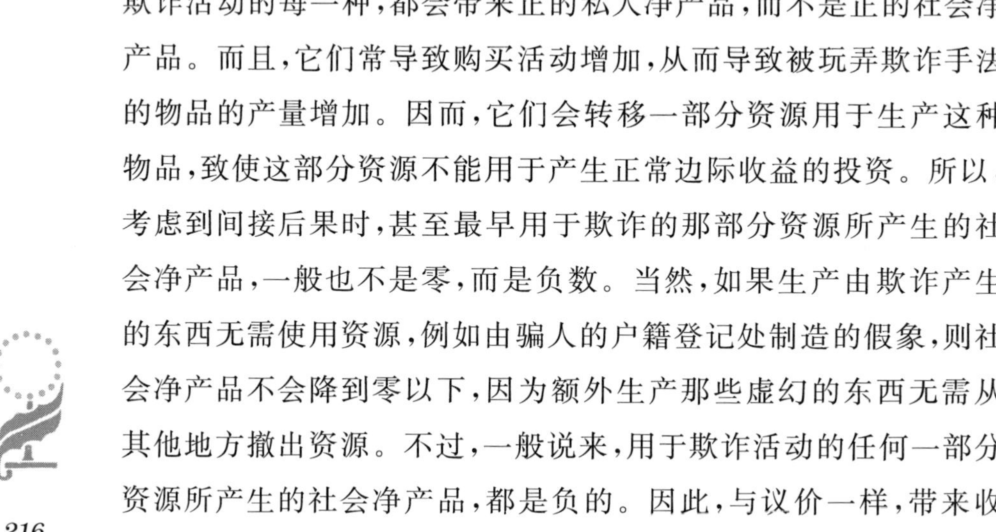

主要是出售债券和股票的不讲道德的金融家。他们采用的方法有操纵红利的支付、套购、故意发布虚假信息，[①]以及（此做法是否公正很难确定）隐瞒有关的信息。[②] 很显然，在一定程度上，这两种欺诈活动的每一种，都会带来正的私人净产品，而不是正的社会净产品。而且，它们常导致购买活动增加，从而导致被玩弄欺诈手法的物品的产量增加。因而，它们会转移一部分资源用于生产这种物品，致使这部分资源不能用于产生正常边际收益的投资。所以，考虑到间接后果时，甚至最早用于欺诈的那部分资源所产生的社会净产品，一般也不是零，而是负数。当然，如果生产由欺诈产生的东西无需使用资源，例如由骗人的户籍登记处制造的假象，则社会净产品不会降到零以下，因为额外生产那些虚幻的东西无需从其他地方撤出资源。不过，一般说来，用于欺诈活动的任何一部分资源所产生的社会净产品，都是负的。因此，与议价一样，带来收

① 关于其中一些方法的可怕描述，参阅劳森所著《疯狂的金融》一书；1884 年颁布的著名的德国法律包括有一些保护方法，关于这些方法的分析，参阅舒斯特，“根据德国法律创办公司和评估公司资产”，载《经济学杂志》，1900 年，第 1 页及以下各页。应该指出，若作出规定，禁止以“联合发价”的方式对大量证券发盘和递价，便很难使用“套购”手法。因为，有了这一规定，进行套购的卖者或卖者就很可能不得不违心地与并非自己所信任的人做交易（参见布雷斯，《有组织的投机买卖的价值》，第 241 页）。

② 有意思的是，虽然法律和舆论常常谴责隐瞒有关信息的卖者，但人们一般却称赞这样做的买者做了一笔上算的交易。例如，若在穷乡僻壤以极低的价格购得一件名贵的橡木家具，一些人会认为这是值得赞扬的；罗思柴尔德抢先知道滑铁卢战役已打响而购进公债，由此而发家，谁也不认为，他在道义上有责任先公布这一信息，然后再购进公债。之所以有这种差别，原因很可能是，人们认为一件物品的拥有者有充足的机会了解其真实价值，若他不了解，那他由于自己的疏忽大意，活该上当受骗。一家公司的董事，如果根据其在董事会上了解的信息（普通股东是无法得到这种信息的）购进该公司的股票，则会受到普遍的谴责。

入的税，虽然有可能对情况有所改进，但却无法给予完全的补救，所以必须绝对禁止欺诈活动。我国已作出各种尝试，努力禁止欺诈活动，一方面颁布了有关缺斤短两和食物掺假的各项法律，另一方面颁布了旨在控制和管理公司创建活动的各项法律（这种法律要产生效力，就必须不仅应受损一方的请求能够执行，而且应公诉人的请求也能够执行）[①]。在其他领域，可以用更加直接的方法对付这种弊害，例如建立购买者协会，在这种协会中，卖者和买者的利益是一致的。[②]

① 参见范·海斯，《集中与管制》，第 76～78 页。

② 参见本编第 19 章。

第10章　私人和社会净边际产品与产业形态的关系

第1节

在上一章，我们研究了用于不同行业或产业的资源所产生的社会净边际产品与私人净边际产品之间的差异。现在有必要对用于各行业或产业内部各种形态的经济组织的资源作一番类似的考察。马歇尔在很久以前曾说过，“一般说来，替代规律（该规律只不过是适者生存法则的特殊的、有限的应用）往往使一种产业组织方法取代另一种方法，只要前一种方法能以较低的价格提供直接的即期服务。两种方法所能提供的间接的最终服务，一般而言是无足轻重的”。[①] 但这种间接服务构成了投入任何形态经济组织的一单位资源所产生的社会净产品和私人净产品之间的差额。我们当前的任务就是区分出这种间接服务起重要作用的一些领域。

第2节

一国的一般经济组织，除了履行其作为一种生产工具的职能外，还提供一种非常重要的服务，就是或多或少地充当训练经营能力的基地。为了能有效地做到这一点，企业单位的大小必须分为

① 《经济学原理》，第597页。

若干等级，使具有良好天赋的人们能在小而简单的企业中学习经营管理方法，经过实际锻炼随着能力的提高，逐步提升，担任越来越高、越来越重要的职务。这一点可以这样来加以说明。当农业或工业阶梯的每一级很陡时，一个人便很难找到自己的适当位置，因为人只有经过充分的实际锻炼才能适应某一阶段的人生，但却由于某一偶然因素处于另一阶段的人生。例如，举一个假设的例子，如果农业或工业完全由很大的单位构成，只有一两个大企业家，另外有一些纯粹的劳动者辅助他们，那么工人阶级中天生的管理和领导才能，就没有机会得到运用或发挥。许多具有天赋才能的人，也就不得不仅仅做观看者而不能成为实干家。但是，正如杰文斯谆谆告诫我们的，锻炼人的是实干，而不是观看。他写道，“仔仔细细地研究几个标本，要比看几千遍玻璃盒子中的标本能学到更多的东西。因而，整个大英博物馆所能教给一个年轻人的，并不比他实地收集几块化石或几块矿石，拿回家仔细研究和思考所能学到的东西多”。[①] 马歇尔在 1885 年对合作社协会发表的演说中，更为形象地说明了这一点：“驾驶一条渔船，要比观看一艘三桅船，是更好的航海训练，后一艘船只是桅杆的顶端显露在地平线之上”。[②] 因此，若没有适当的阶梯，工人阶级中天生的许许多多经营才能似乎必然会白白浪费掉。然而，如果工业或农业是由许多大小不同的单位所组成，则一个工人只要具有高于本阶级正常水平的智力，就会没有多大困难地成为小企业家，就会随着能力的提

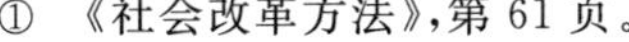

① 《社会改革方法》，第 61 页。

② 《经济学原理》，第 17 页。

高，沿着为他提供的阶梯逐渐向上攀登。

第 3 节

这一思路告诉我们，在按照现代工业国家的一般模式建立的社会中，由工人结合在一起组成的小型合伙工场构成了一种产业形态，对该产业形态的投资所产生的社会净边际产品，可能会大大超过私人净边际产品。因为，几乎可以肯定，体力劳动阶级中蕴藏有巨大的管理才能，而这种工场恰好为提升这种才能提供了第一层阶梯。可以说，这种工场为发挥这种才能提供了第一所学校，不仅可以为社会生产出物质产品，还可以培养出经过良好训练的、能力很强的人，依靠他们的努力工作，国民所得将不断增加。农业中的情况也是这样。农舍附近的菜园和小块田地可以为别处的工人提供经常性的就业，大块土地可以为别处的工人提供临时性工作，在小块租地上佃农可以全身心地投入耕作，凡此种种结合在一起，便构成了一个完整的阶梯，劳动者由此可以逐步提高其地位，上升为独立的农场主。这一阶梯除了产生粮食这一直接产品外，还会产生人的才能这一产品。然而，此项社会净产品并未被那些管制农用租地大小的人获得，也不包含在投入这些租地的资源所产生的私人净边际产品中。因而也就有明显的理由借助国家行动或私人慈善机构，来“人为地鼓励”工人协会和各个等级的小块园地和小块租地。在英国，是通过扶持零售合作社而给予工人协会以人为鼓励，在法国和意大利，则是通过方便工人从事政府工作来给予人为鼓励。在我国，发展小块园地和小块租地的运动，也得到了政府的帮助。

第 4 节

从另一面看，这一思路表明，致力于将产业广泛“托拉斯化”的活动所产生的社会净边际产品，也会小于私人净边际产品。因为，大联合体（这不适用于其成员在生产方面仍保持独立的卡特尔）减少了训练企业家职能的机会，往往会阻碍经营能力达到尽可能高的水平。“少数人超群经营才能的发展似乎有赖于许许多多人广泛的经营实践。”一旦大部分产业被几个百万元级的联合体控制，把不同阶段的管理能力连接起来的阶梯就会严重受损。虽然在大公司中有机会获得部门经理的职位，但这并没有多大补救作用；因为，同管理一家企业相比，管理一个部门所需的独立自主的首创精神肯定是有限的，除此之外，各个部门的大小也不会像私人企业那样千差万别，或达到很小的规模。在 1908 年向皇家经济学会发表的演说中，马歇尔提醒大家注意小企业的教育功能，用当时牛奶业的组织情况说明了其论点。他指出，由于国家经营各个产业（当然，大商业联合体经营各个产业也是如此）会拆除这种教育阶梯，因而仅仅证明**当前**国家经营比私人经营更经济，并不足以证明从整体上说国家经营更经济。[①] 这等于说，社会净边际产品小于私人净边际产品。就目前的论证而言，实际的推论是显而易见的。虽然在大战的特别紧急时期，当眼前的产量是绝对重要的，即使将

① 我们会注意到，在像印度这样的国家，当市场的狭小和其他因素阻碍大规模产业的发展时，产业阶梯的最上端就被砍掉了，也就很难为训练高级经营才能提供地方，所遇到的困难同正文中讨论的困难相类似（参见莫里森，《印度一个邦的工业组织》，第 186 页）。

来受损，也得获取眼前的产量时，国家或许有理由进行干预，**强行**建立本来不会出现的各种联合体，但是在正常的和平时期，国家在给予鼓励前则应三思而行，在一些情况下，或许应该阻止无论是国营的还是私营的大企业过度发展。不过，以上论述显然没有穷尽与这个问题有关的所有应该考虑的事情。第 14 章和第 21 章将对此问题作进一步的讨论。

第 5 节

同以上论点相同的一般性观点，也适用于标准化生产方法与实践的某些发展。[①] 人们早就知道，采用有限的几种标准形式，可以大大节约成本和增加产量。而且，这种节约并不局限于首先实行标准化的产业；因为，如果一个产业达成一致意见，将其产品标准化，则为该产业制造机器和工具的另一些产业也能将其产品标准化。我国的机械业标准委员会做了大量工作，为螺钉、螺母、某些发动机零件和其他各种零件制定了标准规格，这些规格已在我国的整个机械业被普遍采用。在本次大战中，军事装备和军火不得不采用统一标准。这次大战的经验比以前更清楚地表明，产品的标准化，部分由于因此而可以雇用技术水平较低的工人，在有利的情况下，能为直接的节约创造多么巨大的空间。迫切需要以最低的成本立即获得最大的产量，甚至导致了在政府机构的主持下，对诸如船舶和靴子这样的东西实行标准化。事情的实质是，将某

① 在《工业与贸易》一书的第 2 卷第 2 章和第 3 章中，马歇尔先是区分了单个生产者**特有的**标准和某一产业的大部分生产者**普遍**遵循的标准，然后讨论了标准化方面的最新动态，令人很感兴趣。

一整个产业的某些产品标准化，能使制造这些产品的厂商和为这些厂商制造工具的另一些厂商，进一步专业化，从而立即导致这些产品的产量大幅增加。如果我们愿意，可以把这种增加的产量称为标准化生产方法的私人净产品。然而，如果注意力完全集中于这一面，有时会过于夸大此种生产方法的有利之处。因为，标准化几乎不可避免地会阻碍人们开发新式样、新生产方法和新创意。固然可以规定必须定期修改标准规格，但这并不能给予充分的补救，因为标准化的真正危险，与其说是在新产品的优越性被人们所认识到后，阻碍人们采用新产品，还不如说是它会大大减少制造商发明和试验新产品的动力。因为，在普通产业中，一个人能从一项改进中获得利润，主要是在这项改进被普遍采用以前他领先于竞争者的那个时期。在严格的标准化制度下，谁都无法领先于他人，谁都无法采用新的样式，除非整个行业都这么做。简言之，整个行业必须一起前进；这意味着，其某一组成部分根本没有什么前进的动力。在其他条件不变的情况下，致力于将生产方法标准化的努力所产生的社会净边际产品，要小于私人净边际产品，因为这种努力会间接阻碍发明和改进，从而会降低未来的生产力。很显然，这种差距并非对于所有商品而言都一样大。譬如，很难相信，为螺钉和螺母这样的东西确定标准尺寸和标准样式，会阻碍人们对它们进行重要的改进。这些简单的东西几乎没有或根本没有改进的余地。但对于复杂的制造品来说，情况却迥然不同。甚至在本次大战期间，当大产量具有压倒一切的重要性时，将飞机的生产标准化也是极为愚蠢的，因为发明新飞机和改进飞机性能的机会非常巨大。就许多其他制成品而言，也无法让人确信，它们已经定型。所

以，总是存在这样的危险，即标准化会极大地扩大现有商品的生产，但却以不再能获得更好的商品为代价。国家在为了立即而直接地刺激产量而采取行动鼓励标准时，必须仔细考虑这种危险。

第 6 节

此处所作的分析，也适用于被称做“科学管理”的那种工作组织方法。这种方法的一般特征是大家所熟知的。先由训练有素的专家精细周密地研究所要进行的各种操作，把这些操作分解成各个要素，然后在此基础上，仔细观察一些优秀工人的实际操作方法，把这两者结合起来，构想出一种优于通行方法的理想方法。这一做法所能带来的改进，可以用吉尔布雷思先生对砌砖问题所作的调查研究结果来说明。他“研究了灰泥桶和砖堆的最佳高度，然后设计了一个脚手架，上面有一个台子，把所有材料都放在台子上，从而使砖、灰泥、工人和墙处于合适的相对位置上。随着墙的升高，脚手架由一个专职人员加以调整，由此砌砖工人就不用为每一块砖和每一抹刀灰泥费劲儿地弯下腰，再直起腰了。砌砖工人每砌一块砖（约重 5 磅），都要将他那比如说重 150 磅的身体弯下两英尺，然后再直起身来，想一想所有这些年来浪费了多少气力啊！每个砌砖工人每天要这样做大约一千次”。[①] 对于说明科学管理想要达到的一般目的而言，这仅仅是一个例子而已。科学管理的中心思想是，把设计工作方法的任务交给训练有素的专家去做，然后向工人详细说明他们应该做什么，甚至包括他们在连续的

① 泰勒，《科学管理原理》，第 78 页。

操作和动作之间什么时候应该暂停和休息。“每个工人的活儿至少在前一天便由管理部门完全设计出来,而且每人在大多数情况下都会得到全面的书面指示,详尽描述他要完成的活儿和干活儿时应采用的方法。这样预先设计活儿构成了一项任务,这项任务如前所述,不是单独由工人来完成的,而是在几乎所有情况下由工人和管理部门共同努力完成的。该任务详细说明工人要干什么活儿,如何干这项活儿以及干这项活儿所需的确切时间。”[①]教工人干活儿和确保他们正确理解和执行所下的指示,这项工作交给一个被称作“职能性监工”的新的管理人员阶层去完成。这些管理人员与会计一起工作,可立即看出某个工人的产量所用的成本,在多大程度上超出了预先确定的成本,于是便可以把注意力集中在显然有望加以改进的那一点上,并作出指示。[②] 由此可以看得很清楚,这种产业组织方法可能会立即节约大量成本,而且其中所包含的对工人的细心指导**在某种程度上**必然会带来许多永久性好处。显得有些矛盾的是,“虽然在体育界,有教练来教拳击手如何保持身体平衡和运用手臂,有职业板球手不断努力来提高击球手和投球手的效率,而且需要有教练对划船队员进行集体和单独指导,教他们如何和在什么时候移动身体和双手,但在产业界,教操作工如何谋生的价值,却至今几乎未被人们认识到”。[③] 但确确实实有这样的危险,即这门新发现的科学被运用得太过分。从长期的观点

① 泰勒,《科学管理原理》,第 39 页。

② 参见埃默森,《效率》,第 7 章。迪克西先生对这种方法和训练士兵的各种方法作了一番比较,颇有启发性(《经营方法与战争》,第 2 讲)。

③ 参见迈尔斯,《心智与工作》,第 192 页。

看，如果被运用得太过分，**可能**会适得其反。首先，不应认为，做一件事情，可以不考虑做这件事情的人的心理和身体素质，只有一种最佳方法。可能有若干种最好的方法，其中某种方法在某个人那里更能发挥出最佳效果，另一种方法更适合于另一个人。其次，将各个工人的操作简化为呆板枯燥的动作，会使管理部门获取标准方法的源泉（即不同工人的**各种各样**方法的最佳部分的结合）枯竭。工人改进生产方法的建议，也会越来越少。毫无疑问，雇用科学专家专门试验新的生产方法，会在某种程度上弥补这种损失。但是，这毕竟在一般的工厂管理制度下就可以做到，所以不能看作是泰勒制度特有的优点，可以抵消其特有的缺陷。也不是仅仅在具体建议和手段上，泰勒制度会间接地造成损害。我们有严重的理由担心，工人完全服从"职能性监工"的精细管理，会损害他们的一般主动性和独立活动，就像过于僵化和机械的军事制度的压制会损害士兵的**一般**主动性那样。去除发挥主动性的机会，便会摧毁发挥主动性的能力，由此便会不知不觉地降低劳动力的素质。一旦发生这种情况，用于发展和应用科学管理的资源所产生的社会净边际产品，就会少于私人净边际产品。除非国家或慈善机构进行干预，否则就有这样一种危险，即从总体上看，这种产业组织方法会比国民所得的利益——且不用说更为普遍的社会利益——所要求的，推进得更远，应用得更广泛。

第 11 章　递增与递减的供给价格

第 1 节

第 9 章第 3 节把注意力集中在了该章所研究的私人和社会净产品之间的两种背离之外的另一种背离。在某一行业中，当投放一单位资源所产生的一部分影响，最先不是发生在投放该单位资源的人身上，而是最先发生在该行业的其他人身上时，就会出现这种背离。为简化对这种背离的研究，我设想存在一种原型产业，在该产业中，投资的私人净边际产品的价值和社会净边际产品的价值**两者**彼此相等，**且**处于代表一般产业的平均水平。[①] 就某一实际产业而言，在纯粹竞争条件下（在此条件下，每一卖者都可以按通行的市价尽可能多地生产，而无需为了使价格上涨限制产量），投资和产量必须进行到投资的私人净边际产品的价值与上述平均值一致的那一点。因此，该产业中投资的社会净边际产品的价值，只有在偏离私人净边际产品的价值时，才会偏离这一平均值。本章只讨论纯粹竞争条件下的情况。

第 2 节

让我们设想身处这样一个国家，在这个国家，每年产生的资源

---

① 无需假设任何产业实际达到了这一平均值；毋宁把这一平均值看做是某一供给价格不变的产业在纯粹竞争条件下会达到的水平。

流量必须定期配置于各个行业之间。假设当一定数量的资源投入某一行业时，这些资源所采取的具体形式（例如它们被配置给了许多厂商，或配置给了少数几个厂商，等等），对于该数量的新资源而言（从与我们研究的问题相关的时期的观点看），是所能采用的最经济的形式；而且，当稍大数量的资源投入该行业时，所采取的具体形式，对于该数量的资源而言（从相同的观点看），也是所能采用的最经济的形式。作了这一假设，便可以清楚地看出，如果使正常流入某一行业的**某种**资源增加一个单位，[①]这个单位将产生与该流量中每一其他单位相同的净产品。从这个意义上说，所有的单位是可以互换的。但是，额外单位的出现还是会改变其他单位的产量，以致总产量的增加额要么大于，要么小于所投入的资源数量的变化。如果其他单位也归该额外单位的投资者所有，因而对其他单位的产量造成的影响首先发生在他身上，那么，该影响就不仅触及该额外单位的社会净产品，而且还触及其私人净产品。但是，如果其他单位归该额外单位的投资者以外的人所有，则对这些单位的产量造成的影响就触及该额外单位的社会净产品，而不触及其私人净产品。因此，在该产业中，这两种净边际产品及其价值是不同的。因为此时竞争条件下的投资会进行到这样一点，在这一点，投放于此处的资源所产生的私人净边际产品的价值等于平均值，所以，该产业的社会净产品必然偏离平均值；因而国民所得不

① 鉴于第 9 章第 2 节给投资增量下的定义，我们在说资源的单位增加时，一定要加上“流入某一行业的”这个修饰语。

会达到最大。[①]

第 3 节

现在必须使上述说法与报酬递增、不变和递减(或者如某些人宁愿说的,成本递减、不变和递增)这一大家熟知的经济学概念相联系。作为讨论的准备,先得有一套合用的术语。上面的用语,用在这里,[②]是要描述商品的产量与生产该产量所引起的用货币表示的费用之间的某些关系。报酬递减和递增意味着,随着商品产量的增加,每单位货币费用的商品收益递减和递增。成本递增和递减意味着,随着产量的增加,每单位商品的货币费用递增和递减。因而,可以说,这两套术语是彼此互为关联的。但它们都有可

① 在一产业中,如果对其产品的需求弹性等于 1,则当第 r 个投资增量的社会净产品为已知时,无论此投资增量的社会净产品是等于还是大于私人净产品,用于生产的资源数量显然都是相同的。所以,就所投入的资源的那一边际单位而言,当社会净产品超过私人净产品时,在竞争条件下,存在该超过额的结果是,消费者可以无偿得到该超过额;就所投入的资源的其他单位而言,当(已知的)社会净产品超过私人净产品时,其结果是,消费者可以无偿得到全部超过额。但是,在需求弹性不等于 1 的产业中,若各种投资数量的(已知的)社会净产品超过私人净产品,则会导致投资数量发生变化。这意味着,当边际投资单位的社会净产品超过私人净产品时,对消费者的物质资产所产生的影响,并不仅仅限于该超过额的数量。同样,实际使用的投资单位的所有超过额的总和对消费者的物质资产所产生的影响,也不仅仅限于这些超过额的总和。因此,对消费者的(用货币表示的)满足产生的影响,不能像在需求弹性等于 1 时那样,用他们为实际获得的那一数量的产品所付的总需求价格,超过为假如(已知的)社会净产品始终等于私人净产品而可能获得的那一数量的产品所付的总需求价格的数额来衡量。除非需求弹性等于 1,否则以上因素就使我们不能说,社会净边际产品超过私人净边际产品的数额,等于在竞争条件下,由于存在这种超过额而使消费者所能获得的超过额。由于这一原因,我在本书正文中修改了第三版相应段落中的措辞。

② 关于另一种用途,参见后面第 4 编第 3 章。

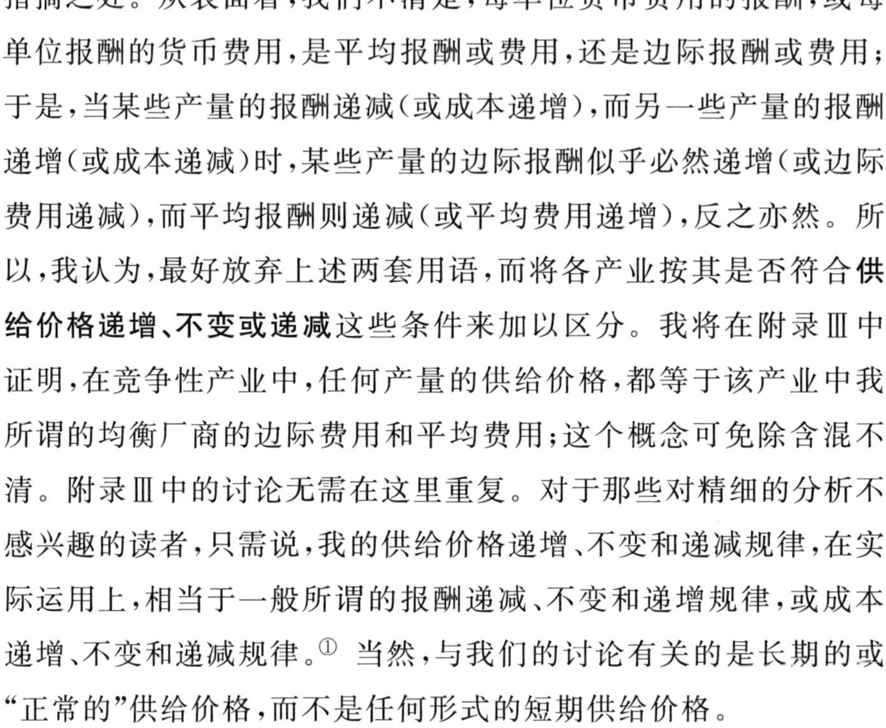

指摘之处。从表面看，我们不清楚，每单位货币费用的报酬，或每单位报酬的货币费用，是平均报酬或费用，还是边际报酬或费用；于是，当某些产量的报酬递减（或成本递增），而另一些产量的报酬递增（或成本递减）时，某些产量的边际报酬似乎必然递增（或边际费用递减），而平均报酬则递减（或平均费用递增），反之亦然。所以，我认为，最好放弃上述两套用语，而将各产业按其是否符合**供给价格递增、不变或递减**这些条件来加以区分。我将在附录Ⅲ中证明，在竞争性产业中，任何产量的供给价格，都等于该产业中我所谓的均衡厂商的边际费用和平均费用；这个概念可免除含混不清。附录Ⅲ中的讨论无需在这里重复。对于那些对精细的分析不感兴趣的读者，只需说，我的供给价格递增、不变和递减规律，在实际运用上，相当于一般所谓的报酬递减、不变和递增规律，或成本递增、不变和递减规律。[①] 当然，与我们的讨论有关的是长期的或“正常的”供给价格，而不是任何形式的短期供给价格。

第 4 节

这些规律所表示的供给价格变化与产量变化之间的关系，并不一定是历史上这些变化之间确实存在的关系，而是**在其他条件不变的情况下**可能存在的关系。在实际生活中，随着知识的普遍

---

① 坎南教授反对把“规律”这个词用在上述报酬递减和递增上，理由是，在一些产业中是报酬递减，在另一些产业中则是报酬递增，而科学规律却是在所有情况下都站得住脚的陈述，而不是只在一些情况下站得住脚的陈述（《财富》，第 70 页）。对此可以回答说，实际上只是最为普遍的物理定律是这样。譬如，生物学家谈论门德尔的遗传定律时，一般并不含有所有遗传都服从这一定律的意思。但无论如何，这也确实是个问题。

进步，人们不断引入新的生产方法，不断发明新的技术装置。其中一些变化是由这样一些因素引起的，这些因素即使在**产量保持不变的情况下**也会起作用。另一些变化则是由产量变化引起的，而产量变化是由需求变化引起的。当然，实际上常常无法确定某项例如说炼钢方法方面的发明是不是由产量的变化引起的。然而，从逻辑上说，这种区别是一清二楚的。就当前的目的而言，凡并非由产量的变化引起的变化，均将被排除在考虑之外。因此，一个产业可能许许多多年以来供给价格在不断下降，但可能并不是在这里所理解的供给价格递减[①]的条件下运行的。同样，在例如一个国家的煤层被逐渐开采完的时候，一个产业可能显示出不断上升的供给价格，但却不是在供给价格递增的条件下运行。[②] 把并非由产量的变化引起的技术变化或其他发明搁在一边，当产量的增加或许可以和供给价格的递增、不变或递减联系在一起时，便可以说一个产业与供给价格递增、不变或递减相一致。

第 5 节

接下来要关注对当前的目的来说极为重要的一个区分。当我们不加限定地谈论供给价格递增、不变或递减时，我们是**从生产某种商品的产业的视角**，着眼于该商品产量的变化与每单位供给价格的变化之间的关系。这些变化并不总是，也不一定与**从社会立场**观察的该商品的每单位供给价格相同。让我们来看这样一个产

① 在几何学上，成本的不断下降，可以用整条供给曲线的下移来表示。

② 在这种情况下，煤层在任何时候被开采的程度，当然是过去保持的生产规模的结果；但这并无损于我所作的区分。

业，它只向其他产业购进生产要素。随着商品产量的增加，均衡厂商为每单位产量支付的货币费用会增加，因为它必须按与以前相同的价格为每单位产量购买更大量的这种或那种生产要素，此时，这两种变化是一致的。但是，当为每单位产量支付的费用的增加，是因为均衡厂商必须为所使用的生产要素支付较高的货币价格时，它所作的额外支付就会被生产要素的所有者得到的相等的反向额外支付所抵消。从整个社会的角度看，为每单位产量支付的费用就没有增加。同样，当一个产业中的均衡厂商为每单位产量支付的费用的减少，是因为它为所使用的生产要素支付的价格较低时，从整个社会的角度看，也没有节省为每单位产量支付的费用。附录Ⅲ较为详尽地考察了这个问题。于是我们说，当一个产业从其自身的观点看遵从供给价格递增、不变或递减规律时，也就是说，当不考虑上面区分出的转移因素，产量的增加引致的供给价格的变化分别为正数、零或负数时，该产业便绝对遵从这个规律。我们说，当这些变化经修正而消除了转移因素后为正数、零或负数时，该产业从社会的观点看是遵从供给价格递增、不变或递减规律的。①

① 这个概念虽然从数学上说很简单，但翻译成普通语言时则需要加以认真对待。一个产业是不是绝对遵从供给价格递减、不变或递增的条件，取决于从该产业的观点看，（由产量的增加引致的）供给价格的上涨率是不是负数、零或正数；该产业从社会的观点看是不是遵从供给价格递减、不变或递增的条件，取决于从社会的观点看，供给价格的上涨率是不是负数、零或正数。从该产业的观点看，供给价格的上涨率是微分，其积分是供给价格。从社会的观点看，供给价格的上涨率也是微分，但与其相对应的积分却没有实际意义。**立足于产业观点的供给价格变化率，并不是立足于社会观点的供给价格变化率**。没有立足于社会观点的独立的供给价格，只有一种立足于所有观点的供给价格。

第 6 节

从社会的观点看，供给价格递减的条件，不仅从形式上说而且从实质上说，都有可能出现。因为，当一个产业的规模扩大时，这种变化常常导致该产业各厂商的内部结构和生产方法发生变化，导致使用各种生产要素的比例发生变化，从而降低每单位产量的生产成本，即使所使用的所有生产要素的单价保持不变。因此，许多学者注意到了这样一个事实，即当一个产业的规模较小时，该产业的各厂商便都生产若干种不同类型的商品。它们都或多或少地是全能性的厂商。市场不够广大，不够稳定，无法进行精细的专业化分工。然而，随着总需求的增加，各厂商专门从事特定的工作就越来越划算。例如，西德尼·查普曼爵士注意到，在英国，较大规模的棉纺业不仅导致了纺纱工序和织布工序间的专业化分工，而且还导致了纺细纱的厂商和纺粗纱的厂商之间的进一步专业化分工。与此相对照，“德国的典型工厂从事的工作范围，要远远大于英国的典型工厂。因而很自然地，德国操作工人的技术水平较低”。[①] 某一产业的整个规模的扩大，可以提高其各个厂商的专业化分工水平，从而大大降低成本。从纯理论上说，成本的降低不会伴随有典型厂商规模的变化，甚至会伴随有典型厂商规模的缩小。实际上却会伴随有典型厂商规模的某种扩大。因而马歇尔写道：“某种商品总产量的增加，一般会增大(这种)代表性厂商的规模，

① 《工作与工资》，第 1 卷，第 166 页。

从而增加其内部节约程度”。[1] 然而，这是次要的。重要的是，某一产业生产规模的扩大，不管是否改变其均衡厂商的大小，都常常改变——一般是降低——此种厂商的平均（边际）成本。于是不难看出，从社会的观点看，供给价格递减的规律不仅从理论上说是可能的，而且实际上可能会被许多制造产业所遵循。

第 7 节

然而，**从社会的观点看**，供给价格递增的情况则有所不同。与前面一样，我们来看这样一个产业，它为自己使用而购进生产要素，不购买任何其他东西。在最糟的情况下，均衡厂商也能维持其原有的产量，除非某一其他产量可以降低单位产量的成本。因此，从社会的观点看，供给价格递增的规律要起作用，就得满足这样的条件，即整个产业的产量一增加，便会使均衡厂商的平均费用（正如附录Ⅲ所说明的，这种平均费用等于该产业的供给价格）增加，即使均衡厂商继续生产和以前完全一样的产量，为自己使用的生产要素支付和以前完全一样的价格。毫无疑问，**可能**会出现这种不经济（即仅仅由于存在着新厂商，便会给旧厂商的效率造成损害）。但从表面上看，不大可能出现这种不经济；更不可能大量出现这种不经济，以至于压倒上一节所描述的那些有助于供给价格递减的因素。所以，一般说来，我们可以断言，若一个产业只购进生产要素，那么从社会的观点看，亦即当表示供给价格变化的方式可以消除转移因素时，该产业就不会遵从供给价格递增的规律。

① 《经济学原理》，第 318 页。

第 8 节

当一个产业除购买最终生产要素外，还购买原料、机器等时，事情就不那么简单了。这些东西的价格变化（如果发生变化的话）不一定只表示转移支出。譬如，当棉纺业规模的扩大使纺织机械能够更多地借助于专业化分工和标准化来生产，从而能更便宜地生产出来时，情况就是这样。棉纺业的规模扩大时由上述原因导致的纺织机械价格下降，不仅从该产业的观点看，而且从社会的观点看，都与该产业的供给价格规律有关。然而，因为出售给一个产业的东西，除生产要素外，肯定是另一产业的产品，所以从上一节的讨论可知，某一产业的产量的增加（从而对原料和机械的需求的增加），不会使它所购买的东西的价格上涨，除非引起生产这些东西的生产要素的价格上涨。因此，在这种复杂的情况下，同在较为简单的情况下一样，从社会的观点看，也可以排除供给价格递增的条件。从整个世界的观点看，则可以绝对排除这种条件。然而，从向别国购买原料的特定国家的观点看，却有可能存在这种条件。因为，如果进口原料的价格由于某一产业的规模扩大而上涨，这只能是因为向生产进口原料的生产要素的所有者作了转移，但这些所有者属于其他国家，因而就一个国家而言，这种转移无法被抵消。

第 9 节

我们现在回到第 2 节的论证上去。人们会注意到，在那个论证中，没有提及起作用的各种生产要素的价格。物质资源的数量被直接与产量联系在了一起，因而那一节的讨论是全面而完整的。于是，如果某一产业的产量的（微小）变化未引起生产要素的价格发生化，则所使用的各种生产要素的数量的变化，用该产业为自己使用而购买这些生产要素所花费的货币数量的变化来衡量就是合适的。在这种情况下，第 2 节的论证可以转变为以下相反的形式。均衡厂商的私人净边际产品，等于均衡厂商单位成本的平均净产品，因而是该产品的供给价格的倒数；另一方面，社会净边际产品是该产业此种产品的边际供给价格的倒数，亦即产量的微小增量致使该产业的总货币支出发生的变化的倒数。因此，说某一产业中投资的私人净边际产品大于（或小于）社会净边际产品，也就等于说该产业的供给价格小于（或大于）边际供给价格。这一事实，连同附录Ⅲ第 16 和 17 节的论证意味着，在由许多厂商构成的产业中，任何数量的投资所产生的私人净边际产品的价值，究竟是大于、等于还是小于社会净边际产品的价值，取决于从该产业的观点看（在我们所假设的条件下，这与从社会的观点看是一回事），该产业究竟是符合供给价格递增的条件，不变的条件还是递减的条件。在竞争性产业中，当产量的变化引起所使用的一些生产要素的价格发生变化，以致从这两种观点看，供给价格的变化率不一致时，则扩展上述论证便可以看出，投资的私人净边际产品的价值，究竟是大于、等于还是小于社会净边际产品的价值，取决于从社会的而不是该产业的观点看，该产业究竟是符合供给价格递增的条件，不变的条件还是递减的条件。[①]

---

①　参见附录Ⅲ第 17 节。

第 10 节

在上述最后一种情况下，尚待探究的是，如果我们只知道一个产业绝对（即从该产业的观点看）遵从供给价格递增、不变或递减规律中的某个规律，那么，我们对社会净边际产品的价值和私人净边际产品的价值之间的关系，究竟能作些什么说明。根据前面的分析，可以得出以下结论：首先，显而易见，任何一种商品产量的增加，不大可能使为了获得与产量增加前所使用的相同数量的各种生产要素而要花费的总货币价格下跌。[①] 所以，当供给价格绝对递减的条件占上风时，供给价格从社会观点看递减的条件**一般说来**也必然占上风，因而在竞争条件下，该产业中投资的私人净边际产品，一般会少于社会净边际产品。然而，当供给价格绝对递增的条件占上风时，供给价格从社会观点看递增的条件却不一定也占上风，实际上，除了在第 8 节所描述的那种特殊条件下外，不可能发生这种情况。因此，供给价格绝对递增的规律并不意味着，在竞争条件下，该产业中投资的私人净边际产品会超过社会净边际产品；相反，前者会少于后者。因而，虽然除了极少数例外，纯粹竞争在供给价格（绝对）递减的产业中总是导致投资过少，但在供给价

① 应该明白，并非完全不可能发生这种情况。譬如，如果某一产业只使用两种生产要素的总供应量的很小一部分，而使用第三种生产要素的几乎全部供应量，如果产量的增加使该产业采用了新的生产方法，而这导致了对第三种生产要素的绝对需要量减少，那么，前两种生产要素的价格实际上会保持不变，而第三种生产要素的价格则会大幅下降。结果，购买 a 单位的第一种生产要素加 b 单位的第二种生产要素加 c 单位的第三种生产所花的钱，可能要比以前少。然而，显而易见，这些条件组合在一起的机会很小。

格（绝对）递增的产业中却并不总是导致投资过多，甚或一般说来不会导致投资过多；相反，在许多那样的产业中，会导致投资过少。例如，英国的农业虽说显然符合供给价格（绝对）递增的条件，但却很可能是一个供给价格从社会观点看递减的产业，因而总是处于投资不足的危险境地。

第 11 节

如果在任何一个产业中，投资恰好进行到这样一点，在这一点，社会净边际产品的价值等于社会净边际产品的平均值，那么就该产业而言，国民所得会最大。暂且不考虑可能会有多个最大值位置，为方便起见，我建议把由此而在该产业中进行的投资称做理想投资，把由此获得的产量称做理想产量。在纯粹竞争条件下，如果在任何一个产业中，投资的社会净边际产品的价值大于私人净边际产品的价值，那就意味着，所获得的产量少于理想产量；如果社会净边际产品的价值小于私人净边际产品的价值，则意味着，所获得的产量多于理想产量。因此，在纯粹竞争条件下，对于社会净边际产品的价值大于私人净边际产品的价值的每个产业而言，都会有某些奖励金比率，国家按这些比率给予奖励金可改变产量，使该产业的社会净边际产品的价值更加接近于一般资源的社会净边际产品的价值，从而——如果仅仅通过转移而不给生产造成任何间接损害，就能筹措到支付奖励金所需的资金的话——增加国民所得的数量和经济福利的总量；而且会有某种奖励金比率，按这种比率给予奖励金在这方面会产生**最佳**效果。同样，对于社会净边际产品的价值小于私人净边际产品的价值的每个产业而言，都会有某些征税比率，国家按这些比率征税会增加国民所得的数量并增加经济福利；而且会有某种征税比率，该比率会在这方面产生**最佳**效果。这些结论连同前几节的论述，产生了这样一个推定，即国家应该给予供给价格绝对递减的产业以奖励金，国家应该对供给价格从社会观点看递增的产业征税。当然，它们并**没有**产生这样一个推定，即可以对随意选定的产业按随意选定的奖励金比率或税率进行财政干预。诚然，在特定时间按特定数量服用特定药物可以治病；但是，瞎吃药却对健康非常有害。

第 12 节

还应说明另外一点。我们在前面曾强调，在某些产业中，投入的资源数量是错误的，因为在这些产业中，社会净边际产品的价值不同于私人净边际产品的价值，此时我们暗中假定，在大多数产业中，这两种价值是相等的，因而通过在某一产业和大多数产业之间转移资源，尚有增加国民所得的机会。如果在所有产业中，社会净边际产品的价值和私人净边际产品的价值，完全以相同的程度发生差异，那么就总是可以得到最佳的资源配置，就没有理由对它们进行财政干预。不过，我们认为，从总体上增加对产业的关注有助于提高经济福利水平，以此便可以为普遍补贴各产业的制度辩护，此种制度所需的资金应该用某种一次性总缴税来筹集。而且，即使只关注各产业之间的资源配置，以上所述也不意味着，仅仅由于在所有产业中，供给价格从社会观点看在某种程度上普遍递减，就可以排除进行财政干预的可能性。（至少从理论上说）仍然可以通过把资源从供给价格递减规律仅仅起微弱作用的产业转移给该规律起很大作用的产业，来增加国民所得。

第 13 节

为了论述的完整起见（尽管此问题超出了我们的正式研究范围），我们应附带谈谈与第 9 章第 12 节讨论过的反应相类似的一种反应。投入一个产业的资源增量，会改变生产成本，由此而给购买者带来一种并不反映在投资者利润中的产品，除此之外，这种资源增量还会改变购买者得自给定购买数量的满足量，由此而带来另一种类似的产品。这种间接产品既可以是正的，也可以是负的。对于一些商品，人们之所以有欲望，部分是因为想拥有其他人拥有的东西，在这种情况下，创造出第 1,000 个单位给总满足增添的满足，要大于该单位本身带有的满足，因为该单位使每一单位这种商品变得更加普遍。高顶礼帽就是这方面的例子。对于另一些商品，人们之所以有欲求，是因为想拥有其他人没有的东西，在这种情况下，创造出第 1,000 个单位给总满足增添的满足，要小于该单位本身带有的满足，因为该单位使每一单位这种商品变得更加普通。钻石就是这方面的例子。[①] 对于一些产业的产品，人们之所以有欲求，是为了他们自己，而不是要借此显示自己与众不同，在这种情况下，创造出第 1,000 个单位给总满足增添的满足，恰好等

① 应该附带补充一句，当普通性或稀少性是一个人对一件东西所作评价中的一个因素时，常常不单单是一般的普通性或稀少性，在许多情况下，既是一些人当中的普通性，又是另一些人当中的稀少性。正如麦克道格尔在谈到赶时髦的人时写道："每个受害者不仅被他所模仿的那些人的声望所驱使，而且还被一心要与尚未迎合时尚的大众划界线的欲望所驱使"（《社会心理学》，第 336 页）。不过，我们在这里不能探究问题的这个方面。

于该单位本身带有的满足。根据以上分析，可以很容易地得到类似于第 11 节陈述的那些推论。有些产品若变得不那么普通，人们对它们的欲求便会增加，对于生产这些产品的产业而言，必然存在着某些税率，按这些税率对其征税，会增加经济福利；另一些产品若变得更加普通，人们对它们的欲求也会增加，对于生产这些产品的产业而言，必然存在着某些奖励金比率，按照这些比率给予奖励金，会产生类似的效果。但是，有理由认为，民众消费的大部分日常商品之被欲求，几乎完全是为了他们自己，而不是要借此显示自己与众不同。所以，即使在一个非常贤明和仁慈的政府统治之下，上述财政手段的适用范围，也很可能比乍看起来的要小。

第 14 节

这些结论，像马上就要论证的与垄断有关的结论一样，是纯理论中的结论。一些人反对扩充和扩展这些结论，因为无法把它们应用于实践。他们认为，虽然我们可以说，给予属于某一种类的产业以奖励金，对属于另一种类的产业征税，会增加国民所得的数量和经济福利的总量，但是，我们却说不出，实际生活中的各种产业究竟属于哪一种类。换言之，他们认为，经济学中贴有供给价格（无论是绝对还是从社会观点看）递增、不变和递减等标签的盒子，都是**空**盒子，除了当玩具玩，一无用处。然而，这一结论似乎并无充分的根据。即便我们永远无法填充这些盒子，研究它们所付出的劳动也不会白费。譬如，我们借此可以看出，当人们说征税或实施垄断政策会产生某种结果时，隐含地假设了哪些条件。我们由此而能辨明和揭露诡辩式的教条主义观点。与其被产生于轻信的模糊观点所包围，处于迷雾之中，还不如明白究竟需要掌握哪些事实才能回答问题，即使无法掌握这些事实。但这并不是事情的全部。尽管肯定很难把各产业归入我们的分析区分出的各个种类，我们却还不必断言这是不可能的。虽然所能得到的资料数量不断增加，质量不断改进，统计技术本身却无法使我们做到这一点；因为统计资料仅仅涉及过去。聪明能干的实业家若对各自产业的情况有真实而详尽的了解，应该能够向经济学家提供原始材料，供他们作出有充分根据的粗略判断。只身无助的经济学家无法填充空盒子，因为他们缺少必要的实际知识；而只身无助的实业家也无法填充空盒子，因为他们不知道这些盒子在哪里，是什么样子。然而，如果双方合作，则有理由期待最终会取得某种程度的成功。至少这种努力值得尝试。若对目前缺少稻草感到不耐烦，就把制砖机扔掉，这未免有些草率。最好是四处奔走呼号，说迫切需要稻草，叫学生们生产出来。①

① 参见克拉彭博士的文章“经济学的空盒子”，载 1922 年 9 月号《经济学杂志》，以及我在该杂志 12 月号上作的答复。

第 12 章　国家对竞争价格的管制

第 1 节

乍一看，以上讨论似乎证明，除了纠正私人和社会净产品之间的背离外，国家旨在改变自由竞争的任何干预，都必然有损于国民所得；因为听凭这种竞争自由发挥作用，（从用货币衡量的经济满足的角度看）会不断把资源从生产率较低的地方转移到生产率较高的地方，从而总是使社会资源从较为不利的配置变为较为有利的配置。我们现在要把这种一般的推测与价格管制政策相对照来加以讨论，英国政府和大多数其他国家的政府在这次欧洲大战期间就广泛采取了这种政策。我打算先一般性地说明一下这种政策，然后探究实行这种政策所获得的经验到底会在多大程度上改变上一章得出的那些结论。

第 2 节

概括地说，情况如下。这场战争由于以下两个原因使某些物品严重缺乏。一方面，就军火、军服等等而言，政府的新的大量需求远远超过正常的供给。另一方面，就各种普通民用物品而言，可供使用的船舶吨位的减少以及征调劳力参军和生产军火，使供给大大低于正常水平。由以上这个或那个原因引起的匮乏，使一些人能索要比平时高得多的价格，这些人碰巧存有短缺的商品，或有能力迅速生产出这些商品。当匮乏由政府需求的增加引起时，由于这些人所做的生意规模和以前一样大，或比以前还大，他们所能索要的高价肯定给他们带来了异常高的利润。当匮乏由供给的减少（抽调劳力或给生产造成的阻碍都会减少供给）引起时，得自高价的利润**可能**被销售额的减少造成的损失所抵消了，因而并未获得异常高的利润。然而，就大多数物品而言，需求都很大，以致供给比如缺少10%，会使购买者出的价格的上升幅度远远大于10%。对于这类物品的出售者而言，匮乏即便是由供给的缩减引起的，常常也会带来异常高的利润。当然，这种异常高的利润有一部分是名不副实的，因为，如果价格全都上涨一倍，则货币利润增加一倍只能使人获得和以前一样数量的物品。不过，货币利润的增加幅度，常常远远大于普通物价的上涨幅度。一旦出现这种情况，某些特别幸运的人就会直接由于战争而大大获利。这自然使人感到愤懑，政府便出面干预。

第 3 节

这种干预可以采取以下两种方法中的一种。一方面，可以先允许幸运的销售者索要市场所能承受的价格，从而获得异常高的利润，然后再课征很高的超额利润税，把大部分这种利润收归财政部所有。另一方面，可以由政府限制他们索要的价格，使他们得不到异常高的利润。且不考虑技术和管理问题，无论选择哪种方法都对幸运的销售者毫无影响。但却对碰巧需要他出售的特定商品或服务的人们有影响。因为，虽然在最高限价的方法之下，他们不会受到损害，但在超额利润的方法之下，征收的特别税却会落在他们身上，而使一般纳税人受益。由此可见，当纳税人自己通过政府就是购买者时，或者当公众作为购买者与作为纳税人大致成比例时，究竟选择这两种方法中的哪一种没有多大关系。但是，就食品等日常必需品而言，当与富人相比，穷人作为一种短缺物品的购买者所起的作用远远大于作为纳税人起的作用时，选择哪种方法关系就很大了。因为，如果国家采用征收超额利润的方法而不采用最高限价的方法，它就免除了富人很多税，而迂回和半隐蔽地把税加在了穷人头上。不论人们认为让较贫穷的人对战争费用作出较大贡献是否可取，这种方法显然都是人们绝不会容忍的。因此，在很大范围内，征收超额利润的方法实际上不能成为防止幸运的销售者发战争财的主要手段。国家势所必然地要采用最高限价的方法。

第 4 节

实际采用这种方法时，遇到了许多困难，下面将依次加以说明。第一个困难是难以划分质量等级。同一名称常常包含大量各种不同质量的物品，很难用任何正规表格将它们列清。出现这种情况时，便无法用一般的规定对价格实施管制，就得借助于个别评估这种烦琐的方法。例如，1918 年 3 月颁布的生可可指令规定，生可可必须按“公平价格”出售，这种公平价格由食品审计官授权的一个人来确定，各批可可的等级也由这个人确定。1917 年底，也采用了类似的方法来控制市场上出售的活牛羊的价格。但很显然，这种方法由于要花费大量劳力，不能大规模采用。因而，一般说来，必须对其加以改进，必须以某种方式对等级进行一般的分类，尽管由此会给某些人以可乘之机。

解决了划分质量等级的问题后，由于等级常常过多，便产生了第二个困难。任何政府机构，至少在其成立之初，都很可能不愿意承担直接给各个质量等级定价的工作。当只有几个等级时，借助于专家的意见，这项工作比较容易做；但有许许多多等级时，一般认为最好不要制定最高限价表，而是发布一项一般的指令，规定未来可以收取的价格与过去已经收取的价格之间的关系。该方法的一个例子，是1916年8月发布的军火部指令，根据这项指令，未经军火部大臣批准，机床销售者今后不得收取高于1915年7月的价格。

当一种商品的分级已无问题，但该商品是在不同条件下在许多地方生产出来，以致单一的最高限价不能公平地对待不同的生产者时，肯定会遇到与前面类似的困难。在这里，由于无法出各种情况所需的最高限价表，也会迫使管理机构不规定未来价格本身，而是规定未来价格与过去价格之间的关系。例如，1917年5月发布了一项指令，规定进口的软木材不得以高于1917年1月31日前的那个星期在各地通行的价格出售。该指令后来针对从斯堪的纳维亚进口的软木材作了修改，但这与我们无关。

到目前为止，我一直隐含地假定，针对某一等级的某种商品的最高限价是单一价格。然而，对于一些商品来说，并没有一种统一价格适合于它们全年的生产和销售情况，于是就需要规定一系列的最高限价。显而易见，正确地规定一系列的最高限价，要比规定单一的最高限价更加困难。因此，在这里，管理机构也不得不采取规定未来价格与过去价格之间**关系**的方法。例如，1917年7月发布的一项指令规定，每加仑牛奶的批发价格，今后在任何地区最多只能超过一年前相同月份价格 6 便士半，每夸脱的价格最多只能超过一年前相同月份价格 2 便士。1915 年的煤炭价格（限制）法案也采用了这种方法，该法案规定，任何煤矿公司收取的价格，最多只能超过 1913～1914 年相同日期相同销售量价格 4 先令（后来提高到 6 先令 6 便士）。

很显然，所有这些间接而迂回的控制方法，都给人留下了可乘之机，可能很不好执行。因而，随着对各产业的情况掌握和了解得越来越多，管理机构试着向前迈进，采用更为精确的最高限价方法。渐渐地，这变成了主要方法。大多数较为重要的食品的出厂价和批发价，开始直接由最高限价表规定，军火部控制的大部分商品的价格也是这样。人们发现，对于大多数物品而言，制定一个最高限价表就够了。但有时也为不同地区规定了不同的出厂价。例如，就干草而言，为苏格兰规定了一个价格，为英格兰规定了另一个价格。有时还制定出一系列的最高限价表，在一年内的不同时期使用。就马铃薯而言，1917 年 2 月的指令规定了一个适用于 3 月 31 日以前的价格，并规定了另一个适用于该日期以后的价格；就豆类而言，1917 年 5 月的指令规定了三个递减的价格，分别适用于 6 月、7 月和以后的月份。同样，就联合王国收获的小麦、燕麦和大麦而言，食品审计官于 1917 年 8 月规定了一系列价格，从 1917 年 11 月至 1918 年 6 月每两个月逐步提高一次。稍后的一项指令规定了牛奶的最高限价，对一年中的不同时期作了同样的区分。很显然，如果能令人满意地制定出合适的价格，直接规定最高限价，可能要比采用迂回的方法更为有效。

到目前为止，我们只考虑了组织结构极为简单的产业，生产者可以不通过任何中间机构，就把制成品出售给最终的消费者。然而，在大多数产业中，从原料或服务到消费者手中的制成品，中间包含若干阶段。这一事实产生了另外一些问题。在对某种制成品的需求不变的情况下，若为生产和销售该制成品的过程中使用的任何一种原料或服务规定人为的价格，这种成品的价格不一定会相应降低，但在这种原料或服务的提供者和制成品之间却另有一些人，他们能在自己索取的价格之上加上从受管制的销售者索取的价格上削减的那一部分。例如，假若国家采取行动，降低了煤炭在矿井的价格，但未采取任何其他措施，那么惟一的效果可能是，煤贩子可以更便宜地买到煤，而保持原来的售价不变。同样，假若国家压低了牛的价格，但未采取任何其他措施，则零售价格可能保持不变，而屠夫和肉商会获暴利。亦同样，假若政府采取行动，人为压低进口原料的运费，则各产业中使用进口原料的各种人会获得全部利益。而且并非仅仅是**可能**发生这种情况。一般说来，总是发生这种情况，除非被授予此种强取权力的人，出于爱国动机或担心引起公愤，主动决定放弃自己的利益。为防止出现这种情况，不仅应在生产的早期阶段规定最高限价，还应在生产的后期阶段控制生产者或经营者通过加价而可能赚取的利润。实施这种控制的一种方法是，限制销售者加价的**百分比**。例如，1917年发布的命令规定，从俄国进口的木材不得以高于购买价10%以上的价格出售；1917年9月，为熏鱼生产者和批发商及其他销售者(零售商除外)之间的价格制定了一个鱼类最高限价表，不允许后者加价10%以上。限制对象更为经常地不是加价**百分比**，而是加价**数额**。例如，按照1917年8月发布的乳酪价格指令，英国制造的各种乳酪的直接批发价由制造商确定，并规定制造商以外的经营者，除实际运费外，每英担一般不得加价6先令以上。10月份进一步规定，零售商在他们实际支付的价格之上每磅不得加价2便士半以上。同一月份，各种皮革的价格也用相同的办法加以了管制。同样，1917年11月发布的一项指令对马匹和家禽的价格实行了控制，禁止生产者所定价格每吨超过原料价格1镑10先令；其他销售者可以加价的数额被限定为，销售6英担以上时每英担1先令，销售3至6英担时每英担3先令。在肉类方面，考虑到零售商往往从销售不同的大块肉中获取不同比例的利润，先是采用了这种方法的一种变体。1917年9月发布的指令规定，任何人销售肉类的零售价格，都不得使其收取的总价格超过他所花实际成本的规定百分比(20%，或每磅2便士半，哪个较低，就以哪个为准)。1917年8月，对腊肉和火腿零售商作出了类似的规定。

显然，这种在商品送达消费者的较后阶段控制价格的方法，与试图迂回地控制出厂价的方法一样，具有相同的缺陷，即易于被人们规避。因此，随着对工作越来越熟悉，管理机构便试图发展出一种更加令人满意的方法。这种发展的一个阶段，可以用1917年8月发布的黄油价格指令来说明。该指令规定，零售商在他们实际所花成本之上的加价幅度不得超过每磅2便士半；但还进一步规定，地方食品管理委员会**可以**依据该指令的一般指示(其中包括对制造商、进口商和批发商价格所作的规定)，制定一最高零售价格表，然而遵守该表并不能免除零售商每磅不得加价2便士半以上的义务。更加高级一点的阶段可以用管制煤炭价格的方法来说明。所规定的一般原则是，零售商在其购买价之上的加价幅度，不得比实际经营煤炭的成本(包括商人自己的薪金以外的办公费用)高出每吨1先令以上。但可以说，这一原则并没有被束之高阁。政府规定，地方当局经磋商和研究之后，应设法实施该原则，制定出适用于本地区的明确的零售价格表。当管理机构亲自为从生产到消费过程中的不止一个环节制定出最高限价表时，便达到了一个更高的阶段。1917年9月发布的马铃薯价格指令就是这方面的例子。该指令为种植者规定了最高限价；禁止批发商在任何一周的销售价格给他们带来刨除总成本(这种成本随各地区的运输条件不同而不同)后高于每吨7先令6便士的收益；并制定了一个详尽的零售价格表，该表把所允许的每磅价格与零售商实际为不同等级的马铃薯支付的每英担价格联系在了一起，后者包括运输价格在内。当管理机构亲自——为生产者、批发商和零售商——制定出全面而明确的价格表时，便达到了最后的阶段。食品部正稳步向这个目标推进。就英国洋葱、大多数种类的鱼、牛羊肉、制作果酱的水果和果酱、豆类以及干草、燕麦和麦秆而言，已肯定做到了这一点。为避免由于对情况了解得不全面，在制定价格表时忽视各地区的特殊情况，有时采取预防措施，授权地方食品委员会经食品审计官批准，可以改变本地区的最高限价。1918年1月发布的限定兔肉最高价格的指令中，就有这种规定。同样，1917年9月发布的一项指令也规定，若食品审计官或地方食品委员会确信，由于某种特殊原因，面粉或面包按官方最高限价零售不能“产生合理的利润”，则对地方食品委员会所辖的整个地区或部分地区便可颁发许可证，允许收取更高的价格。1918 年 1 月发布的限定大部分鱼类最高价格的指令，在零售价格方面，作出了类似的地方性修正，1918 年 3 月发布的牛奶价格指令也是这样。1917 年 9 月发布的马铃薯价格指令，亦授权地方食品委员会，经食品审计官批准可以修改地方零售价格。

到目前为止，我们关注的只是这样一些商品，它们进入消费者手中时的形态，与它们离开生产者之手时完全一样。当我们不得不考虑用于制造精巧的制成品的原料时，则会出现较为复杂的情况。此时，由于原料在不同类型和等级的制成品中发挥各种不同的作用，一般说来无法制定出适用于原料以外的价格表。因此，对于两种重要的物品，靴子和服装，采用了一种巧妙的迂回方法。政府试图引诱或强迫制造商把很大一部分设备用于制造“标准物品”，按照以加工成本为依据计算出来的价格出售，希望这些物品在市场上的竞争会压低未实行标准化的类似物品的价格。就靴子而言，规定制造商必须将民用设备的三分之一用于生产“标准靴子”。就服装而言，没有强制某一比例的设备必须用于生产标准商品，但却通过给予原毛配额方面的优待，鼓励制造商这么做。就棉织品而言，虽然原棉的价格受到了人为的控制，但却没有相应地控制成品的价格，理由是，棉织品制造商负担已经很重，要缴纳一种特别税，用于向因为缩减纱锭和织机数目而失业的工人支付救济金。

第 5 节

上面叙述了实施价格管制遇到的困难和采取的应急措施，由此引出了一个在理论上很重要的问题。显而易见，在价格管制的初期，出于实际考虑，不得不从生产者一端而不是零售商一端开始价格管制；因为制定零售价格表时，地方差异要严重得多，需要非常了解这种差异，才能制定出公平的零售价格表。但是，如前所述，随着管理机构对各产业了解的加深和控制的加强，它往往为从生产者到最终销售者的各个环节制定出价格表。因而，最终常常规定出最高零售价。无法肯定的一点是，做完所有这一切之后，是否还真的需要继续早期阶段的管制。最高零售价格难道不会完全反射回去，从而阻止早期阶段“牟取暴利的行为”？有人认为会这样，这种观点指导了食品部的某些管制工作。譬如，管制萝卜价格的指令规定，**任何人**不得以高于每磅 1 便士半的价格出售萝卜；管制巧克力和糖果价格的指令规定，**任何人**不得分别以高于每盎司 3 便士和每盎司 2 便士的价格出售它们。然而，一般认为，最好在早期阶段就制定出价格表，此种价格表不同于最高零售价格表，并根据后者加以调整。在纯粹竞争的世界中，这似乎实际上是没有必要的。假如能正确地规定最高零售价格，则每个人都会依次不由自主地被迫收取给他们带来正常利润率的价格。对零售价格的这种人为限制会完全像公众对商品的需求降低那样起作用，足以抵消供给的不足。然而，在实际生活中，作出这种调整很可能会遇到某种摩擦，一些受到影响的商人，很可能能够对恰好主要依赖于他们的店主或其他人，施加类似于垄断的压力。因此，若已经执行为早期阶段制定的最高限价表，然后抛弃它们，希望随后执行的最高零售价格表会自动达到全部想达到的目的，那很可能是不明智的。

第 6 节

现在我们要考虑这些战时的应急措施带来的一个需要加以分析的大问题。对于当时实施的那种价格管制和国民所得的数量之间的关系，我们究竟能说些什么？战争造成的巨大动乱致使现行的资源配置变得不经济，即：那些用于制造某些特别短缺的物品的资源所产生的（无论是社会还是私人）净边际产品的价值异常高。若不进行外部干预，净边际产品异常高的价值，会给投资者带来异常高的收益；这种异常高的收益会把资源从生产率较低的行业吸引到生产率较高、收益异常高的行业。颁布法律降低价格后，任何行业中给定数量资源所产生的净边际产品的价值，也必然降低，因为我们已把这种价值界定为物质净边际产品乘以实售价格。但显而易见，这个定义隐含地假设，实售价格等于需求价格。当这两种价格被人为地分离开时，必须修改我们的定义。资源的净边际产品的价值（为增进国民所得，应使这种价值在各处相等），等于物质净边际产品乘以需求价格。理解了这一点，便会明白，人为降低价格，虽然会降低有关产业的收益，但却不会改变投入该产业的任何数量的资源所产生的净边际产品的实际价值。因此，从国民所得的观点看，转移资源的可取性没有改变，可是促成资源转移的主要影响力却减弱了。用较为普通的话表述这一点就是，从外部限制一种在竞争条件下生产的（亦即并非由垄断者生产的）物品的价格，必然减少人们生产这种物品的动力。通常正是通过高昂的价格和高额利润，来自行消除物品短缺。可以获得额外收益的前景，会把闲置资源引入生产这种短缺物品的产业。断绝这种前景，将

阻碍供给的增加，而增加供给是增加国民所得所需的；“自然”价格被削减的幅度越大，阻碍也就越严重。

第 7 节

在这次大战的特殊情况下，限价所产生的这种有害趋向基本上被其他因素抵消了。因为国家本身在许多产业部门接管了在各行业之间配置资源的工作。国家建起了军火工厂，控制了造船业，并承诺给予土地和拖拉机，承诺从军队中抽调劳力，以此鼓励农业生产。因此，虽然价格管制会削弱通常由经济动机所发挥的指导作用，但这种指导工作却被另一更加强有力的机构接管了。毫无疑问，假若任何行业中的价格被人为地压得非常低，以致“代表性”厂商的利润实际降至正常利润水平以下，则不管政府施加多大压力，资本和劳动也会流向他处。当然，在任何行业中，价格都没有被人为地压低至这种程度。相反，人们常常抱怨说，价格太高了，以致不仅给可以公平地视为“代表性”厂商的企业带来了异常高的利润，而且甚至给那些效率低下的弱小厂商也带来了异常高的利润，在正常情况下，它们本来是会亏损和倒闭的。[①] 所以，从整体上说，我们可以断言，就当时的情况而言，由于国家采取了反常行动，而且应该补充一句，由于国家有效地利用了爱国主义，价格管

---

① 假如经营状况好的和不好的厂商组成某种赢利均分同盟，而且所追求的目标是整个赢利均分同盟获得正常利润，那么把价格定在较低的水平上，或许可以证明是切实可行的。陶西格教授指出，在作出这种安排以前，先要克服非常严重的管理上的困难，先要建立起详尽而复杂的成本核算制度(《经济学季刊》，1919 年 2 月号)。除了这种技术上的反对意见以外，还有另一种较为一般性的反对意见，即各厂商进行有效管理的积极性会严重受挫，因为这不会带来什么报酬。

制在战争这种特殊情况下很可能没有给国民所得的数量造成多大损害。

第 8 节

然而，如果由此而推论说，实施普遍而长期的价格管制政策，以阻止各生产者集团在市场条件允许的时候获取超额利润，是同样无害的，那就大错特错了。人们在作投资选择时，要考虑到利润的起伏，若他们的判断正确，他们的投资带来的边际收益从总体上说在不同行业中就会大致相等。在这种情况下，很显然，当供求状况使某一产业能赚取超额利润时，国家若采取政策，把该产业的价格削减至竞争水平以下，那么相对于供求稳定的产业而言，就是在惩罚这个产业。因为，如果在山区，山峰和山谷的平均高度与高原相同，那么削去山峰的顶端，很自然地就会使山区的平均高度低于高原。国家对生产的操纵，并不能抵消这种区别对待的行动造成的抑制作用。因为在这里与我们有关的，不仅仅是在实施价格管制时闲置资源往往会流向别处，而且还有对一般资源的持续阻碍这一趋势，而如果没有这种阻碍，资源则会用来为受到威胁的产业造出更多的永久性设备。例如，假若我国采取政策，禁止农民在出现世界范围的歉收时收取高价，那便会阻碍对英国农业的投资；因为农民时常盼望出现世界范围的歉收，以便收取高价，抵消半年的低价。因此，一方面，我们的分析并不意味着，在战争的特殊情况下采取的限制价格的政策有损于国民所得，但另一方面，战时的经验却没有提供理由使人怀疑，普遍实施永久性的限制价格的政策，在非垄断性产业会产生这种效果。当然，这个结论受前一章说明

的那些因素的限制。它还受制于这样一个限制条件，即：如果最高限价定得很高，不影响全部正常的销售，仅仅保护某个偶尔软弱的购买者不被无耻的商人剥削，那么它们就不会妨碍资源在各种用途之间的配置，从而不会损害国民所得。而且，如果国家在繁荣时期进行干预，防止某一生产者集团赚取超额收益，同时在不景气时期也进行干预，以免他们获得的收益过低，则最终结果虽然肯定会使他们的产量在繁荣时期和不景气时期重新分配，但却不一定会缩减他们的生产总量。

第 13 章　国家对供给的管制

第 1 节

不仅仅是在价格方面，这场战争提供了政府干预竞争性产业的例子。政府还广泛地干预了商品在不同产业之间、在同一产业内部的不同厂商之间以及不同的最终消费者之间的自由分配。要克服上一章描述的价格管制带来的困难，就得进行这种干预。因为，当竞争性产业中的价格被人为地压低至它们自然趋向的水平以下时，调节商品在不同购买者之间分配状况的普通市场因素，就不能正常起作用了。价格不受管制时，在任何价格下，每个人可以为每一目的想按这一价格购买多少物品，就购买多少物品，这一过程会耗尽全部供给。但是，当在**竞争性产业**中人为地压低价格时，所有购买者为了所有目的的需求总量，就会大于供给，而且可能远远大于供给。在美国，全年的小麦来自于国内的收获量，限制价格而不同时实行配给制的结果是，每个人在收获年的前半年都试图得到自己想要的全部小麦，而在后半年不得不依赖代用品。[①] 简言之，从时间上说，商品分配得不好。然而，就大多数商品来说，生产和消费是连续的。因此，谁都无法在某个时候获得自己想要的全部商品，商品反而持续短缺。若不采取任何其他措施，分配就会

① 参见《美国经济评论》增刊，1919 年 3 月，第 244 页。

变成一场游戏，胜负取决于偶然因素、权势和长时间排队而不晕倒的能力。没有理由指望，由这些因素决定的分配从任何意义上说是良好的分配。所以，战时采取控制价格的政策时，一般便发现，也得控制分配，为此还得制定出某种标准，以确定不同的购买者所能得到的份额。实际上，并不是仅仅在管制价格的时候，才控制向个人的供给。在一些情况下，即使不管制价格，也控制供给，以防止私人为自己使用而过多地占用政府为进行战争所迫切需要的物品的服务。在这里，管制限制了私人消费总量，而并非仅仅调节了已受限制的私人消费总量的分配。然而，不管控制供给是否与规定最高限价联系在一起，所牵涉到的技术问题都是一样的。

第 2 节

当所涉及的商品是可以用于各种不同用途的某种原料时，显而易见的标准，是这些用途从战争的观点看所具有的相对紧迫性。运用该标准的最简单方法，是从最不紧迫的用途那里，把这种原料的一部分或全部供给削减掉，从而为更加紧迫的用途留下较多的原料。运用此种方法的例子有：

(1)由财政部限制对国外的新投资，并在较小的程度上限制对国内民用产业的新投资。

(2)规定凡费用超过 500 英镑的建筑，或任何含有结构钢的建筑，均须获得特许才能施工。

(3)减少有别于军事用途的各种民用铁路服务。

(4)禁止将汽油用于娱乐。

(5)从修建不那么重要的电车轨道和轻便铁道工地撤出材料

等，用于修建对国家更为重要的其他项目。

(6)管制城镇中和农场中马匹的使用，并普遍控制公路运输。

(7)禁止用纸张印刷海报，并在某些情况下，禁止用纸张印刷商业传单。

(8)木材供应部发布命令，禁止用木箱和板条箱包装各种物品。

(9)禁止用电力为商店门前照明，限制旅馆和餐馆使用人工照明的时间以及剧场的营业时间。

这种方法完全是消极的：通过发布一般性指令，或通过以特批——对最不紧迫的用途不给予特批——为采取行动的条件，来排除最不紧迫的用途。

第 3 节

显然，这种方法的应用范围是有限的。它未考虑到这一事实，即最不紧迫的用途之外的用途，并非都具有同等的紧迫性。因此，如果去掉了最不紧迫的用途后，可以利用的物资或劳力不足以应付剩下来的所有用途，就需要在剩下来的用途之间实行某种优先制。尝试优先制的最简单方法有如下述。物资仍留在私人手中，但建立一种优先凭证制度，在这种制度下，只有在满足了持有较高紧迫性凭证的购买者的需要后，才允许向持有较低紧迫性凭证的购买者出售物资。政府工作享有一级凭证，对国家具有特殊重要意义的活动(例如出口对于获取外汇就很重要)享有二级凭证，其余依此类推。钢铁按此方法分配，修路用的石头和其他修路物资也按实质上与此相同、但不那么复杂的方法分配。当政府为进行战争或为其他特别紧迫的用途所需要的商品，在可以获得的商品中所占的比例很大时，优先凭证制本身就并不总是很保险了。政府获得的商品可能少于所需要的数额。为对付这种风险，政府本身可以通过购买或征用，成为特别急需的商品的拥有者（或租用者）。于是，它可以向为政府干活的厂商，或向从事特别紧迫的工作的厂商，提供完成这些工作所需的商品量；但即使如此，也需要采用某种优先制，来把剩余的商品分配给其他厂商。分配进口皮革和亚麻以及分配一些金属时，就基本上采用了此种做法。

第 4 节

战争期间，以这些不同形式运用不同用途之间相对紧迫性准则，遇到了很多困难，然而，肯定要比和平时期运用类似的准则必须克服的困难少得多。因为在战时，不同用途的相对紧迫性，取决于它们各自对有效地进行战争所作的贡献。这便提供了一个可以运用的明确标准。显然，食品、军火和武装部队的给养肯定优先于所有其他东西；正如军火和船舶对钢铁的争夺所表明的，虽然由各部的代表参加的会议难以制定出一项较为令人满意的优先计划，但却并非完全不可能。原因是，一切都服从于一个比较简单的目的。在稳定的和平时期——当然，撇开可能存在的"关键性"产业不谈，帮助这些产业的自然方法是奖励金或关税，而不是物资的分配——却没有这样一个目的。要满足的不再是政府进行战争的需要，而是广大人民对必需品、舒适品和奢侈品的需要。在战时，输入钢铁显然要比输入纸张更重要，制造军用烤炉显然要比制造私人厨房用炉灶更重要。但在和平时期，却不能下这种简单的断语。

应该生产的是最为人们所需要并能带来最大满足总量的东西。但政府可能无法确定这些东西是什么；即使政府一时能确定这些东西是什么，其决定尚未付诸实施，情况很可能就发生了变化，所确定的东西也就变成了完全不同之物。这将阻碍在我国的各产业之间实施定量供应原料的长期不变政策，我看不出如何能令人满意地克服这个障碍。

第 5 节

依据不同用途对国家的相对紧迫性来把原料分配给这些用途，并不能完全解决战时问题。在每一等级的用途之内，都有许多相互竞争的厂商想购买原料，急于用原料生产成品。在正常情况下，价格本来会自行确立在这样一种水平上，即每个厂商按照该价格能获得自己所需要的原料数量。价格受到限制时，不仅需要在不同种类的紧迫性之间，而且需要在各厂商之间，确立另一种分配的依据。英国政府采用的依据是战前的相对购买量。这可以用以下实例来说明：

(a)原棉控制委员会(1918 年)限定了各厂商可用以加工美国原棉的机器所占的比例。

(b)纸张控制委员会对进口商作出的规定是，他们必须按 1916～1917 年的比例向客户(即制造厂)供应纸张。

在像棉纺织业这样高度组织起来的行业，实施这样的管制在技术上没有困难。但在许多金属加工行业中，为此则必须建立专门机构。很虽然，这一分配依据不能与任何准备实施较长时期的政策一起采用。因为某项措施，如果试图永远维持某产业中各厂商在任意选定的一年的相对地位，那将对效率和进步构成一个令人完全无法容忍的障碍。

第 6 节

当制成品的价格像原料的价格那样受到限制时，则在最终消费者之间的分配方面，必须面对与前述完全相同的问题。只是对于广泛地、有规律地和连续地消费的商品，才有可能为这种分配设计出一种表面上讲得通的依据。这里的依据不是战前的相对购买量，而是对当前相对需要的估计。就煤炭、煤气和电力而言，衡量这种需要的客观尺度是房间的数目和大小以及居住在不同房子中的人数。就食品而言，对于士兵、海员、重体力劳动者、残疾人和儿童，通过补充性配给，实行了差别对待，但解决问题的主要方法却是假定，大部分平民的需要是相等的，因而给予的配给量都应该一样。这种分配方法从根本上不同于另外两种分配方法。从战争转变为和平，并未摧毁此种分配方法采用的标准或并未使其严重失效。但很显然，在和平时期，而且战时也一样，此种方法必然的粗略性和武断性，对其构成了一种很严重的反对意见。“相同收入的家庭使用不同‘生活必需品’的比例是很不相同的。平时，各个家庭以其所认为的最佳方式把支出分配于不同的必需品之间，一些人得到较多的面包，一些人得到较多的肉类和牛奶，等等。实行均等配给，便取消了所有这些差异；每个家庭按人头配给相等数量的每种商品；很难再对年龄、性别、职业等等给予考虑。”①毫无疑问，

① 坎南，《经济学杂志》，1917 年 12 月号，第 468 页。

战时英国的食品配给制，尽管有上述缺陷，但带来的结果却要比抢购可能导致的结果令人满意得多。如果食品价格受到限制而听任食品自行分配，必然引起抢购；在这种抢购中，富人将能走各种门路，从商人那里得到较多的食品。然而，在和平时期，配给以外的方法或许就不那么叫人不可忍受了，而与配给连一起的不便和不平等则会相应增大。

第 7 节

如果我们同意将上述各种方法视为对已经决定的价格限制的补充，则很显然，虽然它们可能间接地（例如，如果它们优先考虑用钢铁制造机器而不是汽车）影响国民所得的大小，但它们却不能直接地或从根本上影响它。它们会改变分配国民所得中某些组成部分的方式，却不会改变这些组成部分的数量。这些数量会被价格管制用上一章说明的方式改变，却不会被补充性的分配措施进一步改变。因此，从本编的观点看，就无需作进一步的分析了；不过，在第四编中，考察富人与穷人的分配关系时，将不得不对食品配给发表更多的议论。

第 14 章　实行垄断的条件

第 1 节

我们现在可以返回主题了。在第 11 章中，我们假定自利心沿着纯粹竞争之路起作用。我们证明，在这种情况下，姑且不考虑第 9 章讨论过的那些种类的背离，任何产业中资源的私人净边际产品的价值，都往往等于一般净边际产品的平均价值；并研究了在什么情况下，某一产业中资源的社会净边际产品的价值，会背离该产业中私人净边际产品的价值。我们现在必须考虑另外几条路，自利心也会沿着它们起作用。如前所述，纯粹竞争的主要特征是，每个卖主的供给只构成市场上总供给的极小一部分，因而他甘愿"接受市场价格，不想有意改变它们"。[①] 当任何一卖主的产量构成总产量的很大一部分时，各种垄断行为也就有了活动余地；而当任何一种垄断行为出现时，在自利心的作用下往往就不会生产出这样的产量了，即用于生产该产量的资源所产生的私人净边际产品的价值，等于用于别处的资源所产生的私人净边际产量的价值。在下面几章中，我将仔细考察垄断行为。但在此之前，出于方便的考虑，可以先研究一下出现垄断力量的条件。

---

① 帕累托，《政治经济学教程》，第 1 章，第 20 页。

第 2 节

首先,在其他条件不变的情况下,当某一产业的总体规模给定时,有一些因素会使典型的单个企业规模较大从结构上说是经济的,从而增大某一单个**卖主**能销售该产业很大一部分总产量的可能性;因为这些因素必然会增大某一单个**企业**销售该产业很大一部分总产量的可能性。某一单个企业相对于整个产业而言,是否真的会变得足够大,能获取一定程度的垄断力量,这取决于相关各产业的一般特征。这种事情往往发生在生产嗜好品的产业中,嗜好品很容易变为"特制品"。因为在这些产业中,在广阔的一般市场中常常存在着一些小市场,在某种程度上这些小市场之间没有竞争;在这种情况下,一个绝对规模不很大的企业便可以为其小市场供应很大一部分商品。在少数几个特殊产业如生产日常必需品和服务的产业中,实现内部经济的前景,也会导致建立起大得足以控制本产业很大一部分产量的企业。这方面最值得注意的例子之一,是任何指定线路的铁路运输。由于修建一条合适的铁路要花巨额工程费用,因而由一家或最多几家铁路公司提供任何指定两个地点间的全部运输服务,显然要比由许多家公司提供这种服务,每家公司只提供全部服务中的很小一部分,划算得多。向城市提供自来水、煤气、电力或电车服务的产业也是如此。若有很多家独立的企业,主管道、干线和主轨道就得有许多许多。但任何一个普通地区所需的全部这类服务,只要有几条主管道和主线路就能提供了。所以,若有很多家独立的企业,就得投入大量资本建设主管道和主线路,而它们的利用率却很低。避免这种投资,显然可以节

约大量人力物力。在上述那类产业中，之所以会出现这样一种很强的趋势，即总供给的很大一部分仅由几家企业提供，这便是**根本的**原因。这个真相在某种程度上被以下事实掩盖了，即：**直接**原因是，一般说来，除非绝对必要，否则中央和地方政府当局不愿意在许多时候，或让许多人对私有财产行使征用权，或破坏街道。然而，隐藏在政府当局的这种态度背后的，正是这种做法的高昂费用。在与生活必需品和服务有关的大多数产业中，都没有再现铁路及其相关产业特有的那些条件。在不同种类的产业中，内部经济在不同的点达到其极限，在棉纺织业是一个点，在钢铁业则是另一个点；一般说来，在劳动所起的作用比资本大的产业中是在较早的阶段达到，在劳动所起的作用比资本小的产业中则是在较后的阶段达到；但总是在各企业远远未发展到占整个产业很大部分以前就达到。[①] 在这种情况下，内部经济显然不会是产生垄断力量的原因。

第 3 节

其次，在其他条件不变的情况下，当某一产业的总体规模和典型企业的大小给定时，有一些因素会使典型的单个企业管理单位（例如许多企业由一个管理机构控制）较大从结构上说是经济的，从而增大某一单个卖主能销售该产业很大一部分总产量的可能性。近来，这个命题已变得非常重要，因而有必要仔细考察一下大

---

① 参见范海斯对美国各重要产业的发展所作的说明(《集中与控制》，第 42 页及以下各页)，并参见西德尼·查普曼爵士对棉纺织业各工厂的正常规模所作的讨论(《皇家统计学会杂志》，1914 年 4 月号，第 513 页)。

规模控制在不同情况下可能带来的结构性经济效益。

一些学者已非常明白这一事实，即当若干平行的企业划归一个人领导时，不同的工厂便可以实行完全的专业化，专门从事特定等级的工作；他们也非常明白另一类似的事实，即任何一个地方的订单都可以由距离该地方最近的工厂来完成，从而节省下相互的运输费。战时英国的机械工业已充分证明，在某些情况下，特定产品甚或特定生产过程的严密专业化带来的经济效益非常巨大。但是，统一管理许多独立的企业，对于获得这种经济效益来说却似乎并不是必不可少的。即使不同的企业保持分立，我们也可以看到，一旦企业认识到专业化分工的巨大重要性，工业有机体在普通经济动机的影响下往往便会实行专业化分工。例如，在美国的造纸业中，每家造纸厂通常都只生产某一品种的纸张；[①]而就兰开夏郡的棉纺织业来说，不仅精纺、粗纺和织布的工厂分别位于不同的地区，而且各个工厂还常常分工只纺几种纱。[②] 在利用副产品方面获得的经济效益也是这样。而且，市场交易方面的经济效益（一些学者把这种效益归因于大规模管理）似乎也不是促成企业联合的主要因素。因为，“如果一制造商在购买原料，通常这种原料有一个所有的人都必须支付的市场价格，而只要他购买通常的最低数量，他支付了这一价格，就可以获得这种原料；但如果他需要的是半成品，且购买量每年达几百英镑，并能立即付款，则一般能以最低价格成交。在我看来，大企业在购买原料方面所享有的惟一有

① 参见查普曼，《工作与工资》，第 1 卷，第 237 页。

② 参见马歇尔，《工业与贸易》，第 601 页。

利条件是，偶尔有可能购进市场上的全部原料或全部剩余的半成品，而小企业则没有能力做到这一点。然而，这种做法带有投机的性质，由此而带来的利润很难称做生产成本的降低，因为做这种特殊购进的机会并不稳定，并不经常出现，即使真的出现，也既有可能带来利润，又有可能招致亏损。”[①]同样，也不应过分强调大规模管理具有的优势，有人把这些优势总结为“行政工作的集中，为货物提供集中的仓库，保险和银行业务的集中，单一会计制度的建立（由此可以很容易地比较各分支企业的工作），单一成本核算和集中销售机构的建立”，[②]等等。因为这种经济效益，在德国常见的那些低级形态的定价卡特尔中很少实现，[③]甚至在结合得较为紧密的企业联合体和控股公司中，这种经济效益也很快就会被非常难找到合适的人才来管理巨型企业所抵消。

不过，大规模管理也有某些结构性的经济效益，这种经济效益不同于前面所说的，涉及面较广。首先，规模较大就意味着财富较多，能有利可图地花较多的钱搞实验。科学与工业研究委员会报告说：“截至目前的经验使我们认为，英国大多数工业企业较小的规模，在很大程度上阻碍了长期而复杂的研究工作的开展，而要解决我国主要工业的根本性问题，就必须开展这种研究工作”。[④] 这显然是一件非常重要的事情；可却不清楚许多小厂商为什么不在

① 霍布森，《工业制度》，第 187 页，转引自 W. R. 汉密尔顿，《生产成本与产量递增的关系》。

② 麦克罗斯特，《经济学杂志》，1902 年 9 月号，第 359 页。

③ 参见利夫曼，《卡特尔与托拉斯》，第 114 页。

④ 《报告》，第 25 页。参见马歇尔，《工业与贸易》，第 24 页，脚注。

其他方面保持完全独立的同时，协力开展研究工作。其次，许多家厂商联合成一体意味着，原来每一家厂商只能运用自己发现的秘密制造方法，而现在却可以运用许多家厂商发现的秘密制造方法；在某些情况下，这可以节约大量的人力物力。第三，一般说来，由许多家厂商合并而成的企业，可以接触到许多不同的市场，在这些市场上，需求的波动在某种程度上是独立的。因而它便能够进行调整，使其所属的每个厂商的产量变化小于单独管理时的变化。但是，如果一厂商生产第一年由（A＋a）、第二年由（A－a）个单位构成的平均产量 A，则其成本必然低于它生产第一年由（A＋2a）、第二年由（A－2a）个单位构成的相同平均产量所花的成本；因为在后一种情况下，它必须具有足以应付（A＋2a）个单位、而不是（A＋a）个单位“峰值负载”的资本设备。各种合作社（如乳品厂合作社等）热切希望其成员对其表示忠诚，班轮公会急于用延期折扣等方法“拴住”客户，都说明这一点很重要。[①] 而且，即使并非由于合并，所属各厂商产量的总变动幅度已降至最低点，即已经等于总产量的变动幅度，合并仍然会带来经济效益，因为它能够使大部分工厂平稳运行，能够像糖业托拉斯那样只保留一个工厂来按照总需求的波动调整产量。[②] 第四，因为预测将降临到各厂商总体上的好运和厄运，要比预测将降临到单个厂商头上的好运和厄运容易得多，所以经营由许多厂商合并而成的企业，总的说来，承担的不确定性要比经营单个厂商少。由此产生的一般经济效益表现

① 参见本书第 2 编第 19 章，第 4 节。

② 参见詹克斯和克拉克，《托拉斯问题》，第 43 页。

在：这种企业可以比较容易地获得贷款，为贷款支付的利息较低，为发放均期股利而保有的准备金比例较低，等等。关键的一点是，这种一般的经济效益，不管表现方式如何，都肯定是存在的。各个控制单位越大，这种经济效益也就越大。固然，超过某一点后，这种效益的增长会随着控制单位的增大而变得极其缓慢。但是，在控制单位达到很大规模以前，这种效益会迅速增长，成为促使控制单位增大的强有力因素——然而，毫无疑问，在适于划分等级的商品中，会出现投机市场，使小公司能够通过套头交易，利用**某些**种类的不确定性，处于和大公司同等的地位。[①] 还可以提及另外一点。在某些特殊产业中，大规模控制不仅可以减少因不同厂商的各自命运发生特定波动而必须承担的不确定性，从而带来直接的经济效益，而且还可以减少发生这种波动的可能性，从而带来间接的经济效益。在公众信心起重要作用、巨额资本可以创造公众信心的行业中，情况就是这样。银行业便满足这一条件——自从公布银行账目成为普遍做法以来就更是这样了。银行之所以在这方面不同于其他企业，原因自然是，它们的顾客是其债权人，而不像在大多数行业中那样，是其债务人。[②]

第 4 节

上面专门讨论了我所谓的**结构性**经济效益。还有另一种经济效益也会促进大规模管理的发展。只要一个产业由许多家单独管

---

① 参见布雷斯，《有组织的投机活动的价值》，第 210 页。

② 对第 2～3 节所讨论的问题的非常详尽的研究，参见马歇尔，《工业与贸易》，第 2 卷，第 3～4 章。

理的企业构成，所有企业就都要承担保护其市场免受他人侵犯的费用。正如第 9 章所述，很大一部分广告和推销支出，也属于此种费用。但是，当某一产业的任何一部分，不是由许多相互竞争的厂商构成，而是许多厂商由一个机构来管理时，亦如第 9 章所述，便可以节省很大一部分这种费用。A 与 B 联合后，无论对于哪一方来说，都不再需要花钱，通过四处推销或其他方式，来说服人们选择这一方而不选择另一方。在 1908 年的商务部会议上，有人针对铁路公司指出："众所周知，铁路公司觉得有必要花大笔大笔的钱相互攻讦，而如果通过明智的合并消除竞争，则可以节省下很大一部分这种钱"。[①] 当然，这种经济效益最大的地方，可能是在没有实行联合时"竞争性"广告支出最大的行业，也就是说，不在生产易于辨识的标准产品的主要产业中，而在生产各种嗜好品的行业中。[②]

第 5 节

接下来让我们假设，某一产业中各企业的规模和各控制单位的规模，根据可以获得的结构性经济效益和其他经济效益进行了调整，由此而形成的控制单位尚没有大得足以行使垄断权力。因而很显然，垄断权力不会作为与其无关的事情的副产品而偶然地

① 《铁路公司会议》，第 26 页。

② 有人认为，公司合并可以减少旅行推销员的人数，提高其素质，从而节省开支，这种观点并没有被以下事实推翻，即在某些情况下，形成企业联合体后，支付给推销员的年工资总额增加了。因为年工资总额的增加很可能是由于：企业联合体试图将其市场扩展至其所属成员以前未涉足的区域，或扩展至单个**厂商**的业务量不值得派遣推销员的区域。

产生。有人预期垄断会带来收益，这便是促使产生垄断的一个因素。当发起人有理由相信，业余投机者对某种垄断的赢利预期会高于实际可能达到的水平时，这就给予了那些把小企业合并成巨型公司的人获得额外收益的希望，因为这使他们能够以飞涨的价格抛售股票。[①]暂不考虑这一特殊因素，我们可以肯定地说，在供给条件不变的情况下，得自垄断的收益的大小，取决于有关商品的需求弹性——即购买量的百分比变化除以价格的（微小）百分比变化所得到的分数。[②]在其他条件不变的情况下，需求弹性愈小，可能获得的收益愈大。顺便说一句，在这一条件以及下一节指出的条件下，垄断者将其控制范围扩展至与他本人相竞争的产品，是有

① 下面一段话引自J. M. 克拉克先生的《营业成本经济学》一书，值得我们注意。"企业合并的经济效益究竟有多大？就横向合并而言，杜因对35个合并案例所作的研究，提供了最为确凿的定量数据，在所有这些案例中都至少合并了五家以前相互竞争的企业，而且截至1914年所有合并后新建立的企业都有十年的历史，1914年爆发了世界大战，由此造成的动乱无法再作进一步的比较。他发现，这些合并的发起人预言合并会节约足够多的人力物力，使净收益增加，比过去的水平平均高大约43%。这一平均数是严肃的估计数字，不包括过于乐观的想象。然而，结果却是另一番情景，合并后第一年的净收益比各构成企业从前的收益平均低15%，而合并之后十年的收益情况更糟，比各构成企业从前的收益低18%，这还未考虑在这十年期间投入了大量新资本"（前引书，第146～147页）。

② 设x为购买量，$\phi(x)$为每单位的需求价格，则需求弹性可以表示为$\frac{\phi(x)}{x\phi'(x)}$. 如果对于$x$的所有值，需求弹性等于1，则需求曲线为一等轴双曲线。只要对正文中文字定义里的"微小"一词予以强调，文字定义便是上述技术定义的大致正确的翻译。当然，如果需求弹性等于1，价格下降50%必然伴之以消费增加100%。人们自然应该明白，当我们谈论得自垄断的收益取决于需求弹性时，我们隐含地假设，上面界定的弹性，在需求曲线有关值域的各个点上，彼此的差异不很大。达尔顿先生曾指出（《收入的不平等》，第192页及以下各页），当任何一种东西的价格上涨任何一非无限小的百分比时，就应该用"弧弹性"这个词来表示用这个百分比变化除数量上的相应百分比变化。但是，由于从某一起点出发，对于每一不同量的价格变化，一般都有一不同的弧弹性，这个新词在生手那里很容易引起混淆。

利可图的；例如，美国的“五大”肉类包装公司收购进(a)非美国肉类包装企业和(b)非肉类食品包装企业，就是有利可图的。[①] 下面说明一下导致低弹性需求的条件。

第一个条件是，有关的商品不容易找到方便的替代品。牛肉的存在使羊肉的需求弹性较大，天然气的存在使石油的需求弹性较大，公共汽车的存在使电车服务的需求弹性较大。同样，英国铁路运输服务的需求弹性之所以比美洲大陆大，是因为“英国漫长而曲折的海岸线及众多的港口”，使水路运输的竞争格外有力；[②]而且一般说来，对任何特定铁路线服务的需求，即使没有水路的竞争，也由于有通往其他市场的铁路线的间接竞争，而具有较大的弹性。[③] 乔文斯在其著作《煤炭问题》中，从另一领域为我们讨论的问题提供了一个恰当的例子：“当两西西里王国政府对硫磺课以重税时，由于意大利垄断着自然硫磺，我国的制造商便立即从黄铁矿或铁的硫化物中提炼硫磺”。[④] 关于各种可以用替代品取代的商品，没有什么具有普遍意义的话可说。不过，应该指出，如果一个地区或一个国家的某些产品，致力于在质量上而不是在数量上处于领先地位，这些产品就会比其他产品较少地受到替代品的竞争。例如，英国的上等牛肉和羊肉并没有像低等牛肉和羊肉那样，受到与美国或澳洲贸易的发展的影响。[⑤] 因此，商业上的一个重要事

① 参见《联邦贸易委员会报告》，1919 年，《关于肉类包装业》，第 86 页和第 89 页。

② 参见麦克弗森，《欧洲的运输》，第 231 页。

③ 参见约翰逊，《美国的铁路运输》，第 267～268 页。

④ 《煤炭问题》，第 135 页。

⑤ 参见贝西，《英国的农业》，第 45 页和第 85 页。

实是，英国的制造商在壁纸、高级纺织品和电缆的质量方面，享有很显著的领先地位，而在电力和化学工业方面则处于明显的劣势。[①] 显而易见，从当前的观点看，在可以取代具有垄断权的卖者生产的任何商品的替代品当中，必须把其他卖者生产的相同商品也包括进去。因此，具有垄断权的卖者在任何市场上提供的产品在总产量中所占的比例越大，对其服务的需求弹性愈小。所以，在一些产业中，若高额运输费、高额关税和划分市场的国际协议阻碍了从其他来源进口，便会促使垄断商品的需求弹性进一步减少。此外，要使需求弹性受替代品的影响，并不一定非得实际存在其他供给来源不可。在某些行业中，由原来购买的人自行制造，就可能是另一种供应来源。例如，家务劳动委员会指出："除非出售给工薪人士和中下阶层人士妻女的这些物品（婴儿服、女衬衣和内衣）的价格较低，否则她们就会购买布料在家里自己做"。洗衣服和干杂活的情况似乎也是这样。贫穷的家庭主妇视情况可以自己做这类事情。因而，就这些工作而言，对专业人士服务的需求就特别有弹性。[②] 譬如，谈到伯明翰时有人说："在任何商业萧条时期，洗衣女工都是首当其冲的受害者，因为在艰难时期，可以节约开支的事情，首先是自己洗衣服，顾客本来就很有限的小洗衣店，很快便门可罗雀了"。[③]

---

① 参见莱维，《垄断集团、卡特尔和托拉斯》，第 227、229、237 页。

② 参见查普曼，《兰开夏郡的失业》，第 87 页。

③ 凯德伯里，《妇女的工作》，第 172 页。可以附带说一句，从短期的观点看，某些新耐用品的需求弹性由于以下事实而变得较大，即半旧的服装和其他这样的东西是新服装等的可能的代用品（参见查普曼，《兰开夏郡的棉纺织业》，第 120 页）。

致使需求缺少弹性的另一个条件是，一种商品在用来生产其他商品时，只占这些商品总成本的很小比例。当然，原因是，当这种比例很小时，该商品价格的大幅上涨，只会引起其他商品价格很小幅的上涨，从而消费也只减少很小的百分比。莱维博士指出，这一条件使普通工业原料的需求弹性很小。同样的思路亦告诉我们，对于消费者而言，零售和运输费用在商品成本中所占的比例越大，批发商品的需求弹性越小。

第三个条件是，使用该商品生产的其他商品不容易找到代用品。因而，在其他条件不变的情况下，建筑业使用的原料要比机械工业使用的原料需求弹性低，因为外国机器与英国机器相竞争，要比外国房屋与英国房屋相竞争容易得多。[①]

第四个条件是，与我们的商品合作生产最终产品的其他商品或服务，很容易获得，或者用专门术语来说，供给没有弹性。

马歇尔所区分的上述四个条件，直接涉及人们对不同商品的**欲望**的性质。还有另一个条件，依赖于以下事实，即根据任何一种商品的给定欲望表得出的需求表，只有当人们花在该商品上的收入比例非常小，以致其购买量的变化不会对花在该商品上的金钱的“边际效用”产生任何显著影响时，才在形式上与欲望表相一致。不满足这一条件时，以下考虑便与所讨论的问题有关。假设世界上只有一种商品，而且不能存钱。那么，无论该商品的欲望表是什么样子，其需求表都必然是这种样子，即无论其现有数量是多少，

① 不过，应该指出，虽然整个房屋不能进口，但进口房屋的各个组成部分却越来越容易。1890 至 1902 年，石料、大理石和门窗的进口翻了一番；而从外地运往伦敦的这些东西增幅更大(迪尔，《伦敦的建筑业》，第 52 页)。

花在该商品上的钱数都一样；换言之，对于所有可能的消费量来说，需求弹性必然等于1。由此我们可以得出以下一般结论：若对某种商品的欲望的弹性是给定的，则人们在正常情况下花在该商品上的收入比例越大，该商品的需求弹性愈偏离欲望的弹性，越接近于1。因此，吸收人们很大一部分收入的商品的需求，不会与只吸收人们很小一部分收入的商品的需求一样，弹性那么低或弹性那么高。①

第 6 节

以上论述表明，即使没有结构上的经济效益或广告上的经济效益，也常常会出现足以行使垄断权力的控制单位。相互竞争的卖主在达成协议时会遇到种种困难并花费大量成本，因而会抵消上述垄断趋势。这种困难和成本的大小，取决于以下一般因素。首先，同卖主人数较多时相比，卖主人数较少时联合较为容易；因为人数较少可以使谈判更加方便，同时又减少某一签约方违反协议的可能性。据利夫曼报道，1883 年德国火柴业曾试图建立卡特尔，但由于要征询至少 425 家独立生产厂商的意见，该计划宣告失败。② 其次，同各个生产者散布在广大地区，彼此相隔遥远时相比，当他们住得很近时，联合较为容易。为什么在德国的煤炭产业中，企业联合现象很普遍，而英国则不是这样，部分原因是，德国的煤炭生产集中于某些地区，而不像英国那样，分散在许多不同的地

① 参见伯克，《边际价值理论》，第 133～134 页。

② 《企业联盟》，第 57 页。

区。[1] 相同的原因在很大程度或许亦可以解释，为什么一般说来卖主的联合要超过买主的联合；同样，我们可以看到，在拍卖时，由于买主聚集在了一起，他们之间也常常联合。第三，当各厂商的产品结构很简单，质量一致，且不随各个消费者的喜好而变化，因而能加以合理地、较精确地说明时，企业联合较为容易。马歇尔写道，"几乎不可能为地毯和窗帘制定统一的价格表，因为它们是用不同质量的羊毛、棉花、麻和其他原料并按不同的比例制成的，而且质地和图案也不断变化。生产饼干、女帽等产品的企业不可能组成卡特尔，因为这些产品不仅要质量高，还要品种多"。[2] 一位学者认为，英国厂商的联合程度之所以低于外国厂商，是因为英国厂商注重的是提高商品质量和增加商品种类，而不是"大量生产商品"；[3]同样，另一位学者把在德国建立焦炭卡特尔比建立煤炭卡特尔容易，归因于焦炭的质量一般说来更加划一。[4] 第四，当国家的传统和习惯有利于而不是不利于采取一般的联合行动时，企业联合较为容易。当雇主已习惯于通过商会采取共同行动，共同达成有关折扣和回扣的协议，共同与工会谈判时，则达成价格协议所要克服的障碍，显然要少于他们第一次为此目的而走到一起来的时候。因此，"像纽约商会这样的商会，虽然没有垄断权，却由于能产生社会化的影响，有助于为建立更强大的组织，进行更大的联合

① 参见莱维，《垄断集团、卡特尔和托拉斯》，第 187 页。

② 《工业与贸易》，第 549 页。

③ 莱维，《垄断集团、卡特尔和托拉斯》，第 187 页。

④ 沃克，《德国煤炭产业中的联合》，第 43 页。

铺平道路，而具有极大的重要性”。[①] 同样，新西兰的仲裁法“强迫雇主建立自己的联合会，因为只有这样他们才能在该法律下保护自己，这些联合会自然而然地会演变成限制竞争的组织”。[②] 因而，毫无疑问，各种形式的联合行动，例如大战期间英国的建筑企业被迫采取的联合行动，肯定非常有助于为未来的联合铺平道路。或许，有关的生产厂家是公司而不是个体工商户时，对联合的阻力也较小，因为在后者的经营中，个人的重要性起很大作用。

第 7 节

上一节暗示，只要联合带来的收益超过所包含的成本和麻烦，企业实际上就会联合。然而，这一推论不一定成立。我们不能断言，达成一项协议可能有利于各方，实际上就会达成这项协议。原因是，相互的嫉妒可能使 A 和 B 不切分共同利益这块西瓜，以免对方得到过大的份额。“入盟”是应该与各厂商的生产能力，或近年来的平均产量，或厂房设备和商誉上的投资额成比例，还是应该与某一其他数量成比例？“一个制造商拥有专利和专用机械，这些花费了他大量金钱，他极其看重这些东西。除非这些成本能得到补偿，否则他不会加入拟议中的企业联合体。另一个制造商可能拥有巨大的生产能力，例如 50 台制钉机。他也许一直未能给其一半以上生产能力的产量找到市场，但他认为，在企业联合体中，他的生产能力将能开足马力运转。因而他主张，应该把生产能力当

① 罗宾逊，《美国的经济协会》，1904 年，第 126 页。

② V. S. 克拉克，《美国劳工统计局公报》，第 43 期，第 1251 页。

作分配托拉斯利润的基础。第三个人由于设备精良和管理得当，一直能充分利用其厂房设备，而其竞争对手由于生产能力较大，厂址不那么有利，或属下人员不那么精明强干，一直只能开一半的工。这个生意红火的制造商主张应该把平均销售量当做分配利润的基础。”①如果不同厂商进行直接的谈判，以上争执会很容易地阻碍各方达成协议。然而应该指出，若(像英国银行那样)通过兼并逐步实现合并，若一公司发起人通过收购合并一些相互竞争的公司，分别同每一家商谈条件，不说明同其他家达成了什么协议，则可以避免上述大部分争执，从而相应减少联合的困难。

① 米德，《公司财务》，第 36 页。

第 15 章　垄断竞争

第 1 节

当两个以上的卖主的每一个供应其所属市场的很大一部分时，便存在垄断竞争的条件。在这种情况下，可以证明，他们不会向其所属的产业提供我所谓的理想投资的那种资源数量，亦即能使该产业的社会净边际产品价值等于一般的社会净边际产品中心价值的那种资源数量。① 这一命题的证明，若忽略第 9 章所考察的社会净边际产品和私人净边际产品之间的可能差异，可以用普通语言表述如下。

第 2 节

首先我们不考虑所有旨在以目前的牺牲换取对竞争者未来利益的行为。这样，我们面对的便是"多头垄断"这一单纯的问题。若假设只有两个垄断者，这个问题便呈现出其最简单的形式；数理经济学家对此已作过许多讨论。众所周知，古诺认为，在双头垄断下，用于生产的资源是一确定的数量，大致在单纯竞争和单纯垄断之下分别用于生产的资源数量之间。另一方面，艾奇沃斯在一篇

---

① 米德，《公司财务》，第 223～224 页。

精细的批评文章中坚持认为，这一数量是不确定的。在最近的讨论中，显然有某种回归古诺观点的趋势。人们认为，如果两个垄断者在调整自己的行为时，每一方都认为对方不会因为自己的所作所为而改变**产量**，则双方用于生产的资源总量便确定在古诺所计算出的数量上。如果每个垄断者都认为，对方不会因为自己的所作所为而改变**价格**，则在完全市场上，双方用于生产的资源总量便确定在单纯竞争应有的数量上。在不完全市场上——也就是说，一些买主在市场上**偏爱**其中一个垄断者——该总量将确定在低于单纯竞争应有的数量上，而且，市场愈不完全，差额愈大。[①] 较为一般地说，如果每一卖主对对方的行为作出并持有**任何**明确的假设，则双方用于生产的资源总量似乎将确定在不大于单纯竞争应有的数量上，在完全市场上，确定在不小于古诺计算出的数量上，在不完全市场上，确定在不小于单纯垄断应有的数量上。然而我认为，在实际生活中，每一卖主对竞争对手的心理状况不可能持有一成不变的看法。他作出的判断是经常变化而不确定的。宛如在棋赛中那样，每个参赛者都先预测对方会走哪步棋，然后以此为根据确定自己应该走哪一步棋；但是，他的预测会随着他的情绪，随着他对对方心理的观察而不断变化。因此，在我看来，我们完全可以说，用于生产的资源总量在以下意义上是不确定的，即：仅仅知道影响两个垄断者的需求条件和成本条件——不论成本条件是独立的，还是相互关联的——我们并不能预知用于生产的资源是多少。不确定的范围，在完全市场上要比在不完全市场上大，而且在

① G. 霍特林，“竞争中的稳定”，载《经济学杂志》，1929 年 3 月。

这两种市场上都会随着垄断者人数的增加而缩小。无论如何投资总量也不会大于单纯竞争应有的投资量。不过，我们从第 11 章已得知，除了在使用供给价格递增的进口原料的产业中外，投资总量不可能大于理想的投资。因此，除了在这些产业中外，多头垄断下的投资不可能大于理想的投资，反而多半会大大小于理想的投资，根据以上的论述，一般说来情况似乎很可能是这样。

第 3 节

到目前为止，我们有意未考虑价格战的影响。打价格战是要把竞争对手逐出市场，或逼迫竞争对手在签约时作出让步，从而获取未来的利益。前述那种不确定性，在垄断竞争条件下也存在，即便垄断者双方都不"希望通过残酷的价格竞争毁灭对方"。[1] 然而，在垄断竞争条件下，确实常常发生价格战或残酷竞争。价格战就是为了给竞争对手造成损害而赔本销售。我们必须把价格战与萧条时期时常将价格降至直接成本的做法仔细区别开来。后一种做法包括大幅度降低价格，使其低于"正常价格"，当需求经常变化而且直接成本小于辅助成本时，人们确实会这样做；但它不包括严格意义上的"赔本销售"。只有当某一数量的商品的销售价格低于该数量的商品的短期供应价格时，才会出现残酷竞争。出现残酷竞争时，总投资量的可能范围，便不再以单纯竞争应有的投资数量为其上限，而往往超过这一数量，超过的程度取决于每一竞争者怎么看对方的坚持能力以及其他战略考虑。显然，它并不趋于接近

① 艾奇沃斯，《经济学家杂志》，1897 年 11 月，第 405 页。

理想的投资;但我们却不能再像未考虑残酷竞争时那样说,它很可能低于理想的投资。

第16章　单纯垄断

第1节

单纯垄断的条件是，只有一个卖主在行使垄断权力——无论市场上的其他卖主是否接受该卖主定的价格——而且扣除运输成本等后，该价格通行于整个市场。当然，为了说明单纯垄断的作用与单纯竞争有何不同，我们必须假设，在单纯垄断和单纯竞争下，规模经济和生产技术是相同的。[①] 在实际生活中，它们常常不同，这带来了另外一些问题，我将在第21章中讨论这些问题。单纯垄断分为两种情况，一种情况是，产业进入受到极为严格的限制，以致进入该产业的只是实际得到利用的资源；另一种情况是，产业进入不受限制。我首先考察限制进入的产业。

第2节

第11章已证明，在第9章所讨论的那种社会和私人净产品没

① 因此，设 y 为一产业的总产量，x 为一典型规模厂商的产量，令 $F(x,y)$ 表示该厂商产量的总成本，则 x 取决于方程式 $\frac{\partial}{\partial x}\{\frac{F(x,y)}{x}\}=0$. 我们绝不应认为，出现垄断是因为引入新技术后，F 变成了 ψ，以至对于 y 的给定值，$\frac{\partial}{\partial x}\{\frac{\psi(x,y)}{x}\}=0$ 的 x 值大于 $\frac{\partial}{\partial x}\{\frac{F(x,y)}{x}\}=0$ 的 x 值，从而使该产业中的厂商数目减少，使达成价格协议较为容易。我们必须假定，在这两种情况下，F 是相同的。

有差异的情况下，单纯竞争会使从社会观点看供给价格递减的产业的实际产量少于理想产量，使供给价格不变的产业的实际产量等于理想产量，使供给价格递增的产业的实际产量大于理想产量。在单纯垄断占主导地位时，符合垄断者利益的做法是，调整总产量，使总收入尽可能地大于总成本（包括管理人员的工资等）。所以，在单纯垄断下，如果其他条件不变，则产量总少于单纯竞争下的产量。因此，从社会观点看，在供给价格递减的产业，用单纯垄断取代单纯竞争，会使已经低于理想产量的实际产量进一步降低；在供给价格不变的产业，会使原来等于理想产量的实际产量低于理想产量；在供给价格递增的产业，会使原来高于理想产量的实际产量缩减，**可能**使它比原来更接近于理想产量。能够做到这一点的条件，可以用数学方法来确定，可是若不引入一些非同一般的假设，却无法用明白易懂的话来说明。不过，这并没有多大关系。因为实际上，从产业的观点看，单纯垄断被引入供给价格递减的产业的可能性，要远远大于被引入其他产业的可能性（正如第 11 章所证明的，**一般说来**，这意味着，从社会观点看，供给价格也递减）；因而可以十分有把握地说会出现这一结果。

第 3 节

当垄断权力由卖主通过价格协议来行使时，对投资的限制性影响会由于另一因素而间接地加强。卖主达成的价格协议，一般只能涉及粗略规定的一两个服务等级。因此，由于无法给介于它们之间的服务等级规定合适的收费，这些服务等级便趋于消失，尽管如果为它们规定相应的收费，便会有许许多多买者——其中一些在目前情况下什么也不买——购买这些等级的服务。所以，在设计得十全十美的垄断协议下，本来会用于生产这些服务的资源，由于实际签订的协议不完善而被排除在了生产之外。这种情况主要出现在铁路公司和轮船公司那里，它们受运费协定的约束，却要在发车和开航次数、速度、舒适程度等方面展开竞争。[①] 因而，轮船公司可能使用头等快船运送完全不必要这么运送的货物，因为若使用较慢和较便宜的船只，运费协定不准降低运费；还有其他一些规定。除了简单运用垄断权力造成的资源配置不当外，由此又添加了此种资源配置不当。

第 4 节

在暂时的低价会导致出现新需求的产业中，必须对上述结论作一些限定。因为，存在这种前景时，特别是，如果存在供给价格递减的条件，如果现行投资利率较低，投资者为了获取未来的收益，暂时接受低价就划得来，即使这样做要赔本生产；而如果相互竞争的卖主人数众多，其中一个这么做就划不来了，因为他这么做产生的未来收益只有很小一部分能被他得到。不过，应该指出，垄断由此而创造出的新需求，只有当它是真正的新需求时，才称得上带来了社会利益，而如果它仅仅取代了另一种同时遭到毁灭的需求，就不能这么说了。譬如，如果一家铁路公司通过暂时的低价发展某一地区的运输，而以毁灭另一位置同样好的地区的运输为代

① 铁路公司之间的价格协议，若不涉及联营，有时也对速度作出规定；有些(并非所有)班轮公会成员之间的协议对各成员的相对出航次数也作出规定。

价，就不能说这带来了社会利益；同样，如果一些商人采用同样的策略，使以前习惯于从宽裙获得一定程度满足而从窄裙得不到满足的人，现在能从窄裙得到一定程度的满足而从宽裙得不到满足，则也不能说这带来了社会利益。由此看来，上述单纯垄断可能带来的过渡性利益，与前述单纯垄断可能带来的不利相比较，一般说来并不很重要。

第 5 节

还应该考虑到较为重要的另外一点。第 2 编第 3 章第 11 节证明，**一般说来**，为了保持现有设备的价值而抑制新发明等给公众带来的损害，要大于这样做给设备所有人带来的利益，那一章还证明，在单纯竞争之下，通常不会出现抑制发明的行为。另一方面，在垄断条件下，却是总有有抑制发明的趋向；因为垄断者个人关心的是垄断给他带来的利益，而不是消费者的满足遭受的损失。那一章承认，在引入最终产品的新样式减少所有者得自现有样式的满足时，“进步”带来的利益会被大大抵消，因而私人垄断抑制发明的趋向并不一定总是反社会的。但是，当涉及的是制造最终商品的新工具和新工艺问题时，则不会有这样的抵消，因而抑制发明的策略必然是有害于社会的。由于新发明和生产方法的小改进通常出现得很快，这一点实际上便很重要。对此可以用两个事实来加以说明。一个事实是，据估计，在美国，就整个产业而言，陈旧造成的资产价值降低是折旧的两倍；[①]另一个事实是，在“总统调查”所

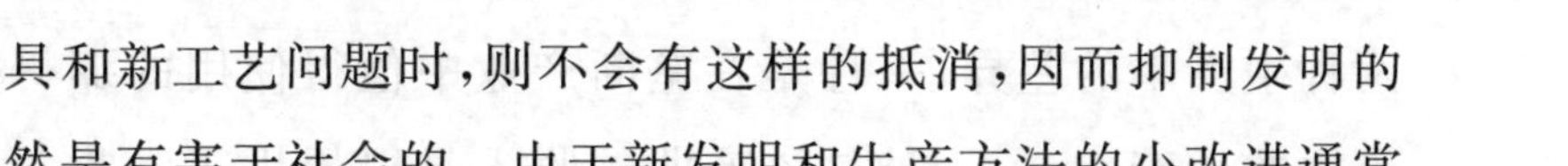

① 《大战以来世界经济结构的变化》，第 158 页。

询问的200家代表性厂商中，43.6％的厂商要求新设备在两年内收回成本，64.1％的厂商要求在三年以内收回成本。①

第6节

在至此的讨论中，我们一直假设，进入盛行单纯垄断的产业会受到很大阻碍和受到很大限制，以致除了在这些产业中实际得到利用的资源外，没有任何资源流向这些产业。一般说来，这个条件是能够得到满足的，因为不满足这个条件时，就不值得费时费力地去达成垄断协议。不过，有时也达成不限制进入的垄断协议。很容易证明，在这种协议下，国民所得遭受的损失，要大于相同的垄断价格策略与限制资源进入的做法相结合时国民所得遭受的损失。因为，大致说来，会出现以下情况。垄断产业中实际得到利用的资源的社会净边际产品，与限制进入的制度下资源的社会净边际产品相同。但是，除了这些资源外，已从别处引入另外一些资源进入该产业。这些额外的资源要么自身将全部闲置，要么将使已经在该产业中的相应数量的资源闲置。所以，国民所得将被降低到限制进入的制度下可能达到的水平以下，降低的程度等于以下两种生产率的差异，一种是在垄断产业中值得使用的那一数量的资源的生产率，另一种是该产业的收入足以提供正常收益的那一数量的资源的生产率。当然，这并不能证明，限制进入垄断占主导地位的产业是合乎社会需要的；因为情况很可能是，自由进入会迫使垄断者改变其策略，而采取近似于竞争的策略。它只是证明，限

① 《最近的经济变化》，第139页。

制进入有利于这样一些垄断者——这样的垄断者也许很难见到——在这些垄断者那里，取消限制不会影响价格策略。[①]

① 这里要注意一种特殊情况。假设可以用相同的方法生产两种联合产品，其中一种产品受垄断者的控制，另一种则不受垄断者的控制。那么，正如上面所证明的，如果能限制进入该产业，单纯垄断就会使这两种产品的产量都低于单纯竞争条件下可能达到的水平。所生产的全部非垄断产品将被售光，但假如垄断产品的需求弹性小于 1，假如相对于最有利可图的产量规模而言，非垄断产品的需求价格超过生产这两种产品的方法的供给价格，就会有一部分垄断产品被扔掉。如果进入该产业不受限制，流入该产业的资源就会多于单纯竞争条件下流入该产业的资源。若假设这些资源实际得到利用而不是被闲置，那就意味着，在上述条件下，非垄断联合产品的产量和销售量，将大于单纯竞争条件下的产量和销售量。最后的结果便**可能是**（尽管未必一定是），消费者剩余的总额要大于单纯竞争条件下的消费者剩余总额。

第 17 章　歧视性垄断

第 1 节

到目前为止，我们假设，出现的垄断都是单纯的垄断，未涉及对不同顾客实行的价格歧视。现在我们要说，这种垄断不是垄断的惟一形式。歧视权力有时会与垄断权力同时存在，在这样的时候，结果就会发生变化。因此，应该弄清垄断者在什么情况下以及在何种程度上能有利地行使这种权力。

第 2 节

当某种商品任何一单位的需求价格独立于每一其他单位的销售价格时，便非常有利于歧视，也就是说，此时歧视会给垄断者带来最大利益。这意味着，这种商品的任何一单位都不可能代替任何另一单位，而这又意味着以下两件事情。一是，这种商品在某一市场上出售的任何一个单位，都不能转移到另一个市场。二是，某一市场特有的任何一个需求单位都不能转移到另一市场。前一种转移无需加以说明，但后一种转移有点微妙。如果公布 A 和 B 两地区煤炭的不同运费，使较为有利的地区能增加产量，从而增加运输需求，而较为不利的地区遭受损害，便会出现后一种转移。为了使最有利于歧视的条件占主导地位，就必须排除这种转移的可能性，也排除另一种转移的可能性。在实际签订的垄断协议下，上述两种可转移性不存在或以各种程度存在。我打算按上述划分各举出一些例子。

第 3 节

当商品是卖主直接施加在顾客身上的服务时，例如医生、律师、教师、牙医、旅店老板等的服务，商品的各单位是完全不可转移的。医生对一部分人的收费低于对另一部分人的收费，不会使前一部分人成为后一部分人所需服务的中间人。卖主直接施加在交由他们处理的商品上的服务，例如运输服务，也是完全不可转移的。铁路公司对铜矿主收取一定的运费，对煤矿主收取较低的运费，不会导致出现中间人，因为实际上不可能为了运输先把铜转变成煤，然后再把煤转变成铜。程度少许（仅仅是少许）低一些的不可转移性，存在于通常提供给私人住宅的物质性服务中。恰当的例子是提供给私人住宅的煤气和自来水。在这里，并非完全不可转移，因为只要花足钱和不怕费事，就**可以**使这些商品脱离分销厂，而把它们运到别处。较低程度的不可转移性，也存在于仅仅高额运输费和关税就会阻碍其转移的商品当中。显而易见，在这种情况下，不可转移性的大小，可能取决于把试图实行歧视的两个市场分隔开来的距离的大小或关税的高低。同样，强迫购买者签订惩罚转售的契约，也会人为地带来不同程度的不可转移性。例如，在鲁尔煤矿区，（战前）辛迪加与工业买主签订的协议规定，“如果将煤炭转售给铁路公司、煤气厂、砖厂、石灰窑，或把煤炭从原目的地转运至别处，将受到处罚，在原售价之上每吨加价 3 马克。”[①]如

① 沃克，《德国煤炭工业中的联合》，第 247 页。

果没有这种协议，没有运输成本，没有关税，煤炭就将是完全可以转移的。

第 4 节

当有关的商品是最终消费之物，实行价格歧视的市场是根据购买者的财富来划分的时候，需求单位就几乎完全不能从一个市场转移到另一个市场。譬如，很显然，医生愿意向穷人收取比富人低的诊疗费，并不会使富人由于支付低诊疗费而变得贫穷。同样，以不同费率向煤商和铜商提供运输服务，并不会使铜商由于支付低运费而变成煤商。毫无疑问，在这两个例子中，通过欺骗，比如富人谎称自己是穷人，铜商将铜伪装成煤炭，而**可能**使需求单位具有某种微小的可转移性；但这样的事情并不具有实际重要意义。应该指出，卖主常常试图人为地创造上面这种不可转移性，办法是，给不同等级的产品附加商标、特殊品牌、特殊种类的包装等——这一切都是为了防止相对于生产成本而言高定价等级产品的购买者，变为以较低利润率出售的产品的购买者。[①] 旅店接客的旺季和淡季的市场之间，不可转移的程度较小；因为严重的价格歧视会使许多人改变休假时间。从 A 至 B 的铁路运输市场之间，不可转移的程度更小，在这些市场上，A 地的商人想把某种商品直接运送至 B，C 地的商人想把这种商品经由 B 运送至 A。因为所

① 不过，必须添加一句，虽然商标有时仅仅是创造垄断权力的手段，但有正当的理由保护商标，法律法规不得侵犯商标权，因为“商标会诱使有关的厂商制造令人满意的产品，并源源不断地制造它们”(参见陶西格，《美国经济评论增刊》第 6 卷，1916 年，第 177 页)。

收取的运费若有很大差异，原来在较为不利的地方进行的生产，就会移至较为有利的地方。当市场用某种标志来划分，而具有这种标志无需支付任何成本时，例如，如果铁路公司向携带铅笔的旅客收取一种票价，向不携带铅笔的旅客收取另一种票价，就会存在完全的可转移性。这种歧视所产生的直接结果是，**全部**需求会从较为不利的市场转移至较为有利的市场，因而这种垄断不会给垄断者带来**任何**利益。

第 5 节

如果一方面商品单位的某种程度的不可转移性，另一方面需求单位的某种程度的不可转移性足以使价格歧视有利可图，那么垄断卖主和每个买主之间的关系，严格说来就是双边垄断关系。因此，在他们之间将出现的契约条款，从理论上说是不确定的，须经过"议价"过程，其社会影响已在第 9 章的末尾作了分析。当一家铁路公司与几个大托运人商谈条件时，这种不确定因素可能很重要。不过，通常的情况是，价格歧视具有实际意义时，对立的双方不是一个大卖主和几个大买主，而是一个大卖主和许多较小的买主。失掉一个顾客的购买量，对垄断卖主的影响，要远远小于对这许多买主当中的任何一个产生的影响，因而买主若不联合，他们全都几乎肯定会接受垄断卖主的价格。他们会认识到无论怎么坚持也无法从垄断卖主那里获得让步，只要提出的条件仍给他们留有一点消费者剩余，他们就得购买。在下面的论述中，我们便假设客户以这种方式行动。作了这样的假设，就可以区分出垄断者能够行使的三种不同程度的歧视权力。第一种程度的歧视权力是，

对全部不同的商品单位索要不同的价格，使每一单位的价格等于该单位的需求价格，不给买主留任何消费者剩余。第二种程度的歧视权力是，垄断者能够制定 n 种不同的价格，使需求价格高于 x 的所有商品单位按 x 价格出售，使需求价格低于 x 和高于 y 的所有商品单位按 y 价格出售，如此等等，依此类推。第三种程度的歧视权力是，垄断者能够把其客户区分为 n 个不同的组，能将它们彼此用某种好记的符号分开，并能对每组的成员索要不同的垄断价格。应该指出，这种程度的歧视权力，从根本上说是不同于前两种的，它在一个市场上可拒绝满足需求价格超过在另一市场上能满足的需求。

第 6 节

这三种程度的歧视权力，虽然从理论上说都是可能的，但从实际观点看，却不是相同重要。相反，在实际生活中只能见到第三种歧视权力。毫无疑问，我们可以想象出甚至满足第一种程度的歧视权力的条件。假如所有的消费者具有完全相同的需求表，[①]则满足这个条件只需拒绝按少于每个消费者每单位时间所需的数量销售，并把每批商品的价格定在这样一种水平上，该水平使消费者值得而且刚好值得购买这批商品。因此，当每个需求者已有 99 个商品单位时，如果他们愿意为第 100 个商品单位支付 1 先令，但宁愿为 100 个单位支付 300 先令，也不愿一个单位都得不到，那么，

① 一个人对任何一种商品的需求表，是他在不同价格水平下购买该种商品的不同数量的表。参见马歇尔，《经济学原理》，第 96 页。

垄断者就可以把销售单位定为 100 个单位，并为该销售单位索取 300 先令的价格。如果购买者之间没有联合，售出的单位数，就将与每一单位按 1 先令价格出售时所能售出的数量相同，而且实际上，满足不同迫切性的需求的商品单位将以不同的价格出售。但这种歧视方法，不论是完整的还是部分的，都很少行得通，因为构成市场需求表的个人需求表，一般说来绝不相同。由于这一原因，分析这种方法只具有学术意义。[①] 可以想象，除了这种方法，通过与每一顾客分别仔细议价，也可以采用第一种程度的歧视。但这种方法要付出很大成本，招致很多麻烦。进一步说，因为这种方法要与每个顾客分别议价，不仅容易出错，而且容易行贿受贿，使代理商腐化堕落。一般说来，这些因素便足以使垄断者自己不愿采用这种方法；即使他们仍然愿意采用，由于这种方法可以使人钻空子，搞不正当竞争，政府也不会放任自流。"根据具体情况对每一运输行为收取不同的运费，无论在经济上能带来多么大的利益，这种收费方法的随意性都会导致极端的不确定性和极为严重的滥用，因而我们不得不宣布它不适用。"[②]由此可见，总是有一种强大的力量在起作用，说服或强迫垄断者遵守普遍规则，遵行公布的收

① 对这种方法的分析，参见我的论文"垄断与消费者剩余"，载《经济学杂志》，1904 年 9 月。

② 科尔森，《政治经济学教程》，第 6 卷，第 211 页。如果一家铁路公司本身就是某种商品比如说煤炭的大生产厂家，且为与其竞争的生产厂家运送煤炭，那么，这种有害的歧视就特别有机会存在。为防止这种情况造成显而易见的滥用歧视权力，美国 1906 年通过的海勃本法案中的"商品条款"规定，铁路公司从事自己开采或制造的任何商品的州际运输活动，属非法行为。但该法案并未禁止铁路公司运送它控股的公司生产的商品，因而不费多大劲就能规避该法案的规定（参见琼斯，《无烟煤企业的联合》，第 190 页及以下各页）。

费表，并极为有效地阻止垄断者暗中收受回扣，防止其产生破坏性影响。这意味着，除了在特殊情况下，他们既不能实行第一种程度的歧视，也不能实行第二种程度的歧视，只有第三种程度的歧视具有实际重要意义。

第 7 节

第三种程度的垄断**加**歧视不是一个明确的概念。从理论上说，可以用无数不同的方式分割任何一个市场，有些方式对垄断者较为有利，另一些方式对垄断者较为不利。如果垄断者在这件事情上可以为所欲为，那他分割市场的方式将是，使次级市场 A 上的最低需求价格，超过次级市场 B 上的最高需求价格，如此等等，依此类推。如果各市场的总需求弹性大于 1，则结果将与第二种程度的歧视完全相同，因为每组的最低需求价格，就是能从该组产生最大垄断收益的价格。如果总需求的弹性不大于 1，某些组的最大化价格就会高于这些组的最低需求价格，结果便与前述结果不同。总之，从垄断者的观点看，用这种方式分割市场，即如上面所说，使第一个市场上的最低需求价格超过第二个市场上的最高需求价格，显然要好于任何其他分割方式。但实际上，如前所述，垄断者的行动自由是受到限制的，他必须按普遍规则行事。这使他必须为各个次级市场，选定可以用易于识别的标志区分的顾客群。而且，因为抱有敌意的舆论会导致立法上的干预，他的选择无论如何不能伤害公众的正义感。因而，他不能划分出完全新的顾客群，而只能利用已经自然划分出的顾客群。事情到此并没有完。因为在一些情况下，不可转移性并非普遍存在，而只是存在于某些

市场之间，这些市场的存在不以垄断者的意志为转移。譬如，若对一个国家的所有进口商品征收进口关税或收取高额运输费——当这个国家是岛国时，这个条件很容易满足——卖主便可以为其出口商品索取比国内高的价格，而不会有致使其出口商品返回国内转售的风险。所以，显而易见，垄断者不能指望找到一系列完全符合其理想的次级市场，但他可以找到一系列这样的市场，其中第一个次级市场上只有较少数量的需求价格低于第二个次级市场上的最高需求价格，如此等等，依此类推。

第 8 节

我现在转而分析由此带来的结果，并和上一章一样，我将从可以限制进入的垄断产业着手。为分析的完整起见，需要考虑这样一个事实，即在实际生活中，一个购买者对某种商品第 r 个单位的需求，有时部分地取决于这种商品卖给其他购买者的价格。[①] 当市场由此而相互依赖时，问题就变得复杂了，但主要的结果虽然被弄得不那么确定，却似乎没有实质性的变化。因此在以下各页我将假设，每一次级市场上的需求量只取决于该次级市场上通行的价格。这使我能够采用到目前为止一直采用的一般方法。

第 9 节

如前所述，我们的实际兴趣集中在第三种程度的垄断**加**歧视上。但在研究这种歧视以前，我们先来看看前两种歧视提出的较

① 参见前面，第 2 编，第 11 章，第 13 节。

为简单的问题，并非没有益处。很容易看出，在第一种程度的垄断加歧视下，**在从产业的观点看供给价格的变化速度与从社会的观点看供给价格的变化速度完全一致的产业中**，垄断者进行理想数量的投资和生产理想的产量，总是划得来的。这意味着，在供给价格不变的条件下，第一种程度的垄断加歧视将使国民所得与单纯竞争下的国民所得相同。在供给价格递减和递增的条件下，单纯竞争则总是使国民所得增加。增加额可以用单纯竞争下的产量与理想产量的差额来衡量。显而易见，对该产业生产的商品的需求弹性愈大，以及该产业愈是明显地偏离供给价格不变的条件，增加额也愈大。最后应该指出，若供给价格普遍递减，第一种程度的垄断加歧视会以一种较为特殊的方式增加国民所得的数量，会导致对某一产业进行大量社会所需要的投资，而在单纯竞争的条件下，则不会有人对该产业进行任何投资。附录Ⅲ证明，在以下两种情况下，极有可能出现上述结果：一是，在其他条件不变的情况下，供给价格急剧递减，以致产量的微小增加会使每单位的供给价格大幅下跌；二是，在其他条件不变的情况下，在价格降至很低水平以前，该商品或服务的需求具有弹性。

第 10 节

在供给价格的变化率从产业的观点看和从社会的观点看不一样的产业中，事情要少许复杂一些。正如第 11 章第 6 至 8 节所证明的，我们有权假设，同从其他观点看相比较，供给价格的变化率，从社会的观点看，一般说来是一个较小的负数或较大的正数。由此可以推论出，第一种程度的歧视性垄断特有的产量将低于理想产量。在供给价格从产业的观点看递减的产业中，第一种歧视性垄断特有的产量将高于单纯竞争特有的产量，因而要比该产量更加接近于理想产量。在供给价格从产业的观点看递增的产业中，第一种歧视性垄断特有的产量将低于单纯竞争特有的产量。但在这种情况下，单纯竞争特有的产量**可能**高于理想产量，因而第一种程度的歧视性垄断特有的产量，会比单纯竞争特有的产量更加偏离理想产量。然而，正如第 16 章第 2 节指出的，因为垄断行为主要出现在供给价格递减的产业中，所以这种可能性较小。

第 11 节

很容易看出，第二种程度的垄断**加**歧视的影响，会随着垄断者可以索取的不同价格的数目的增加，而趋于接近第一种程度的垄断**加**歧视的影响，就像圆内多边形的面积随着边数的增加而趋于接近圆的面积。假设我们把第一种歧视特有的产量即理想产量称作 a，那么第二种歧视特有的产量就会低于 a，但会随着垄断者所能划分的不同价格群数目的增加而趋于接近 a；同样，随着不同价格群数目的增加，投入我国产业的资源的社会净边际产品的价值，也会越来越趋近于一般社会净边际产品的价值。

第 12 节

有关第三种垄断**加**歧视的研究，要比有关前两种垄断**加**歧视的研究复杂一些。在讨论前两种垄断**加**歧视时，我们一直能够利用各种情况下的总产量与我所谓的理想产量之间的简单关系。根据实际产量是超过、低于还是等于理想产量，我们可以得出结论说，投入我国产业的资源的社会净边际产品的价值是低于、超过还是等于一般资源的社会净边际产品的价值。但是，在第三种程度的垄断**加**歧视下，实际产量与理想产量之间的关系，却不再能充当判断的标准。原因是，当需求价格 p 代表的需求得到满足时，由大于 p 的各种需求价格代表的全部需求，不会像此前那样，一定能得到满足。相反，垄断者可以在一个市场上满足高于 p 的各种需求价格代表的全部需求，而在另一个市场上拒绝满足需求价格低于$(p+h)$的任何需求。由此可见，投入产业的资源分为若干不同的部分，其中每一部分的社会净边际产品的价值各不相同。因此，我们无需再问，投入**产业**的资源的社会净边际产品的价值，与一般资源的社会净边际产品的价值有何关系，而应该问，投入**产业各市场**的资源的社会净边际产品的价值，与该标准有何关系。我们的理想产量不再是整个产业的惟一产量，而变成在各个市场上出售的若干种不同的产量。整个产业的给定产量可以用不同方式在这些市场之间划分，社会净边际产品的价值体系将根据实际采用的划分方法而不同。因此，同研究单纯垄断和单纯竞争分别产生的影响相比，研究第三种垄断**加**歧视对产量的影响，只是研究它对产业领域不同部分中社会净边际产品价值之间关系的影响的第一步。不过，还是应该进行这样的研究。为便于进行这种研究，我们假定，可以把对某一产业的需求划分为两个市场 A 和 B，在这两个市场之间可以实行价格歧视。首先，我们要问，第三种歧视性垄断下的产量是绝对大于还是绝对小于单纯垄断或单纯竞争下的产量？

第 13 节

为了比较第三种歧视性垄断下的产量与单纯竞争下的产量，我们可以方便地区分三种主要情况。第一种情况是，在单纯垄断下，我们感兴趣的某些商品在 A 市场和 B 市场都消费。在这种情况下，没有充足的理由认为，第三种歧视性垄断下的产量会超过或低于单纯垄断下的产量；如果需求和供给曲线是直线，这两种产量将相等。[①] 第二种情况是，在单纯垄断下，某些商品将在 A 市场上消费，但不在 B 市场上销售。在这种情况下，引入歧视权力不会导致产量减少。相反，如果 B 市场上有很大的需求，必然导致产量增加。如果 B 市场上的需求有弹性，如果商品（普遍）服从供给价格递减法则，增加的数量会特别大。这种情况常常出现在这样一些卡特尔那里，这些卡特尔经常在遭受竞争的外国市场和其他市场以特别低的价格出售商品。一个有趣的实际推论是，如果一种服从供给价格递减法则的商品被垄断，那么，符合生产国消费者利益的做法是，政府准许垄断者以比国内低的价格在国外出售该商品，而不是虽然准许垄断，但禁止实行这种歧视。这一推论并不会因为讨论的是把这种商品当作原料的产业而被推翻，因为在国外按当地的市场价格——在一般情况下，垄断性的出口商品不会对这种价格产生明显的影响——销售，不会使外国的使用者能以比过去明显低的价格得到这种商品。最后一种情况是，在单纯垄断下，这种商品在 A 市场和 B 市场根本无人消费。在这种情况

① 参见附录Ⅲ，第 28 节。

下，引入垄断权力显然不会导致产量减少，反而有可能导致产量增加。出现这种情况的条件与下一节提到的条件相同，该条件使第三种程度的歧视性垄断能有一些产量，而在单纯竞争下则不会有任何产量。

第14节

我们现在必须比较一下第三种垄断性歧视下的产量与单纯竞争下的产量。在供给价格不变和递增的情况下，任何程度的歧视性垄断显然不可能使产量大于单纯竞争下的产量。第三种程度的歧视性垄断必然会使产量小于单纯竞争下的产量。不过，当供给价格递减时，问题要复杂一些。前一节已证明，在这种情况下，第一种程度的垄断**加**歧视必然使产量高于单纯竞争下的产量。而且显而易见，当需求能被分割成的市场数目接近于需求单位的数目时，第三种程度的歧视便接近于第一种程度的歧视。因此，在供给价格递减的情况下，第三种程度的垄断**加**歧视**可能**会把产量提高到单纯竞争下的产量以上，而且可以实行歧视的市场愈多，愈有可能这么做。有时，当然并非像第一种程度的歧视那么经常，第三种程度的歧视性垄断会形成某些产量，而在单纯竞争下则不会有任何产量。然而，由于实际情况会限制能够形成的市场数目，会限制垄断者以最有利于自己的方式划分市场的自由，因而从总体上看，在任意挑选的某一产业中，第三种程度的垄断**加**歧视几乎不大可能形成与单纯竞争同样大的产量。

第15节

在上面几节,我们分别比较了第三种程度的歧视性垄断下产量的**绝对数量**与单纯垄断和单纯竞争下产量的绝对数量。下一步是要比较在这三种制度下所能获得的接近理想产量的程度。前面的论述使我们能够概括地得出以下结论,不管什么样的供给价格法则占主导地位,第三种程度的歧视性垄断都有可能带来比单纯垄断更接近于理想产量的产量;但却不可能带来比单纯竞争更接近于理想产量的产量。然而,如果条件是,(1)有一理想产量(而不是零产量),(2)单纯竞争不带来任何产量,(3)第三种程度的歧视性垄断带来一些产量,则这种产量**肯定**比单纯竞争下的零产量更接近于理想产量。

第16节

我现在返回来看第12节考虑的那些因素。该节指出,当讨论的是第三种程度的歧视性垄断时,某一产业的实际总产量与理想产量的一致程度,便不像在其他情况下那样是一决定性指标。例如,假设这种程度的歧视性垄断带来的产量,比单纯垄断或单纯竞争带来的产量更接近理想产量。我们不能由此而推论说,投入该产业的资源的社会净边际产品的价值,更接近于一般社会净边际产品的价值。因为在这种情况下,已没有像投入该产业的资源的社会净边际产品的价值这样的东西。该产业的不同部分有不同的社会净边际产品的价值。满足低价市场需要的资源的社会净边际产品的价值,要小于满足高价市场需要的资源的社会净边际产品的价值。因此，即使在某一产业中，歧视性垄断比单纯垄断或单纯竞争更能使总产量接近于理想产量，也不能由此而说，在歧视性垄断下，整个产业的社会净边际产品的价值更加相等。我们无需停下来讨论这个消极的结果。而且可以证明，在任何产业中，给定产量若与歧视性价格联系在一起，则同该产量与统一价格联系在一起相比较，导致整个社会净边际产品的价值相等的可能性较小。因为设一般资源的社会净边际产品的价值为 P；设投入该产业中的资源达到这样的数量，以致如果产品在所有市场上以相同价格出售，则供应给每个市场的资源的社会净边际产品的价值将等于 p。在这种情况下，如果该数量的资源投入该产业，但生产出的产品在某些市场上以高于其他市场的价格出售，则用于高价市场的资源的社会净边际产品的价值将大于 p，用于低价市场的资源的社会净边际产品的价值将小于 p。这意味着，这些不同价值偏离 P 的均方差(我们衡量不相等的标准)，可能比这些价值都为 p 时要大。由此可见，第三种程度的歧视性垄断比单纯垄断或单纯竞争更加有利于使社会净边际产品的价值相等的可能性，要小于它比后两者更加有利于生产出理想产量的可能性。所以，它比后两者更加有利于国民所得的可能性，也小于后两者。

第 17 节

至此我们一直假定，歧视性垄断有能力限制其他厂商进入被垄断的产业。当不满足这一条件时，便可以运用与上一章结尾处相类似的推理。资源将被吸引进该产业，一直到该产业的收入预期与其他产业的收入预期相等时为止。只要维持垄断价格，这就意味着，由此吸引的很大一部分资源处于闲置状态，不带来任何净产品。所以很显然，不限制进入的歧视性垄断给国民所得造成的损害，要大于限制进入的歧视性垄断给国民所得造成的损害。但是，同单纯垄断一样，就歧视性垄断而言，也应禁止限制进入，因为如果不加禁止的话，垄断权力的壕沟最终很有可能崩溃。

第 18 章　铁路运费的特殊问题

第 1 节

上一章的讨论不得已而有点抽象。然而，在讨论对自来水、煤气和电等东西如何收费的问题时，在这些商品供应给不同的消费群体或为了不同的目的供应给他们时，上一章的讨论具有非常重要的实际应用意义。讨论铁路公司的收费问题时，其实际应用意义更大。一部分人认为，铁路公司的收费应依据“服务成本原则”，另一部分人认为应依据“服务价值原则”，这两部分人争论不休。①“服务成本原则”，实际上就是第 11 章讨论的单纯竞争；“服务价值原则”就是第三种程度的歧视性垄断。根据前面的讨论，可以理清他们之间的争论，本章就将做这件事情。我们不关心第 16 章讨论的那种情况，即在某些条件下，能实行歧视的铁路公司会发现，**作为一项临时措施**，为建立新的需求，对某些地区之间的运输或某些精选商品的运输收取特别低的运费，是有利可图的；我们也不关心与此相关的情况，即如果这种需求真的是新需求，而不仅仅是替代另一种需求，这种策略可能比单纯竞争——如果单纯竞争没有被国家补贴制度所改变的话——即使不是对国民所得，也是对经济

① 有意思的是，零售商店应该如何为其零售各种商品的行为收费的问题，非常类似于铁路公司的收费问题。不过，就零售商店而言，情况要复杂一些，零售商有时出售某些有名的商品不赚取任何利润，由此可为其商店获得一般的广告效应。

福利更加有利。[①] 在此，无需对这些问题作进一步的考察。将它们放在一边，我打算具体说明服务成本原则（或单纯竞争）的意义和服务价值原则（或第三种程度的歧视性垄断）的意义，并比较它们各自带来的结果。

第 2 节

一般认为，除非出售给一组购买者的运输服务是与出售给另一组购买者的运输服务“联合供应”的，否则单纯竞争往往给相同的服务带来单一的每吨英里运费制。[②] 对于这些服务来说，单一运费的水平会使需求价格和供给价格相一致；而且，当铁路运输服务与某种其他服务例如货车运输或打包一起出售时，便会适当增加收费。这种一般性分析可简要展开如下。

首先，单纯竞争在某一条铁路上导致的单一每吨英里运费的实际水平，将取决于这条铁路的具体情况。在其他条件相同的情况下，如果此线路穿过山区，工程造价特别大，或运输量很不规律，便适用于特别高的运费；[③]因为在这种情况下，该线路上全部运输

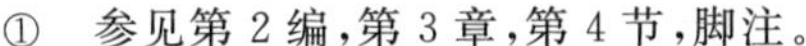

① 参见第 2 编，第 3 章，第 4 节，脚注。

② 诚然，有人认为，只有当“单纯竞争”的定义包含出售的东西在顾客之间是可以完全转移的意思时，才会出现这种情况，而且他们指出，即使不考虑这个条件，事实也证明，竞争是与航运公司和零售商出售给不同人群的服务的差别收费相容的；不同种类的货物以不同的价格运输，对于不同物品而言，零售的绝对价格亦不相同（参见 G. P. 沃特金斯，“差别收费理论”，载《经济学季刊》，1916 年，第 693～695 页）。然而，稍微思考一下，就会明白，当竞争真的占优势时，卖主 A 肯定总是以稍低于卖主 B 的运费向 B 的支付能力较强的顾客提供服务，试图以低价将 B 挤出市场，这一过程最终必然拉平所有运费。导致上述差别收费的原因，不是缺少完全的可转移性，而是习俗和默契引入了垄断行为这一因素。

③ 参见威廉斯，《铁路运输经济学》，第 212 页。

量的供给价格都特别高。同样,在其他条件相同的情况下,如果该线路穿过得不到什么运输量的人烟稀少地区,或穿过地形使水路运输可以很容易地取代各终点站之间某些种类商品的陆路运输的地区,也适用于特别高的运费;因为在这种情况下,需求量特别低,供给符合供给价格递减的条件;建造和经营一条运输量很小的铁路,花费相应地要大于大规模生产运输服务的花费。毫无疑问,正是由于认识到了这些因素,英国议会作的运费分类才对不同线路规定了不同的**最高限价**,尽管对于所有线路而言,分类本身是相同的。

其次,在单纯竞争条件下,只要运输服务的购买者,除了运输服务外,还需要非免费的其他附带性服务,就会出现偏离单一每吨英里运费的情况。需要作的调整,完全类似于平纹棉布按到岸价格向住在离制造地远近不同的购买者交货时价格作的调整。因而,某些种类的商品若包装方法便于铁路运输,其运费就应该较低。在其他条件相同的情况下,托运少量货物要比托运大量货物贵。"少量货物的托运对铁路公司而言,意味着以下三个不同的因素造成费用大幅增加,一是单独收货和交货;二是在终点站单独卸货、开发票、记账,等等;三是铁路货车装载不当而造成损坏。"[①]所以,很自然地,在英国议会作的分类中,某类货物以 4 吨的数量装运时,被列为 A 级(最便宜的一级),以 2 至 4 吨的数量发运时,被提高至 B 级,以少于 2 吨的数量发运时,被提高至 C 级。根据类似的原则,很自然地,英国铁路公司会主动作出安排,若某些货物以某些数量装运或以某些方式包装,则将它们列入低于议会分类

① 阿克沃思,《铁路经济学原理》,第 120 页。

的等级。而且，当包装方法给定时，每吨的运费很自然地就应该随着影响装卸成本的条件而变化，例如货物的体积、易碎性、流动性、爆炸性、结构等等；还应该随着所需运输服务的速度和规律性而变化。[①] 美国铁路委员会的一项决议清楚地指出了这一点。该决议宣称："对草莓收取较高运费的理由似乎是，其所需的运输服务具有特殊性。这种货物易于腐烂，因而需要特殊的服务，如需要途中冷藏、快速运输、特别装备的列车以及在目的地迅速交货。这种运输服务还包括在托运站和交货站装运货物时的额外麻烦、'改造'列车车厢、缩短列车长度以提高行驶速度、车厢不能满载、回程放空车等等"。[②] 最后，很自然地，在同一条线路上，如果把货物从 A 运送到 B，而这些货物还将进一步运送到 C，其运费一般说来就应低于把货物运送到 B 而在 B 消费的运费。只要装卸费包含在运费中，这一点便很明显，因为就前一种货物而言，完全节省了装卸费。而且，即便不考虑装卸费，从 A 至 B 的旅程作为更长旅程的一部分，其花费也要少于相同旅程作为单独整体的花费。原因是，粗略说来，任何一段旅程之后，机车和设备在空闲期间的花费，都可以正当地归于该段旅程，而空闲期间的长短并不随此后旅程的长短而变化。因此，"同中间必然有等待时间的许多次短途运输相比，长途运输会从机车、车皮、列车员等等那里获得更多的运输里程；机车和车皮会得到更好的装载，线路也会得到更加连续的利用"。[③] 这一因素表明，对于运输服务而言，暂不考虑装卸费，有某种形式的

① 参见海恩斯，《限制性铁路立法》，第 148 页。

② 《经济学季刊》，1910 年 11 月号，第 47 页。

③ 阿克沃思，《铁路经济学原理》，第 122～123 页脚注。

递减运费。英国（战前）的商品运费分类认可了这一点。它对于最初的20英里规定了一种每吨英里最高运费率，对于接下来的30英里规定了较低的最高运费率，对于再接下来的50英里规定了更低的运费率，对于更加远的距离规定了最低的运费率。这种运费等级不包括装卸费，装卸费是固定的，与距离无关。[①]

第三，必须注意到这样一个事实，就是各种服务虽然在本质上是相同的，但当它们是在一年当中的不同时间或季节提供的时候，成本却不一定一样。这一因素主要是在电力供应方面具有实际的重要意义。为了能提供“负荷高峰”时所需的电力，必须安装大量的设备，其数量要多于假如没有额外需求时刻或季节而需要安装的设备。假设在1/5的时间内，每小时需要200万个单位，在其余的时间，每小时需要150万个单位，结果是，设备成本是全部时间都需要150万个单位时的4/3倍。在这种情况下，负荷高峰时电力的实际成本，就其取决于设备成本而言，可以计算如下：生产非负荷高峰时所需总电力单位的设备成本为，4/5乘以设备总成本的3/4（即等于3/5）；生产高峰时所需电力单位的设备成本为，1/5乘以设备总成本的3/4，再加上设备总成本的1/4，即等于2/5。也就是说，高峰时提供200万个单位所需的成本，等于非高峰时提供600万个单位所需成本的2/3；换言之，负荷高峰时每单位服务的设备成本（暂不考虑直接成本）等于正常服务时设备成本的两倍。这表明，单纯竞争或服务成本原则，要求对不同时间供应的电力收取不同的费用。这显然也适用于电话服务和电报服务——更

① 参见马里奥特，《运费和票价的确定》，第21页。

不用说专门招揽季节性游客的饭店和旅馆服务了。一些产业的产品在淡季可以储存起来,因而可以调整设备,连续生产所需的平均产量;在这些产业中,旺季和淡季的成本差额不会超过储存产品带来的成本和利息损失。不过,至少就客运而言,铁路公司非常类似于电力企业,因为它们提供的服务必须在供应的时候生产。因而,根据服务成本原则,似乎有理由对繁忙季节和每天繁忙时刻的旅行收取比其他时间高的票价。当然,这种差别收费调整得并不很精确。事实上,由于其他原因,反而正是在每天和每周最拥挤的时候出售最便宜的票(工人票和周末票)。不过,确实以隐蔽的形式存在着差别收费;因为,一个人傍晚 5 点钟拉着吊带站立着乘坐伦敦地铁时,虽然支付的绝对价格与他下午 3 点钟舒适地乘坐地铁时相同,但他却是在为低劣得多的不同服务支付这种价格。这就如同他两次出行的舒适程度相同,但在拥挤的那一次支付高得多的票价一样,实际上也是一种差别价格。

最后,在某些情况下,服务成本原则必然导致对连续购买服务的人收取的费用,低于对断断续续购买服务的人收取的费用。造成这种状况的一个原因是,连续接受服务的人无法对负荷高峰的最高值付费,而断断续续接受服务的人在某种程度上却有可能做到这一点。因而,如果无法直接对高峰期服务和非高峰期服务收取差别费率,有时便可以通过区别对待连续服务和断续服务来间接地做到这一点。这种方法是有缺陷的,因为需求不连续但完全在非高峰期的消费者,其导致的设备成本要低于需求连续的消费者。实际上,这种差别待遇只是在这样一些产业中实行,在这些产业中必须安装特殊的设备,才能向不同的顾客分别提供服务。显然，如果这种设备很少使用，同经常使用时相比，就必须对每次服务收取较高的费用。如果愿意的话，可以为安装这种设备收取一笔一次性费用，或收取年租，从而对每个人得自这种设备的每单位服务收取相同的费用。概括地说，这是对电话服务采用的通行收费方法。然而，如果由于某一原因未采用这种方法，全部费用是通过服务价格收取的，则服务成本原则必然导致公开歧视个人负载因数小的顾客。但这与铁路运费毫不相干，因为除了直接收费的专用侧线外，铁路公司不提供专用设备来为特殊顾客服务。

第 3 节

至此我们得出的结论，只是在出售给不同购买者的运输服务不是联合供应的时候，才是有效的。如果运输服务是联合供应的，单纯竞争或服务成本原则将不再意味着，在上一章的那些保留条件下，全部每吨英里的运输必须以相同的价格出售。这就如同每磅牛肉和每磅牛皮并非一定要以相同价格出售那样。因为，当两种以上的商品或服务是某一生产过程的联合产品，提供其中一种产品必然便利于另一种产品的提供时，单纯竞争所导致的，便不是每磅（或其他单位）不同产品价格相同，而是使价格根据需求作出调整，以把所有产品的全部产量都销售出去。因此，如果两种商品 A 和 B 的运输，或为了两种目的 X 和 Y 而对商品 A 的运输，是联合产品，则单纯竞争很可能为它们带来不同的每吨英里运费。所以，确定铁路公司提供的各种服务在多大程度上实际上是上述意义上的联合产品，是非常重要的。

第 4 节

许多权威人士坚持认为，联合成本在铁路运输行业中起着主导作用。他们认为，在一条铁路线上从任何一点 A 至任何一点 B 的煤炭运输和铜运输，从实质上说和从根本上说是联合产品；同样，把商品从 A 运至 B 并在 B 消费，和把商品从 A 运至 B 并进一步运至 C，也是联合产品。这种论点被陶西格教授扩展如下。首先，他说："只要不是为了一个目的，而是为了多种目的而使用很庞大的设备，联合成本的影响就会表现出来"。[①] 而且，"建造铁路的劳动——或换言之，投入铁路的资本——似乎同样有助于每项运输。……不仅铁路的固定资本，而且很大一部分乃至绝大部分营运费用，都是全部运输或大部分运输的共同支出，而不是每项运输的单独支出"。[②] 在陶西格教授看来，大量辅助成本的存在，其本身并不足以带来联合供给。对于联合供给而言，至关重要的是设备用于**不同的目的**。因而他写道："若庞大的设备用于生产一种同质的商品，比如钢轨或平纹棉布，联合成本的特殊效应当然就不会出现"。[③] 而且，他乐于承认，从 A 至 B 运送若干吨不同的货物和为了不同的目的运送相同的货物，确实**在某种意义上**构成了一种单一的同质商品，其原因完全与平纹棉布一样。若干吨的运输服务出售给铜矿主和若干吨的运输服务出售给煤矿主，并不意味着在提供两种不同的服务，这就如同一些平纹棉布出售给一个买主

① 《经济学原理》，第 1 卷，第 221 页。并参见第 2 卷，第 369 页。

② 陶西格，"铁路运费理论"，见里普利的《铁路问题》，第 128～129 页。

③ 《经济学原理》，第 1 卷，第 221 页。

和一些平纹棉布出售给另一个买主，并不意味着在提供两种不同的商品那样。不过，他认为，这些不同的运输，虽然在某种意义上说是同质的，但“在对于我们当前目的而言很重要的意义上——即从**需求条件**的角度看，却不是同质的”。① 因而，他的主要论点是，当一种在生产中一般辅助性成本起很大作用的商品，不是供应给一个统一市场上的不同人，而是供应给许多独立市场上的不同人时，对一个市场的供应就是与对其他市场的供应联合在一起的，以至可以预期，单纯竞争会导致产生发散的价格体系。

当然，联合产品这个词是否应该像陶西格教授认为的那样用于有关的各种服务上，是个文字问题，但这些服务是不是联合产品，**以至可以预期，单纯竞争会导致产生发散的价格体系**，却是个实际问题。在我看来，巨大的共同辅助性成本与被供应以产品的各个市场间的分隔相结合，并不足以使铁路服务在这种——惟一重要的——意义上成为联合产品。它们要成为联合产品，还必须具备另一个条件，就是不仅设备等方面的追加投资要能够交替地用于促进对每一个市场的供应，而且这种追加的投资还要能够用来在促进对一个市场的供应的同时，也促进对另一个市场的供应。这一点可以说明如下。当棉纺织品提供给两个分隔开来的不同市场时，供应这两个不同市场所花费的成本大部分是**共同的**，因为它们在很大程度上是由棉纺织业的辅助费用构成的，而辅助费用无法明确地分摊给为不同市场生产的商品。不过，追加投资不一定会为两个市场的**每一个都**增加产量。如果在增加投资以期，第一

① 《经济学季刊》，1913年，第381页。

个市场得到 x 单位棉布，第二个市场得到 y 单位棉布，那么在增加投资以后，多生产出来的棉布便可以在两个市场之间分配，也可以全部供应给第一个市场，或全部供应给第二个市场。然而，如果是经由同一个过程向两个分隔开来的不同市场提供棉花纤维和棉籽，追加投资则必然会为两个市场的每一个增加产量。在后一种情况下，很容易看出，单纯竞争一般会导致发散的价格。但在前一种情况下，却不会导致发散的价格。因为，如果有一些相互竞争的卖主向一些具有独立需求表的市场供应运输服务或任何其他服务，如果其中一个市场上的价格高于另一个市场上的价格，那么每一个卖主将其提供的服务从价格较低的市场转移到价格较高的市场，就必然对他们是有利的；这一过程最终肯定会把不同市场上的价格拉平。**在单纯竞争占优势时**，不管有关的商品或服务在其生产中辅助成本是不是大于主要成本，这一结论显然都是成立的。因而陶西格教授的论点是不能被接受的。联合供应，从我们在此处使用这个词的意义上说，并不像陶西格教授所认为的那样，普遍存在于铁路运输行业中。①

① 关于联合成本与铁路运输服务的关系这个一般问题，参看我与陶西格教授之间展开的讨论，载于《经济学季刊》，1913 年 5 月号和 8 月号。还应该补充两点。

首先，有人认为，联合成本这一概念，从正文所赋予的意义上说，只有在只生产一种商品，而且制造商品的加工单位相对于商品单位而言较大时，才能够运用。例如，当边际加工单位生产 100 个产品单位时，便可以认为，100 个产品单位产生的价格足以报偿一个加工单位，但是，对于供应者而言，这 100 个单位的总价格究竟是由什么样的单个价格构成的，却无关紧要。不过，这种观点，**在以上述一般形式陈述时**，忽略了这样一个事实，即：不仅可以通过从每 100 个加工单位的成果中减去一个单位而去除 100 个产品单位，而且还可以通过取消一个加工单位而去除 100 个产品单位，因而在自由竞争的条件下，如果任何产品单位被拒绝给予同一个加工单位供给价格的百分之一同样

第 5 节

与此同时，应该清楚地认识到，在铁路公司提供的服务中，联合供给确实起着**某种**作用。在从 A 至 B 的运输和从相反方向 B 至 A 的运输之间，情况显然就是这样。铁路公司的组织结构与轮船公司一样，要求从 A 行驶至 B 的车辆，随后从 B 返回 A。在行驶的车辆上增加 100 万镑支出，必然既增加车辆从 A 行驶至 B 的次数，又增加车辆从 B 返回 A 的次数。这意味着真正的联合供给。

高的价格，人们很自然地便会采用后一种去除方法。这表明，在同一时间用相同的加工方法生产的实质上相同的产品，**一般说来**，在任何意义上都不是联合产品，即使边际加工单位较大。但这种答复与我们讨论的问题无关，只要实际提供的加工单位的数目是实际可以提供的最小数目，就无法排除联合供给这一概念。在这种情况下，便没有什么东西与正文中的分析不相容，也就是说可以把由此生产出来的产品单位看作是联合供应的。穿过任何地区建造有可能建造的造价最低的铁路，其成本便是该铁路提供的各项服务的联合成本。沿着这条分析思路，可以得出第 8 节沿着另一条分析思路得出的结论。就有可能建造的造价最低的铁路这一特殊问题而言，这两条分析思路是同样有效的（参见《经济学季刊》，1913 年 8 月号，第 688 页）。然而，因为借助于联合供给的分析只适用于一种特殊类型的问题，而正文中即将采用的那种借助于歧视性垄断的分析适用于所有问题，所以应该给予后一种方法以优先权。

其次，如果愿意的话，联合供给这一概念，可以运用于相同的固定设备在不同的时间提供的相同服务。例如，可以把铁路公司为夜间旅行和白天旅行提供的服务称为联合供给，据此而收取不同的运费。这一因素对于电费来说特别重要。因此也就有理由设计一种差别电费制，以使全天或全年的电力供应差不多相等。如果我们把两个时间提供的服务视为相同的服务，但来自不同的需求，便可以从不同的途径得到相同的结果。相对于**在相同时间**运送不同货物的铁路而言，不同之点是，能够对这条铁路进行调整，以便在运送 A 的时候不牵涉运送 B 的能力；但是，一条适合于白天运送 A 的铁路，必然也有能力在夜间运送 A。当然，如果指望资本设备在**规定的使用时期**而不是在规定的时期维持其全部价值，则这一不同之点便会丧失其大部分意义；因为这样一来，目前较少的夜间使用，就会使以后较多的白天使用成为可能。但实际上，大部分设备不管使用不使用，都会**随着时间的推移**而耗损；例如，铁轨和枕木会在气候的作用下变质（参见沃特金斯，《电费》，第 203 页），还会变陈旧。

因此，一般说来，竞争性的铁路和船舶运费制不会使从 A 至 B 的旅程和从 B 至 A 的旅程运费相同，而是会使需求较高的方向运费也较高。当然，正是由于这一原因，对于价值相同的商品来说，从英国运出的运费一般要低于运入的运费。我国的进口商品主要是粮食和原料，出口商品除了煤炭外，主要是制成品，前者自然对船舶舱位的需求较大。假如不是我国出口煤炭的话，这种差距会比现在大得多。在美国，货物的向东运输和向西运输——旅客运输并非如此——之间，也存在着类似的关系；因为“那些向世界供应粮食和原料的人，要比他们购买的数量需要多得多的吨位”。[①] 不过，这种联合供给的重要性较小。与铁路经济学家们的一般看法相反，铁路公司提供的大部分服务不是联合供应的。因而我们得出的结论是，在第 2 节列出的那些保留意见的约束之下，对于所有商品而言，不论是什么商品，也不论它们是在 B 消费，还是从 B 进一步运送到“长途运输”的某一更远的地点，单纯竞争都会导致出现相等的每吨英里运费制。

第 6 节

“服务价值原则”或第三种程度的垄断**加**歧视的具体含义较为复杂。上一章已说明，采用这一原则的垄断者会把他控制的整个市场划分为若干较小的市场，通过在它们之间实行差别待遇，获取

① 参见约翰逊，《美国的铁路运输》，第 138 页。应该指出，虽然在铁路的头等客舱服务和三等客舱服务之间没有什么联合性，但在船舶的头等客舱服务和三等客舱服务之间却很可能有很大的联合性；因为船舶的结构必然导致在同一时间提供较多的舒适客舱，或较少的舒适客舱。

尽可能大的总利益。并进一步说明，旨在最有效地达到这一目的的那种划分，会在实际情况允许的范围内，这样安排各个市场，那就是，使每一价格较高的市场包含尽可能少的需求，并使其需求价格低于下一个市场上的最高需求价格。一旦划分完这些较小的市场，确定在这些市场上将要收取的运费，就没有什么分析上的困难，而可以用简单的数学公式来表示。[①] 的确，并不像一些人认为的那样，如果采用这种方法，向不同市场收取的相对运费，就仅仅取决于这些市场上（相对于某一未指明的产量而言）需求的比较弹性；同样，认为它们仅仅取决于这些市场上（还是相对于某一未指明的产量而言）通行的比较需求价格，也是不正确的。真正的决定因素是不同市场上完整的需求表所反映出来的整体情况。[②] 不过，这个决定因素虽然一般说来很复杂，可是一旦不同市场的结构确定下来，就会变得很精确。真正的困难在于，铁路公司事实上必须在实际情况的限制下，对各种潜在的小市场制作出选择。（从铁路公司的观点）寻求最为有利的小市场制，实际上已导致产生了精

---

① 例如，令 $\phi_1(x_1)$，$(\phi_2)x_2$…表示 n 个单独市场上的需求价格，令 $f(x)$ 表示供给价格。

在第三种程度的垄断加歧视之下，各个市场上的价格由 $\phi_1(x_1)$，$\phi_2(x_2)$…的数值给出，这些数值满足以下形式的 n 个方程：

$$\frac{\partial}{\partial x_r}[x_r\{\phi_r(x_r)-\Sigma x_r f(x_1+x_2+\cdots)\}]=0.$$

这些 n 个方程足以确定 n 个未知数。

② 当表示需求表的曲线是直线时，这个复杂的决定因素就会分解为一个简单的决定因素，即在各个市场上需求最为强烈的那些单位的比较需求价格。在这种情况下，如果供给价格保持不变，则可以证明，每一市场上的垄断价格，等于供给价格与每一市场上需求最为强烈的那一单位的需求价格之差的一半。

细的客运分类方法和货运分类方法。为了实际说明服务价值原则的运用情况,需要对这些分类方法作一些描述。

在客运方面,铁路公司发现,最能满足服务价值原则的,是主要依据不同人群的相对财富进行分类的方法,其假设是,富人对运输的大部分需求产生的需求价格,要高于穷人对运输的大部分需求产生的需求价格。由于无法直接根据财富的差异进行分类,所以便借助于一般与不同程度的财富相联系的各种标志或象征。例如在美国,某些铁路公司对移民收取特别低的票价,低于对美国本地人收取的票价,即使后者愿意乘坐移民专用车厢旅行。[①] 某些殖民地根据旅行者的**肤色**实行差别票价;黑人一般被认为不那么富裕,被收取比白人低的票价。[②] 在英国,更为明显地是在比利时,[③]铁路公司对工人收取特别低的票价。这恰似伦敦一些店主的做法,他们对住在富人区的顾客索要与其他人不同的价格,剑桥的小船出租人也是这样,他们过去常常对五个人集体租用一条小船一个下午,索价 5 先令,而对于一个人租用这条船,索价 1 先令。不过,仅仅依据财富标志作的分类,有点粗糙,因为具有相同财富的人对于某一旅行的欲望,在不同时间强度是不同的。铁路公司由于意识到了这一点,进行了各种交叉分类,依据的事项有舒适程度、速度快慢、旅行时刻、假设的旅行目的,等等。因而,头等车厢的票价,或特别快车的票价,要高于次等车厢的票价,或慢车的票

① 《经济学季刊》,1910 年 11 月号,第 38 页。

② 参见科尔森,《政治经济学教程》,第 6 卷,第 230 页。

③ 参见朗特里,《土地与劳动》,第 289 页。

价，且高出的幅度要大于提供这些不同种类的服务在成本上的差异；[①]有时对清晨的旅行收取特别低的票价。[②] 同样，有时以特别优惠的条件出售游客票、周末票和观光票，试图以此把需求可能较低的假日旅行同必要的商务旅行区分开来。

在货运方面，铁路公司发现，最能满足服务价值原则的，是主要依据所运输的不同货物的相对价值进行分类的方法，其假设是，价值较高的货物对运输的大部分需求产生的需求价格，要高于价值较低的货物对运输的大部分需求产生的需求价格。作出这种假设的根据如下。将任何货物的第 n 个单位从 A 运至 B 的需求价格，可以用假如这第 n 个单位没有运输的话，该货物在 B 的价格超出它在 A 的价格的幅度来衡量。但是，根据分配法则，任何物品在 A 和 B 的价格愈高，该物品在这两个地方可能存在的价格差异（假如这两个地方没有被运输连接起来的话，就会出现差异）也就愈大；这恰似白杨树在 A 和 B 可能存在的高度差异，要大于卷心菜在这两个地方可能存在的差异那样。没有理由认为，价值高的货物在价格上的百分比差异，要大于价值低的货物，但却有理由认为，前者的绝对价格差异较大。仔细研究一下英国各家铁路公司根据铁路运费和收费法案采用的分类方法，便可知道，它们基本上都把有关货物的价值当作分类的基础。总体说来，任何等级的

① 科尔森先生提出了一种方法，根据这种方法，所有列车都应接受三等乘客，快车收取增补价；他认为，这种方法要优于欧洲大陆现行的方法，在这种方法下，想要乘坐快车旅行的乘客必须支付三等票价和二等票价之间的全部差额。

② 参见马海姆，《工人月票》，第 12 页。

货物愈便宜，它在分类表中的位置愈低。[①] 同样，美国铁路委员会的一些决议也建立在这样提议之上，即：较便宜的物品在分类表中的等级，不应高于较昂贵的物品，例如制作椅子的材料不应高于制成的椅子，葡萄干不应高于干果，等等。[②]

有时，对于公司或主管部门来说，直接按照货物的价值进行分类，实际上很不方便。此时，根据一些标志进行分类，也可以获得同样的结果，这些标志的差异很可能与价值的差异相一致。因而，既然价值高的货物一般说来要比价值低的货物包装得好，运费有时也就随着包装的精细程度而变化。例如在法国，由于上等酒一般"用 220 至 230 升的小酒桶"装运，普通酒"用 650 至 700 升的大酒桶或罐车"装运，[③]因而对用"小酒桶"装运的酒收取的运费较高。

必须补充说明的是，同客运一样，对于货运来说，完全依据所运输的货物的价值作的分类，也必然是有点粗糙的。因而，也采用了依据其他事项作的交叉分类。例如，在从 A 运至 B 的每一类价值给定的货物之内，可以再细分为 B 很容易自己制造或很容易从 A 以外的地方得到的货物，以及 B 不能自己制造或无法从 A 以外的地方得到的货物；对于后一类货物就可以收取较高的运费。而且，在由相同货物构成的同质类别之内，可以再划分小类别。例如，有在英国收获季节之前的几个星期从德国进口到英国的蔬菜，还有在收获季节之后从德国进口到英国的蔬菜，后者往往被收取

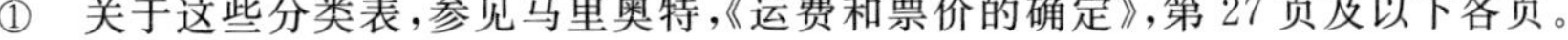

① 关于这些分类表，参见马里奥特，《运费和票价的确定》，第 27 页及以下各页。

② 参见《经济学季刊》，1910 年 11 月号，第 13、15 和 29 页。

③ 科尔森，《政治经济学教程》，第 6 卷，第 227 页。

较高的运费。从法国南部运往北部的蔬菜，也是如此。[①] 有时还试图根据用途对运输相同的货物收取不同的运费，例如把建筑用砖、铺路用砖和耐火砖置于不同的收费等级。不过，应该指出，美国州际商业委员会拒绝承认以此为基础所作分类的有效性。[②] 更为重要的是根据最终目的地作的细分。例如，由 A 运至 B 而在 B 消费的货物和由 A 运至 B 而由 B 进一步运至 C 的货物，被置于不同的类别，并被收取不同的运费。原因是，世界不同地区在性质上的差异，不与距离上的差异成比例。没有什么理由先验地认为，在 B 生产某种商品的成本与在 A 生产该种商品的成本的差异，会因为 A 在 500 英里以外而不是 100 英里以外而更大。因而，对第 r 英里运输的需求，在长途货运中很可能要比在短途货运中小。这一点特别适用于粮食、原料等，它们实际上适合于在范围广阔的气温和气候条件下生长。但它也与所有种类的商品有某种关系，因而毫无疑问，导致产生了在英国、法国和德国通行的各种适用于货物（而不是旅客）的运费递减制。[③] 不过，当 A 与 C 不仅由 A 至 B 的铁路**加** B 至 C 的更多铁路或水路相连接，而且还由直接的水路相连接时，实行差别运费的理由更加有力得多。在这种情况下，将任何一种货物从 A 运至 B 并在 B 消费的**许多**运输单位的需求价格，很可能要远远高于将该种货物从 A 运至 B 并进一步从 B 运至 C 的**任何**运输单位的需求价格。据此进行的分类，导致了经由利物浦进口的货物从柴郡运至伦敦的运费，远远低于柴郡自己生产

① 科尔森，《政治经济学教程》，第 6 卷，第 227 页。

② 里普利，《铁路、运费和管制》，第 318 页。

③ 参见马里奥特，《运费和票价的确定》，第 43 页。

的相同货物从柴郡运至伦敦的运费。根据相同的原则，“普鲁士邦铁路公司对于将粮食从俄国运至外国（瑞典、挪威、英国等），准许收取特别运费；从边境至德国各港口、柯尼斯堡、但泽等每公里每吨的运费，要低于德国谷物在这些相同地点间的运费。……有人指出，准许收取这种特别低的运费，目的是确保普鲁士的铁路得到这些货物，因为这些货物不一定非得经过普鲁士的铁路线，而可以经由里加、雷瓦尔和利博运输，假如不降低运费，很可能就会这么做”。①

第 7 节

现在，我们可以从国民所得的观点，对服务成本原则和服务价值原则加以对照比较了。众所周知，人们一般认为，根据服务价值原则，或换句话说，根据货物所能承受的程度来确定运费，无疑要优于另一确定运费的原则。然而，在我看来，这种流行的观点主要建立在两种混淆的基础之上。第一种混淆源自这样的假设，即：铜的运输和煤炭的运输，以及需要进一步的运输时从 A 至 B 的运输和不需要进一步的运输时从 A 至 B 的运输，是联合产品。第 4 节已证明，这种假设是没有根据的。而且它还借助于另外一种假设，即：根据相对的边际需求为联合产品收费，就是依据服务价值原则收费。这种假设与前一种假设一样，是没有根据的。稍微思考一下便会明白，以这种方式为联合产品收费，遵循的是服务成本原则的指导，或换句话说，遵循的是单纯竞争的指导。第二种混淆可称

① 《铁路公会报告》，1909 年，第 99 页。

为张冠李戴。有人试图证明，服务价值原则，从歧视性垄断的严格意义上说，要优于单纯垄断。于是他们指出，在对铜的运输和煤炭的运输收取相同运费的情况下，如果垄断者所能规定的对自己最为有利的价格会使他完全停止运输煤炭，而继续以较高的运费运输铜，那么允许在这两种运费之间有差别，就会增加国民所得。[①]很显然，这种论点虽然就其本身而言是正确的，但却与第三种程度的歧视性垄断优于单纯竞争而不是优于单纯垄断这一问题毫不相干。澄清了这些混淆后，就可以把服务价值原则与服务成本原则之间的问题，视为上一章阐述的第三种程度的歧视性垄断与单纯竞争之间的那个一般问题的特例。

第 8 节

有关那个问题的讨论得出的结论是，一般说来，单纯竞争更加有利。然而，在一些情况下，有利与不利是共存的。这些情况是，虽然找不到统一的价格来收回生产**任何**产量的费用，却可以实行差别价格制来使**某种**产量有利可图。哈德利校长举例说明了这一点，所举的例子是两种不同的运费，一种是对由 A 运至 B 而在 B 消费的货物收取的运费，一种是对由 A 运至 B 而由 B 进一步运至 C 的货物收取的运费。他写道："假设问题是，是否能在两个大城市之间的乡村地区修建一条铁路，在这两个大城市之间具有水路交通，而在它们之间的乡村地区却没有"。为了对付水路的竞争，从一端 A 运送到中间一点 B 的运费，对于要进一步运送到另一端

① 参见前面第 2 编，第 17 章，第 13 节。

C 的货物来说，必须很低；如此之低，以致如果将其运用于从 A 至 B 的所有运输，将使经营这段铁路无利可图。但是，就留在 B 的货物而言，对于从 A 至 B 运输的需求却非常小，单独这种需求无法支撑这段铁路的运营，无论运费定得多么低或多么高。“换言之，为了能够生存下去，该铁路必须做到两件不同的事情，一是对当地的货物收取高运费，二是对经过各个地点的大批货物只能用低价吸引。想要经营该铁路，就得实行差别价格。”[①] 如果不实行差别定价，就不会有足够的运量产生充足的收入来负担生产支出，那么便可以构筑与上面完全相同的论点，支持对不同产品收取差别运费。依据同样的原则，可以认为，在某些情况下，应该允许迂回线路在其两个终点之间收取特别低的运费，以防止在两个终点之间建立直达线路；因为，如果不这样安排的话，就不会修建迂回线路，迂回线路也不会赢利，它可能为之服务的中心地区便会遭受损失。我完全同意，确实**可能**会出现这种情况。但哈德利校长及其追随者，却不满足于证明有可能出现这种情况，而是不加论证地暗中补充说，这是整个铁路界的典型情况，进而以为自己证明了，制定所有铁路运费时都应遵循服务价值原则。这样一种未加论证的推论，显然是不合法的。必须进行仔细的研究，才能确定在何种范围内和在什么条件下，有理由实际推广应用服务价值原则。

① 《铁路运输》，第 115 页。可以想象，在这种情况下，有人会反对修建铁路，认为铁路会严重损害与其竞争的水路运输业，而完全抵消铁路带来的好处。不过，可以证明，只要整条铁路能维持运行，这种反对意见就是站不住脚的。参见前面第 2 编，第 9 章，第 11 节。

第 9 节

从分析的观点看，情况很简单。正如上一章说明的那样，第一种程度的垄断**加**歧视要创造出单纯竞争不能创造出的产量（我采用最简单的情况，即一个市场上的需求独立于另一个市场上的价格），需求和供给的一般条件之间就必须存在该章所描述的某些关系。使第三种程度的垄断**加**歧视能够得到这一结果的条件则不那么明确。一般说来，使第一种程度的歧视获得成功的条件，并不会使第三种程度的歧视也获得成功。不过，我们可以大致得出结论说，当第一种程度的歧视很有可能获得成功时，第三种程度的歧视获得成功的机会也很大——相互之间价格不同的市场愈多，市场结构从垄断者的观点看愈令人满意，获得成功的机会就愈大。我们的问题是，弄清实际出现这种状况的可能性有多大。

首先，前面已说明，在供给价格递减法则起巨大作用的各种投资中，这种可能性最大。[①] 就铁路而言，有理由相信，只有在达到相当成熟的发展阶段时，一般才能满足这一条件。原因是，实际上只有在具有某一最低运输量的情况下，才能进行铁路的固定设备投资。每星期运送一英两货物的铁路运输总成本，几乎与运送几千吨货物的总成本一样大。因为在勘探和请律师、架桥通过山谷和河流、开凿隧道、修建车站和月台等方面，必须承受相同的巨额开支。这意味着，只有在进行了大量投资后，供给价格递减法则才会起巨大作用，在这之后，作用会减小。所以，就此而言，歧视性垄断优于单

① 参见前面第 2 编，第 17 章，第 9 节，以及附录Ⅲ，第 26 节。

程竞争的条件，在铁路运输业中要比在其他产业中更有可能出现。

其次，前面已说明，在产品需求具有弹性的各种投资中，歧视性垄断带来某些产量而单纯竞争不带来任何产量的可能性最大。[①] 在铁路运输业中，当运费已降低到相当低的水平时，我们有理由相信，小幅降低运费会引起需求大幅增加，这种需求不仅来自于否则会由其他交通工具运输的货物，而且还来自于否则根本不会运输的货物。换言之，有理由相信，需求一般说来是有弹性的。因而，此处也可以说，同某些其他产业相比，铁路运输业更易于产生适合歧视性垄断的条件。

然而，尽管只有在已达到相当大的运输量时，供给价格递减的法则才会起巨大作用，尽管对铁路运输服务的需求是具有弹性的，可是单单这两个条件并不足以确保歧视性垄断会带来某些产量，而单纯竞争不带来产量。所需要的另一个条件是，对于少量的运输服务来说，需求价格和供给价格的实际水平——更为一般地说，是整个需求表和供给表——必须以某种特殊方式相关联。显而易见，如果对于少量的运输服务来说，需求价格高于供给价格，单纯竞争就会带来某些产量，因而也就不会出现我们所说的那种情况。同样，显而易见，如果对于少量的运输服务来说，需求价格远远低于供给价格，那么无论是在单纯竞争之下，还是在歧视性垄断之下，都不会有任何产量，因而也不会出现我们所说的那种情况。要出现我们所说的那种情况，似乎必须确立某种中间位置。因此，一方面，受影响的地区交通不能太繁忙，人口不能太稠密；另一方面，

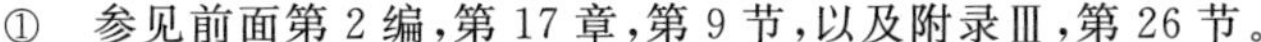

① 参见前面第 2 编，第 17 章，第 9 节，以及附录Ⅲ，第 26 节。

交通也不能太不繁忙，人口太稀少。需要有某种中等范围的交通和人口。这种范围与整个可能的范围相比较，自然不是很广泛。因而，在随便选择的任何一条铁路上，似乎先验地不大可能出现使歧视性垄断比单纯竞争对国民所得更为有利所需的那些条件。固然，有许多从事实际工作的专家认为，可能性还是不小的。但是，正如强调这一点的艾奇沃斯所承认的，“高级权威人士假如充分认识到并反复强调与他们的证言相反的先验的不可能性，那他们的证言会具有更大的分量”。[①]

第 10 节

不过，必须指出，在任何国家，随着人口和财富总额的增加，沿着任何一条指定的线路，对铁路运输服务的需求都会逐渐增加。因而，虽然在某一随机选定的时刻，影响随机选定的线路的条件，不可能使基于服务价值原则的铁路运费制比基于“服务成本原则”的铁路运费制，更加有利于国民所得，但是，随机选定的线路却有可能**经过这样一段时期**，在这段时期，恰好具有前面所述的那种条件。当财富和人口的增长达到某一点时，往往就会出现这种条件，当稍后达到另一点时，这种条件往往就会消失。如果普遍盛行服务成本原则，如果不给予国家补贴，那么只有在达到后一点时，才会修建某些线路（当有希望通过对供给的体验“建立起”需求时，这一点当然不必是铁路在此刻就赢利的那一点），尽管在达到前一点时，修建这些线路对社会就是有利的。由此得出的推论是，当某一

① 《经济学杂志》，1913 年，第 223 页。

线路处于这两个阶段之间的中间阶段时，便应采用差别价格亦即服务价值原则，而一旦人口和需求大幅增加，使该线路脱离这一中间阶段，服务价值原则便应让位于单纯竞争亦即服务成本原则。[①]在大多数普通线路上，适合于采用服务价值原则的时期，似乎是比较短暂的。[②]

第11节

甚至服务价值原则的这种有限运用，也只是建立在这样的假设基础之上，即：在纯粹的服务价值原则和纯粹的服务成本原则之间没有第三条道路可走。然而实际上，是有第三条道路可走的。可以在坚持服务成本原则的同时，给予国家补贴。显然，借助于补贴的帮助，在服务成本原则之下，可以完全像在没有补贴的服务价值原则之下做到的那样，加快铁路的建设。整个社会将从税收中

① 比克迪克先生（见《经济学杂志》，1911年3月号，第148页）和克拉克先生（见《美国经济协会会刊》，1911年9月号，第479页）实际上认为，从一种制度向另一种制度的转变，不是出现在日益增加的需求使铁路脱离上述阶段的时候，而是出现在需求大幅增加，以至与供给曲线相交于斜率由正变为负的那一点的时候。在我看来，这种观点没有充足的根据。

② 根据与上面相同的思路，可以认为，在建造了一条铁路和这条铁路采用服务成本原则达到了赢利运营的阶段以后，便立即达到了另一阶段，在这个阶段，回复到服务价值原则，将能够在给社会带来利益的情况下铺设第二条铁路，虽然在基于服务成本原则的运费制度下，这样一种扩展对于铁路公司而言还是不赢利的。该论点为建立差别运费制，**只将其运用于新铁路运输的货物**提供了根据；而且这种论点经过修改，可以为建立差别运费制，将其只运用于**新增的**车辆运送的货物提供根据，而如果不采用差别运费，则根本不值得营运新车辆。但实际上，不可能以这种有限的方式运用服务价值原则。如果引入服务价值原则，将其运用于第二条铁路或新增车辆运送的货物，那么该原则在实际生活中就必须运用于这条线路上运送的所有货物。上述论点并没有证明这样做是有道理的。

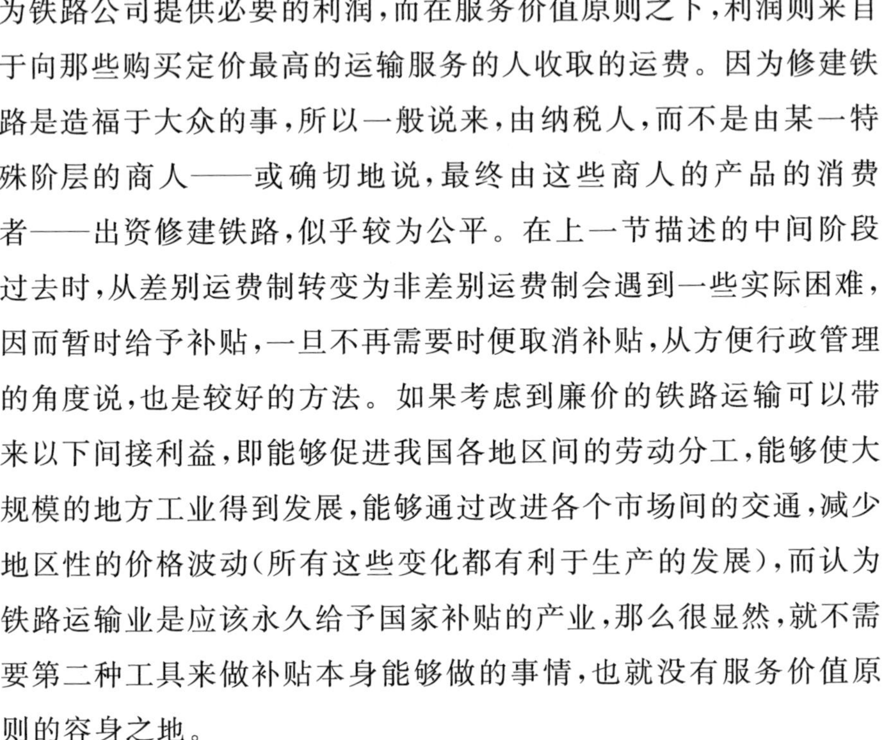

为铁路公司提供必要的利润，而在服务价值原则之下，利润则来自于向那些购买定价最高的运输服务的人收取的运费。因为修建铁路是造福于大众的事，所以一般说来，由纳税人，而不是由某一特殊阶层的商人——或确切地说，最终由这些商人的产品的消费者——出资修建铁路，似乎较为公平。在上一节描述的中间阶段过去时，从差别运费制转变为非差别运费制会遇到一些实际困难，因而暂时给予补贴，一旦不再需要时便取消补贴，从方便行政管理的角度说，也是较好的方法。如果考虑到廉价的铁路运输可以带来以下间接利益，即能够促进我国各地区间的劳动分工，能够使大规模的地方工业得到发展，能够通过改进各个市场间的交通，减少地区性的价格波动(所有这些变化都有利于生产的发展)，而认为铁路运输业是应该永久给予国家补贴的产业，那么很显然，就不需要第二种工具来做补贴本身能够做的事情，也就没有服务价值原则的容身之地。

第 12 节

关于服务成本原则或单纯竞争下的价格和服务价值原则或歧视性垄断价格之间的相对优缺点，需要说明的就是这些。然而，还有另一种可以作出的安排。可以这样来控制铁路公司，使它总体说来只能获得竞争性利润或正常利润，但这种利润可以通过低于成本的收费与高于成本的收费相结合来获得，正如医生的利润可以通过向穷病人收低价而向富病人收高价来获得那样。在铁路运输服务的一个方面，显然有理由作出这种安排。出售廉价的工人车票，可以获得巨大的社会效益；因为如果情况顺利，这会使工人能够住在乡间，而在城里上班，从而能够在健康的环境中养育他们的孩子。[①] 如果强迫铁路公司（假设它们的收入被管制措施压低至正常的竞争水平）这么做，同时允许铁路公司通过对其他运输服务收取“垄断”运费而得到补偿，便能够确保向工人出售廉价车票。然而，很显然，用国库收入提供铁路公司所需的补偿，也能达到完全相同的结果。似乎没有充足的理由把这一负担加在购买铁路运输服务的人身上，而不加在一般纳税人身上。因为，虽然铁路运输服务可能是借以向这些人征税的适当对象，但我们却不能认为，通过这种对象而向这些人征收到的税款，正好等于向购买铁路运输服务的穷人提供补贴所需的资金数量。更没有理由允许不以购买者的利益决定差别运费，而听凭铁路公司随意决定差别运费。因而这种差别运费连同利润受管制的制度，总的来看，不能说是合理的。于是便只剩下了服务成本原则，需要的话，有时用一般性补贴加以修正，有时用给予特殊服务的补贴加以修正，这些服务故意以低于成本的价格出售。

第 13 节

最后尚有一点需要指出。正如第 2 节所说明的，正确运用这

① 在比利时，廉价工人车票制，已实施得很完备，似乎就起了这种作用（参见朗特里，《土地与劳动》，第 108 页）。马海姆博士也在某种程度上持这种观点，认为廉价工人车票制之所以会起这种作用，是因为比利时是一个“大城镇”国家，而不是一个“大城市”国家，其居住在5,000至20,000人的城镇中的人口，远远多于法国和德国（《工人月票》，第 149 页）。与此同时，马海姆博士承认，廉价车票也有负面影响。“人们开始时是去城里或工厂，每天晚上或每个星期六返回家里；然后逐渐熟悉了新环境，最后便定居在城里”（同上，第 143 页）。实际上，廉价车票“教会了人们如何移居到城里”。

种服务成本原则，需要进行一些精细的调整。因为该原则并不是为每个人制定一种价格，而是制定多种价格，这些价格随着各项服务的附带成本而变化，并随着相对于负荷高峰而言提供服务的时间而变化。实际进行这样的调整，是非常麻烦的事情，牵涉到费用高昂的技术和会计问题。所以，问题总是在多大程度上接近理想目标是合乎需要的；在哪一点上，进一步接近理想目标所得到的利益，就会被这样做产生的复杂情况、不方便和开支所抵消。在电话服务的早期，由于希望简单而方便地收费，对电话的使用采用了单一收费制，不考虑呼叫的次数；水费甚至现在常常也不是根据实际计量的供应量收取，而是根据房屋租金估算出的可能的使用量收取。在电力方面，虽然已设计出了精巧的电表，不仅能记录供应量，而且还能给负荷高峰的用电加较大的权数，可是由于电表成本高昂，在许多地区对小房屋的用电还是不予计量，而收取统一的电费。同样，虽然对于包裹的运输，一向认为在收费上值得考虑重量的不同造成的服务成本差异，但在信件运输方面，却没有这么做；而且，无论是包裹还是信件，都未按照（在英帝国之内）运送的距离收费。出于同样的简便和廉价的考虑，铁路管理部门即使已决定根据服务成本原则收费，也不得不在相当大的程度上忽略不同旅客携带的行李在重量上的差异。据此看来，铁路管理部门决定采用分区收费制，并不一定背离服务成本原则的精神。市内有轨电车系统显然就是这么做的；仅仅由于没有比四分之一便士更小的硬币，实际上便无法对每一不同的旅行距离规定不同的票价。只要区域狭小，普通铁路运输就有同样充分的理由采用分区收费制。然而，如果区域广大，采用分区收费制便是故意违反服务成本原

则。在广大的区域内对所有地点收取相同的运费，就是在优待距离市场遥远的厂商，而虐待距离市场较近的厂商。其实，这是在给予前者一种补贴，而由后者付费。固然，可以证明，优待某一供给来源，而虐待另一供给来源，在某些情况下，如果以某种方式这么做的话，可能有利于国民所得。然而，产生于分区收费制的那种差别待遇，却是随机的，并不是特意要优待某些精心挑选出来的厂商。因此，总的说来，它就像是把**相同的**厂商分为两组，优待一组，虐待另一组。这种差别待遇会使一部分商品的生产（包括运输在内）花费过大的实际成本；因为在遥远的地方生产某种商品并把它运到市场的实际边际成本，肯定要大于在近处生产该商品并把它运到市场的实际边际成本。[①] 有人会认为，由此造成的直接损失会被分区收费制的这样一种作用抵消掉，即分区制会使属于某一产业的厂商布局分散，从而使它们比较难于联合，采取有害于社会的垄断行动的机会也比较少。[②] 但这一论点似乎没有多大说服力。大生产单位会产生规模经济效应，因而阻止形成这种生产单位，实际上是不可取的。正如马上将要论证的那样，比较好的政策似乎是，直接克服联合以及垄断行动带来的有害结果，而不是通过阻止联合间接地克服它们。[③]

① 参见《经济学季刊》，1911 年 2 月号，第 292～293、297～298 和 300 页；并参见《铁路运费部际委员会》，第 10 页。

② 参见《经济学季刊》，1911 年 5 月号，第 493～495 页。

③ 参见后面，第 2 编，第 21 章，第 2 节。

第 19 章　购买者协会

第 1 节

前面几章得出的结论表明，在许多产业中，无论是单纯竞争或垄断竞争，还是单纯垄断或歧视性垄断，都不会使这些产业中社会净边际产品的价值等于一般社会净边际产品的价值，因而它们既不会使国民所得最大化，也不会使经济福利最大化。不过，我们或许已经注意到了，截至目前所研究的制度都是这样的制度，在这些制度之下，商品由一些人生产出来，出售给另一些人。因而这些制度导致的调整不当，都源于此。于是人们自然会提出这样的问题，这种调整不当难道不能由购买者自发建立的、自我供给所需商品和服务的团体予以消除吗？

第 2 节

购买者协会不论是由商品或服务的最终消费者组成，还是由利用购买的东西从事进一步生产的生产者组成，其本质都是使购买者的总利益减总成本最大化。因此，它必然会引出这样一种产量，该产量尽管会使这些购买者以外的人也受到影响，但却能使生产该产量的资源的社会净边际产品的价值等于一般资源的社会净边际产品的价值。也就是说，在其他条件不变的情况下，它必然会在很大程度上消除垄断和单纯竞争这两者带来的不和谐。不过，这一初步的抽象说明并没有解决我们的问题。仅仅知道**在其他条件相同的情况下**，购买者协会有利于国民所得，这是不够的。在我们能够据此就购买者协会在实际生活中的作用作出任何推论以前，我们需要弄清，在原始经济效率方面，它们与一般商业企业相比较情况怎样；因为很显然，如果购买者协会在生产方面没有效率，那么它在价格策略方面可能享有的优势，从而在不同用途之间配置资源方面享有的优势，就会被抵消。

第 3 节

作为这项工作的前奏，需要提醒人们提防某些混淆。首先，我们绝不要以为，购买者协会与其作为单独个人的会员相比较，在某些方面具有较高的效率。很显然，有一些服务，许多人对其需要的数量很小，但若大批量地生产却经济得多。一个恰当的例子是某些农产品的销售服务，这些农产品小农以很小的数量生产且质量不同。具有规模经济效应的销售，要求对质量细分等级，较为连续地供应各个等级的产品；而小农则试图单独出售其黄油或鸡蛋，经营规模不够大，无法令人满意地满足上述要求。因而，里德·哈格德谈到丹麦时写道："1882 年，所谓'小农黄油'的售价要比大农场生产的一级黄油低 33%，但到 1894 年，合作出售的黄油（这些黄油当然大都来自于小农场）就比大农场生产的黄油获得了更多的奖项，过去所谓的二级和三级黄油作为丹麦的一种商品不复存在了"。[1] 然而，尽管由于这类原因，制造黄油，熏制火腿和出售鸡蛋

① 《丹麦的农业》，第 195～196 页。

为合作原则的运用提供了绝佳机会，但这个事实却与我们当前讨论的问题无关，因为它们也为商业原则的运用提供了绝佳机会。[①]的确，在这方面，购买者协会的经营成本要大大低于单个小农；但是，向小农出售营销服务的一般商业企业，也完全是这样。R. H. 鲁爵士提供了两个例子："一个是法国的黄油生意。这是由诺曼底和布列塔尼的商人——其中一些是英国人——建立起来的，他们在当地市场上从农民手中购得黄油，然后在搅拌房中加工。另一个例子是苏塞克斯郡希思菲尔德地区的家禽生意。这里的做法是，由所谓'催肥者'或'讨价还价者'从养鸡者那里收购小鸡；然后适当催肥，宰杀和加工，再由运输业者或铁路货运代理人收购，运往伦敦或其他市场。这两个例子都在没有成立合作社的情况下实现了完全的组织化"。[②] 其次，我们千万不要过分强调英国合作商店的历史。原因是，当购买者协会这一手段被引入零售业时，与其相对立的方法是否得到了很好的运用，非常值得怀疑。部分由于不同商店间的不完全竞争，并非所有潜在的规模经济效应都已得到了利用。[③]

① 有人指责说，最终消费者以外的人们建立购买者协会，会使这些协会能够对最终消费者采取垄断行动，这种指责同样也是不相干的，因为建立商业企业也能做到这一点。

② 鲁，《有关农业的无稽之谈》，第120页。

③ 不过，必须注意，不要把零售业中必然发生的、公众愿意支付的那些费用视为浪费。想象一下，任何一个打算购买一双鞋或一套衣服的人，被要求提前一两个星期发出购买通知单，预先说明所要购买的东西，然后接受指定的购买时间和地点。由此很容易看出，为什么零售业务能够制度化，为什么销售人员会经常得到雇用，为什么存货会经常保持在最低水平。目前的情况是，我们为享有自由利用时间的特权，为犹豫不决和挑挑选选，为维持足够的存货和人员来满足所有的爱好和应付所有的紧急情况，不得不付出高昂代价。人们常谈论竞争造成的浪费；其很大一部分实际上是自由不可避免地带来的浪费。

即使从他们自己的观点看，“零售商开的商店也过多了，花费了过多的精力和金钱来吸引为数不多的顾客，然后又必须小心照料他们，以使他们最终为赊购的商品付款；对于所有这一切，零售商都得付出成本。……零售业是一个可以自由进入的行业——马歇尔也许并不认为家务管理和烹调是一个行业——其中有巨大的规模经济效应有待实现”。[①] 这种观点被帕累托的观察所加强，帕累托指出，零售商店轻而易举地就被竞争挤垮了，不仅有合作社的竞争，而且还有大商店的竞争——在英国，还应加上非常重要的连锁商店的竞争。[②] 因此，并不能认为，消费者合作商店出现时的零售业与这些商店之间的比较，作出了结论性的检验，证明这些商店所代表的产业形态较为优越。这就如同对两个种族的这样两个成员作比较那样，一个成员的健康状况有理由认为低于其同胞的平均水平，另一个成员则是其种族中非常健壮的一员。因此，不能过于看重历史上的例证，得进一步前行作分析性的研究。[③]

第 4 节

根据这一观点评估购买者协会的经济效率时，我们首先可以看到，这种协会从结构上说是股份公司。同其他股份公司一样，购买者协会归股东所有，由一个经理管理，经理受从股东中选举产生的委员会监督。与此相对立的是私人企业和普通商业公司。在比

---

① 马歇尔，《合作社大会主席就职演说》，1889 年，第 8 页。

② 参见《政治经济学教程》，第 247 页。

③ 应该补充一句，**即使其他条件相同，一个**合作社以同另一家商店相同的价格出售商品同时支付红利，也不能证明其管理效率较高；因为，如果像通常的情况那样，该合作社在较大的程度上不赊账，那么这种红利就仅仅是向较早还债的购买者支付的利息。

较它们的经济效率时，我们自然要看管理部门的组织情况。在这方面，购买者协会和商业公司都不如私人企业，因为前两者的管理人员缺少私人企业中迅速采取行动的机会和个人财产所具有的激励作用。[①] 但是，购买者协会可以向其经理和监督委员会灌输说，他们从事的工作可唤起公益精神，以此激发他们的热情，从而在某种程度上弥补上述不足。实际上，购买者协会在利用利己动机的同时，也可以利用利他动机来刺激产业效率的提高。不过，与此相对应，还必须说明另外一点。由于购买者协会由穷人组成，他们没有经营大工商企业的经验，因而他们可能不愿给予经理充分的自由处置权，可能会在薪金待遇方面吝啬抠门，从而挫伤经理的干劲。此外，监督委员会的成员来自于范围较为有限的区域，同商业公司的董事相比，经商的经验很可能较少。当然，这些彼此冲突的因素在不同情况下作用的大小会不一样。

其次，就一国产业的任何一部分而言，当垄断竞争占优势时，一般的工商企业势必要像第 9 章第 14 节所描述的那样，浪费大量金钱进行广告宣传。在这方面，购买者协会所处的地位要有利得多。当它们提供的服务是购买农业饲料或肥料，或进行批发交易时，它们不需作出任何直接的努力，实际上便可以十分有把握地获得其会员的全部需求。当它们提供的服务是包装鸡蛋，熏制火腿，或把牛奶和奶油制成奶酪和黄油时，其会员虽然有时候会受更优

① 在美国，公司董事长常拥有公司的巨额股份，因而他有时似乎会代表公司的利益行事，与私人企业的老板别无二致。“一般说来，美国公司的董事长举止潇洒，充满活力，为公司做事就像是在为自己做事”（努普，《美国的工商企业》，第 26 页）。他作决策时，只征求董事们的意见。

惠条件的诱惑把这些农产品交给其他企业加工，但是，购买者协会可以在一定程度上把“忠诚”当作保持会员资格的条件，以此大大限制这种行为，而不必求助于广告宣传。当它们提供的服务是零售或发放信贷时，强迫会员保持忠诚固然行不通，而且也没有试图这样去做；但即使在这方面，会员由于意识到了自己在协会的投资利益，实际上在很大程度上也保持了忠诚。毫无疑问，若想在非会员当中扩展协会的业务，可能必须进行某种广告宣传。不过，购买者协会相对于一般的股份公司而言，还是享有巨大优势，因为它不仅能向参加者提供廉价商品，而且还能使他们具有某种拥有所有权的感觉，感到自己是一大公司的股东。所以，它进行的广告宣传可能更具效力，达到一定结果所需进行的广告宣传也较少。这样，在其他条件相同的情况下，它的效率就高于竞争对手。

第三，“忠诚”除了可以节约广告成本外，还以另一种方式有利于节约成本。正如第 14 章第 3 节指出的，忠诚可以使合作企业平稳运行，免遭私人企业常常遭受的那种大波动，发生大波动不可避免地要付出成本。因此，合作性质的火腿厂和乳品厂规定，入股的条件是保持忠诚，这一规定使这些企业比私人企业有更大的把握获得源源不断的原料供应；[①]同样，英格兰和苏格兰的批发合作社

① 丹麦的合作火腿厂一般用这样一条规定强迫其会员保持忠诚，即：会员在 7 年内必须将生猪（某些特殊规定者除外）卖给本厂，除非在此期间会员迁离了该地区（鲁，《有关农业的无稽之谈》，第 123～124 页）。同样，爱尔兰的许多乳品合作社规定，“任何会员，若未经监督委员会的书面同意，自入会之日起连续三年将牛奶出售给非合作社下属的乳品厂，将失去其股份，并失去其贷借给合作社的全部资金”（《关于合作社的报告》（敕令书，6045），1912 年，第 39 页）。应该指出，这类合作社——只是这类合作社规定了强制性的忠诚——由于使用大量的设备，因而在节约成本方面，同比如说农产品收购合作社相比，保持稳定的需求是一更为重要的因素。

和地方零售合作社，把固定的那部分需求集中在自己的生产部门手里，把经常变化的那部分需求甩给外面的商人，这种做法可以大大减少这些生产部门遭受的波动。无疑，从整个国家的观点看，合作企业由此节约的成本，肯定会被其他企业增加的波动而损失的成本抵消，因而对于国家而言并不是一项净利益。但对于合作企业本身而言，却是一项净利益。而且，因为市场的总需求和总供给是不变的，某些部分的波动是由总体波动以外的原因引起的，所以，使某一部分保持稳定不会增加，反而必然会减少其他部分的波动。因而，合作企业得自忠诚的很大一部分经济效益，不仅可能表示合作企业本身的效率有净提高，而且还可能表示整个社会的效率有净提高。

第四，合作社各会员之间建立起来的关系，会极大地促进有关最佳生产方法的知识在他们中间的传播。因此，霍勒斯·普伦基特爵士在谈到爱尔兰农业部的工作时说："只有在农民建立有较为良好的合作社的地方，农业部想要传授的许多知识才能有效地到达农民阶级那里，想要进行的许多具有指导意义的农业试验才能有效地展开"。[①] 费伊先生指出了造成这种情况的原因："合作社和一般商业企业都是商业机构，它们支付给农民的钱都不会超过牛奶的价值。但是，一般商业企业的补救办法是支付低价以此惩罚农民，而合作社的补救办法却是培训农民，这样他以后便可以获得高价"。[②]

① 《新世纪中的爱尔兰》，第 241 页。

② 《国内和国外的合作运动》，第 164 页。

第五，当任何产业部门中有双边垄断因素时，一般商业企业和其顾客会像第 9 章第 15～17 节所描述的那样，即使不花费金钱，也要花费精力，试图打败对方。购买者协会则有可能减少这类花费。正如马歇尔所说，在合作零售店中，因为业主同时也是顾客，他们便不会掺假造假，从而不必花费高昂的代价防止掺假造假的行为。[①] 在向会员提供保险服务和小额贷款服务的合作社中，这种利益同样明显。保险合同是以买主发生某件意外事故为赔付条件；贷款合同则以买主承诺还款为放贷条件。在前一种情况下，买主可以通过假冒甚或故意造成所要防范的意外事故而获益，致使卖主遭受损失；在后一种情况下，卖主可以通过故意违约或有意使自己无法履行诺言而获益。的确，不仅当买主总体和卖主总体之间不具有同一关系时，而且当买主总体和卖主总体之间具有同一关系时，单个买主都能通过这类行为获益。然而，有下面这样一个关键之点。在股份有限公司这种产业组织形式下，某一买主的欺诈或半欺诈行为不关其他买主的事，因而只能通过精心设计的、不间断的检查制度加以防止。但在购买者协会这种产业组织形式下，其他买主会直接受到这种行为的伤害，因而会主动阻止这种行为。所以，如果购买者协会由住得很近的人们组成，所有会员便会在日常生活中不由自主地、不领取报酬地相互监督检查。在这种情况下，提供保险服务或小额贷款服务的当地小型购买者协会，实际上不仅可以免除力图提供这些服务的股份公司不得不承担的很大一部分名义成本，而且还可以免除很大一部分实际成本。既然

① 参见马歇尔，《合作社大会主席就职演说》，1889 年，第 7 页。

人们更愿意欺骗商业公司，而不那么愿意欺骗互助协会，自然便会增进互助协会的利益。

第 5 节

上面列举的各种优势表明，在广大的领域内，购买者协会至少可以证明与任何其他商业组织形式具有同样的效率，而且在许多产业部门，它们的蓬勃发展已证明它们是有生命力的。农民常常建立的所谓供应协会就是如此，这种协会向其会员提供销售服务，从制造厂商那里购买来肥料、种子和农业机械等，然后把这些东西销售给会员。农产品销售协会也是如此，这种协会提供鸡蛋、黄油等的分类、分级、销售和包装服务。合作乳品厂也是这样，这种工厂在丹麦和爱尔兰发挥着重要作用，其服务包括制造和销售业务。最后但并非最不重要的是，以消费者合作商店为基础的广泛组织也是如此，这种组织向有固定住所的广大劳动人民提供零售、批发有时甚至制造基本生活用品（包括住宅本身）的服务。

第 6 节

然而，即便是在经验以充分证明购买者协会可以高效运行并取得成功的领域，这种协会也并非总是会自行产生。很穷的人可能缺乏建立这种协会所需的主动精神和理解力。在人口经常流动的地方，尤其不可能建立这种协会——这解释了为什么合作商店“似乎都远离都市和海运城市”。富人如果愿意的话，完全有能力建立购买者协会，但他们实际上没有这种愿望。对于人们只是偶尔花费很小一部分收入购买的商品——即大多数人认为奢侈的商品——建立购买者协会可能取得的节约效果或许太小了，人们认为不值得建立。而且，即使值得建立，或许也可以用另外某种方式获得相等的利益。譬如，英国的佃农一向有权在困难时期要求地主降租，便不愿意克服其天生的个人主义，为（对于他们而言）较小的利益而与邻人合作。毫无疑问，国家可以采取行动鼓励他们合作。例如在加拿大，“1897 年，自治领农业部建立了一种制度，根据这种制度，将向这样一些农民发放贷款，这些农民保证组织起黄油和奶酪制造协会，保证将其产品送交用这些贷款建立起来的合作乳品厂。农业部负责组织管理这些乳品厂，负责制造黄油和以每磅 4 分（2 便士）的固定价格出售黄油，另外每磅加收一分钱用于偿还贷款”。[①] 但很显然，这种做法的应用范围是有限的。而且，还有很重要的一些领域不那么适用于购买者协会这种组织形式。只要有很大的投机性，换言之，只要必须承担很大的风险，就不会有购买者协会出现。因为，如果投入资本要冒很大的风险，冒此风险的人就会要求行使控制权，要求获得与所冒的风险或多或少成比例的利润。购买者协会满足不了这一点，它以固定利息筹集资本，不是按投资额而是按购买额分配剩余。股份公司提供债券、优先股和普通股，这种分级分配利润的方法要令人满意得多。因此，在有风险的领域，购买者协会行不通。出于节约成本的考虑，一些商品和服务必须集中在某个地方生产，而购买者却分散在广大的地区并且不是经常购买，对于这些商品和服务而言，购买者协会也行不通。例如，有人认为，目前由棉纺业提供的服务可以改

① 马弗，《关于加拿大西北部地区的报告》，第 44 页。

由购买者协会提供，也会令人满意，这种想法显然是异想天开。“在许多情况下，这种服务的使用者或消费者并不构成一实际存在的、可以控制和管理的选举区，他们只是公民。全国的铁路服务不可能由乘客的投票表决来管理，乘客只不过是涌出我国各大城市终点站的乌合之众，一盘散沙；各种独具特色的市政服务也只能由市选举团的成员来管理。”[①]所以我们的结论是，虽然购买者协会无疑有其应该发挥的重要作用，可以作为一种手段克服一般竞争性产业或一般垄断性产业的弊端，但其适用范围却是有限的，因而还需研究另一些补救办法。[②]

① 韦布，《社会主义共同体宪章》，第252页。

② 费伊详尽讨论了各种形式的合作活动，参见他的《国内和国外的合作运动》。费伊先生对本章提出了一些有益的批评和建议，对此我亦深表感谢。

第 20 章　政府干预

第 1 节

在范围广泛的产业领域中，自发建立的购买者协会作为一种手段，不足以克服一般商业形式下出现的产业调整的失灵。于是人们会问，能否通过某种政府干预，即要么通过对私人企业的控制，要么通过直接的政府管理，来增加国民所得的数量。在本章中，我们不讨论这两种干预的相对优缺点，而从最广泛的方面一般地探讨政府干预。

第 2 节

乍看起来，从战争的经验中寻求解答这个问题的线索，似乎是很自然的。国家急需扩大军火、国产粮食、船舶以及某些其他物品的供应，这导致了政府对生产的广泛干预。建立起了国营生产企业，私营企业受到控制，有时给予特别补助金使私人企业能够扩展业务；同时农业部被授权鼓励并在需要的时候强制扩大土地耕作面积，还为军人和犯人参加农业生产，特别是进口农业机械提供许多便利。研究一下在这些方面和其他方面取得了哪些成就，固然很重要，但对于解答我们当前探讨的问题，实际上却没有多大帮助。战时状况与平时状况之间的差异简直太大了。在那绷紧神经的四年中，政府大部分产业活动的动机，是强制资本、企业和劳动不计成本地立即进入某些急需物品的生产。谁都不否认，当任何物品供不应求时，这个事实本身就往往促使人们将其努力转向生产这种物品而不是其他物品。但这种反应通常很缓慢；而在大战期间，基本的要求往往是迅速作出反应。政府协助与强制的主要目的，是确保做到这一点；以直接的强制手段立即克服各种障碍，而在正常情况下，只能通过缓慢的渐进过程扫清这些障碍。当然，采取这种行动的必要在一些产业中被加强了，在这些产业中，政府由于人为地压低价格，致使本来在正常情况下会刺激私人增加生产的因素不复存在了。随着战争的结束，所有这一切都发生了变化。国民经济方面的问题，已不再是如何使一种生产体制立即转变为另一种生产体制，而是如何永久维持最优的生产体制。证明政府适合于(或不适合于)完成这两项任务中的前者，并不能证明它适合于(或不适合于)完成后者。而且，大战中所需要的生产体制，要求大量生产相同类型的物品供政府本身直接使用。证明政府适合于(或不适合于)控制或管理服务于这种体制的产业，并不能证明它适合于(或不适合于)控制或管理服务于平时所需的较为多变的生产体制。此外，大战中政府实施的各种控制，必然是在极其困难和紧迫的时候匆忙而慌乱地实施的。在这种情况下，政府的干预肯定是浪费人力物力且没有效率可言的，但并不能由此证明，它在平时较为有利的情况下也会显示出相同的缺陷。由于这些原因，战时的经验几乎无法提供实际的指导，因而必须用其他办法解决我们的问题。

第 3 节

在一些人看来，解决这个问题的道路已被这样一种观点堵死了，即：有些产业如轨道运输（包括全国铁路运输和市内有轨电车运输）、煤气照明、电力供应、自来水供应等等，要利用土地征用权，因而适合于政府干预，而另一些产业由于无需利用土地征用权，则不适合于政府干预。这种观点是错误的。诚然，行使土地征用权实际上就意味着垄断，因为无论是国家还是市政当局都不可能允许对城市道路和国家公路进行双重平行的干预。但这只是将这些公用事业归入了一般的垄断行业范畴，并没有在任何实质方面使它们不同于那些以完全不同的方式归入这一范畴的行业——如美国的石油业和烟草业。因此，需要利用土地征用权绝不是通过发放特许证实行政府管理或政府控制的前提条件。公共屠宰厂、特许卖酒店以及伦敦的特许出租汽车业，都是说明这一点的实际例子。广泛的政策问题随着我们关注的是垄断行业还是非垄断行业而有所不同；在垄断行业内部，政策问题还随着歧视性价格是行得通还是行不通而有所不同；但是，在其他条件不便的情况下，不论有关的产业是需要还是不需要行使土地征用权，政策问题都是一样的。毫无疑问，正如马上将要说明的那样，那些建立之初必须行使土地征用权的行业，由于首先必须与政府接触，其既得利益集团尚未发展壮大起来以前便会受到政府的控制，所以要比其他行业更加容易得多地受到政府的干预。这一实践上的区别很重要，但这不是也不应被当作是原则上的区别。

第 4 节

在任何产业中，若有理由认为，自利心的自由作用会使资源投入数量不同于最有利于国民所得所需的数量，表面上就有理由进行政府干预。然而，仅仅是表面上有理由，我们还得考虑政府进行有益的干预可能受到的一些限制。只是将不受限制的私人企业的不完善调整与经济学家在其研究中想象出来的最佳调整作对照比较，是不够的。因为我们不能指望任何政府当局会达到甚或全身心地追求那一理想。所有政府当局都有可能愚昧无知，都有可能受利益集团的影响，都有可能受私利的驱使而腐败堕落。选民中嗓门大的那部分人，若组织起来参加选举，其声音很容易压倒全体选民的声音。这种反对政府干预产业的理由，既适用于通过控制私人公司进行的干预，也适用于通过政府的直接经营管理进行的干预。一方面，特别是在实行经常的管制时，私人公司会拉拢腐蚀政府官员，不仅在获取特许经营权时会这么做，而且在运用特许经营权时也会这么做。“管制本身是一艰巨复杂的工作，并不以制定和正式通过一项令人满意的契约而宣告结束。……正像对待宪法、法令或宪章那样，对特许经营权也应采取相同的态度。事实已证明，这样一种协议不会自动执行，而必须在许多年中，像在制定和正式通过它的时候那样，保持旺盛的斗争精神。怀有敌意的、松懈马虎的或愚昧无知的市参议会甚或国家立法机关，会大幅修改协议的条款，以致完全破坏或严重损害其价值。”[①]因此，私人公司

① 《公用事业的市政经营和私人经营》(提交给全美城市联盟的报告)，第 1 卷，第 39 页。

得保持**不间断的游说活动**。"正是从私人公司那里，政客获得了其竞选资金。"[①]这种弊端有累积效应；因为它会阻止正直的人进入政府，于是腐败堕落之风更加盛行。另一方面，当政府本身办企业时，腐败堕落的可能性只是在形式上有所不同。"一些人主张一切归市政府所有，若听从他们的建议让市政府兴办企业，会导致与商人、建筑商、建筑师等做高达几百万美元的生意，会导致增加几百位高官，并导致雇用几万名新公务员。政党领袖将相应地有更多的人受其保护。每个公务员都有可能以某种方式用自身的私利对抗公共利益。"[②]

第 5 节

这种主张政府不干预经济活动的论点所具有的说服力，显然并非在所有时间和地点一成不变；因为任何政府的工作效率和社会责任意识，都会随着时代大氛围的变化而变化。譬如在英国，过去的一个世纪中，"政府的廉洁、能力、公正和财力一直在大幅度增加。……人民现在能够统治其统治者，能够阻止某一阶级滥用权力和特权，而这在教育得到普及和人们除了养家糊口外尚有剩余精力的时代以前是不可能的"。[③] 这个重要事实意味着，现在政府的任何一项干预都要比过去更加有可能是有益的。这还不是事情的全部。除了现有各种形式的政府机构的运作效率有提高外，还必须考虑到创建了一些新形式的政府机构。这一点可以这样来说

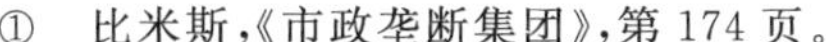

① 比米斯，《市政垄断集团》，第 174 页。

② 《公用事业的市政经营和私人经营》，第 1 卷，第 429 页。

③ 马歇尔，"经济上的骑士精神"，载《经济学杂志》，1907，第 18～19 页。

明。市参议会和国民议会，作为控制或经营企业的机构，其缺陷主要有四个。首先，在英国——尽管这种说明几乎不适用于德国——政府机构完全不是用来干预产业活动的。因而也就几乎没有理由期望其成员具有完成这个任务的特殊才能。其次，国民政府或市参议会组成人员的经常变动也是一个严重的障碍。W.普里斯爵士写道："我脑子里想到的是电力照明的经验。大城市的政府克服这个困难的方法是，建立小而强有力的委员会，选举产生委员会的主席，以此保证政策在某种程度上的连续性。小城市的政府却往往建立规模很大的委员会；这些委员会经常不断地变动，结果是，有时无法就采用何种电力系统达成一致意见，有时无法就使用什么方法经营这项公用事业达成一致意见；于是麻烦层出不穷，争吵无休无止"。[①] 而且，人员的不断的变动还会导致短视行为，也就是说，行为的着眼点是下一次选举，而不是社会的永久利益。第三，通常划归政府机构管理的领域是由非商业考虑决定的，因而常常很可能是不适合于任何形式的干预。例如，众所周知，一些市政当局试图管理，另一些市政当局试图经营城市运输业或电力供应，这些努力都严重受挫，原因是，现代的一些发明出现后，这些服务便能非常经济地大规模地提供，提供的规模远远超出了某一个城市所需要的数量。最后，如上所述，常设的政府机构由于是选举产生的机构，很容易受选举压力的有害影响。这四个缺陷都很严重。但它们都在很大程度上能够加以避免。在像德国那样的城市管理制度下，实际上已消除了第一个、第二个和第四个缺陷，在这

① H.迈耶，《英国的市政所有权》，第258页。

种制度下，市长和市政委员会委员（相当于英国各委员会的主席）是领取薪金的全职专家，任期几乎是终身。采用最近发展起来的一种手段，即为经营或控制产业这一明确目的而建立专门机构，或许能够更为有效地克服所有这四个缺陷。为经营产业而建立的专门机构的例子有，我国的新南威尔士铁路局或伦敦港务局；为控制产业而建立的专门机构的例子是美国的州际铁路委员会。可以为这类机构专门挑选胜任的人员，其任职期限可以很长，分派给他们的职务范围可以适当调整，而由于任职期限长，他们可以基本上不受选举压力的影响。这种建立专门机构的方法，在很大程度上还消除了反对像市参议会这样的机构干预产业的另一重要理由。正如梅杰·达尔文所说，这个反对理由是，这种干预"会减少这些机构能够用于其主要和基本职责的时间，而且它会使忙碌的人们更加不愿意把时间用在公共事务上，从而降低地方政府的正常行政管理能力"。[①] 当产业由专门的政府机构经营或控制时，这种反对的理由就不复存在了。其广泛的结果是，近来政府机构在结构和运行方式上的变化，已使它们能够对产业进行有益的干预，这在从前是无法做到的。

① 达尔文，《市政管理业》，第 102 页。

第21章　政府对垄断的控制

第1节

在第9章、第10章和第11章中，我们经常提到，当自利心通过单纯竞争无法使国民所得达到可能的最大数量时，国家便可以用一些方法予以干预。若适当的资源数量无法进入一些产业，可以由政府来经营这些产业，而且在极端的情况下，可以运用刑法，除了这些特殊情况外，上面所说的方法都是财政性的，即给予补贴或征税。当自利心不是通过单纯竞争，而是通过垄断起作用时，财政干预显然就不再有效了。固然可以把补贴设计得很高，以阻止产量受到限制而低于社会需要的水平，但这样做付出的代价是，垄断者除了已经获得的超额利润外，再从国家那里获得一大笔赎金。所以，在这一章中，我打算考察在垄断条件下可以采用哪些方法。为了说明的简单明了，我将忽略第11章陈述的那些限制条件，而像古典经济学家的某些忠实信徒所相信的那样，仍然认为单纯竞争会使国民所得最大。因此，可以认为，国家在思考某一产业中的垄断或可能出现的垄断时，是在将垄断条件下的国民所得与单纯竞争条件下的国民所得进行对照比较。国家所要解决的问题不是如何做得尽善尽美，而是如何在垄断力量不起作用的情况下做得尽可能好。

第 2 节

在有可能通过企业合并出现垄断力量的产业中，政府如果愿意的话，可以阻止垄断力量的出现，或者如果已经出现了垄断力量，可以将其摧毁。美国最初的联邦反托拉斯法(1890 年)，通常称作谢尔曼法案，其目标明确指向“限制各州间贸易或商业的”行动，但最高法院的早期判决却认为，该法案“禁止所有大得足以具有实质垄断力量因素的企业合并”。譬如，1904 年最高法院法官哈兰对北方证券案件的判决宣称，“要想宣布国会法案所谴责的一项企业合并为无效，无需证明，该项企业合并实际导致了或将会导致贸易完全被抑制或全面的垄断，而只需证明，该项企业合并必然趋向于抑制州际或国际贸易或商业，趋向于在这种贸易或商业中造成垄断，并趋向于使公众丧失自由竞争带来的利益”。[①] 1914 年的克莱顿法，虽然没有对已经形成的企业合并作进一步的规定，但对于未来新的企业合并却遵循了上述解释路线。它不仅规定，任何人不得担任一家以上大银行或大公司的董事，而且还规定，任何公司不得获取——已经获取的除外——其他公司的全部或部分股票，只要这样做的结果是大大减少竞争，或抑制任何一部分社会的商业活动，或趋向于在任何一个商业领域造成垄断。不过，对于这种总政策——即禁止建立托拉斯和拆散托拉斯——似乎可以举出三个重要的反对。

首先，这是一种极其难于有效实施的政策。立法机关和法院

① 詹克斯和克拉克，《托拉斯问题》，第 295 页。

可以成功地取缔禁止某些形式的企业合并，但结果往往只是出现另一些形式的合并——这些合并会牺牲此前合并的优点，却不会消除其缺点，若非正式的定价协议取代了完全的合并，就会出现这种情况。美国最高法院曾宣布，若干家公司把代理权授予共同的受托人是越权行为，这在一些产业中导致了上述受托人购进每一家这些公司的大部分股票，在另一些产业中导致了用控股公司代替委托管理。政府取缔控股的行动，可以很容易地用两种方法来对付，一是完全合并（如果这不违反法律的话），一是分解为若干个公司，每个公司都受制于同一个握有控股权的人。奥地利颁布法律来对付有可能损害财政收入的卡特尔，取缔了那些具有中央控制机构的卡特尔，但结果只是非正式的协议代替了卡特尔。英国铁路协议与合并委员会（1911年）对当时的情况作了这样的概括："虽然国会可以颁布法令，规定必须这么做而禁止那么做，但过去的经验表明，甚至国会也无力阻止双方通过签订协议或不签订正式的协议，不从事某项活动，即双方都不愿意进行的积极竞争。当然，国会可以拒绝批准授权两家或多家铁路公司合并或联合的法案，可以规定某些种类的协议是无效的甚或非法的。但是，它却无法阻止铁路公司[当然，对于工业公司也是如此]彼此达成谅解，采取共同的行动，或停止积极的竞争"。[①] 美国政府和最高法院近来的政策是，强行拆散垄断公司，同时作出各种规定，不准拆散后的公司受共同的控制，这种政策一度确实较为有效，尽管未能促使以前的同业人士之间展开真正的竞争，却由于其威慑作用，使得各公

① 《铁路协议与合并部际委员会》，1911年，第18页。

司不敢贸然进行新的合并。例如，1914 年杜兰德教授指出，自从政府根据谢尔曼法案对一些公司提出起诉以来，就没有出现新的企业合并。[①] 但是，这种说法已不再是正确的了。在商务部 1927 年向工业与贸易委员会提交的有关美国企业合并的备忘录中，得出了以下结论："在阻止合并的发展和减少竞争方面，只取得了非常有限的成功。1890 至 1914 年实施谢尔曼法案的经历，似乎一直在重演。一旦一种形式的合并受到抨击并被宣布为非法，律师就会劝说公司采用一种新的形式，即使联邦贸易委员会最终提出异议，也要花费很长一段时间才能取缔这种新的合并形式"。[②] 因而，就全部经验教训而言，仍然可以这样说，旨在"维持竞争"的那些法律，达到其目的的前景很渺茫。

对于这种政策还有第二个重要的反对理由。该政策背后的基本观念是，竞争意味着这样一种环境，在此环境下，有关企业中投资的社会净边际产品的价值，大致等于其他企业中投资的社会净边际产品的价值。但是，撇开第 9 章和第 11 章针对这种观点提出的那些限制条件不谈，我们不得不指出，可以期望产生上述理想结果的那种竞争是"单纯竞争"，而反托拉斯法带来的竞争很可能是垄断竞争，即**少数几个**竞争者之间的竞争。就铁路公司的合并而言，产生这种结果是确定无疑的；因为在任何两个重要地点间运营的铁路公司的数量，都肯定非常少。就产业合并而言，这个问题乍

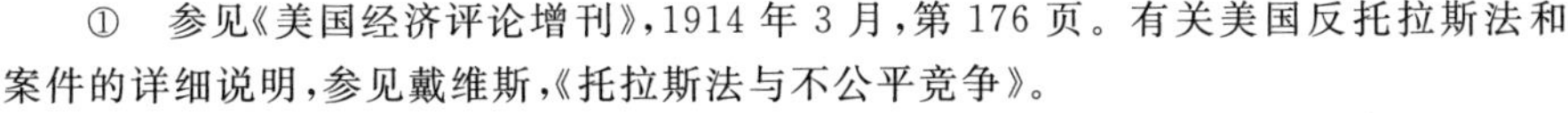

① 参见《美国经济评论增刊》，1914 年 3 月，第 176 页。有关美国反托拉斯法和案件的详细说明，参见戴维斯，《托拉斯法与不公平竞争》。

② 《产业和商业效率中的诸因素》，1927 年，第 107 页。

看起来似乎不能说得那么肯定，因为任何一种工业公司的数量都不是必然很有限。然而，若考虑到合并大都是在大厂商的数量实际上很少的产业中组织完成的，这种反对意见的说服力就大打折扣了。不仅就铁路公司的合并而言，而且就工业公司的合并而言，拆散这些合并所导致的，很可能是垄断竞争，而不是单纯竞争。而第 25 章已告诉我们，垄断竞争带来的产量，不会使有关产业中投资的社会净边际产品的价值等于其他产业中投资的社会净边际产品的价值。相反，其产量是不确定的。当各个竞争者想要彼此摧毁或吞并时，会发生“残酷竞争”，在这种竞争中，产量会急剧增加，以致造成绝对的损失；当一家大企业想要挤垮另一家企业，即使两败俱伤也在所不惜时，发生这种事情的可能性就更大。简言之，即使条件允许“维持竞争”的法律能够真正阻止合并，它们也仍然无法确保出现这样一种竞争，在这种竞争下，价格和产量水平从国民所得的观点来说是最为有利的。

然而，至此尚未穷尽反对我们正在讨论的这种政策的理由。还有第三个反对理由。企业合并不是只产生垄断，还常常附带地带来好处。例如，正如第 14 章所述，如果一项合并相对于其做生意的市场而言规模较大，则它会比单个的小卖主更加积极地采取在潜在顾客当中扩大需求的方针，因为它可以指望为此目的所作的投资带来收益且得到其中的较大比例。此外，大规模的合并还会常常享有某些规模经济效应，而如果政府采取维持积极竞争的政策，则不会出现这种效应。一些形式的卡特尔协议，保证每个成员都享有一定比例的市场；无疑，这种卡特尔往往会保留下竞争本来会“自然地”消灭的弱小厂商，不仅不会产生规模经济效应，反而实际上会产生规模不经济。[①] 不过，应该指出，联营协议不一定会产生这样的结果。例如，英国托拉斯委员会（1919 年）在其报告中说，许多协会有一项安排，根据这项安排，产量低于其配额的厂商，可以从垄断联盟那里得到欠额价值的百分之五作为补助金。一些作证者认为，这种安排可以用较为经济的惩罚方法而不是用代价较为高昂的斗争方法，把弱小厂商驱逐出本行业。[②] 的确，针对这种安排，我们必须指出，提供补助金所需的钱要通过向产量超过配额的厂商征收某种税的方式来筹集——这对于这些厂商的主动精神必然是一种挫伤。而且，某些形式的联营，使每个成员的利润依赖于全体成员的效率，会导致各成员的干劲和进取心松懈。但另一方面，实行某种程度的共同管理的所有企业合并，都必然在或大或小的程度上取得第 24 章提及的那种节约成本的效应。[③] 在像电话这样的特殊产业中，供给 A 的实际东西会由于 B 从相同的机构获得其供给而得到改进，因而获得的利益特别大。在较为普通的产业中，利益也会很大。特别是，力量薄弱的或位置差的工厂，会比在竞争条件下迅速得多地被关闭；而在那些留下来的工厂当中，"比较成本会计"这种有目的的力量会比市场竞争这种盲目的

① 参见沃克，《德国煤炭工业中的合并》，第 322 页。不过，沃克先生指出，这种趋势至少在鲁尔地区的卡特尔那里，要比乍看起来小一些，因为大煤矿通过挖掘更多的矿井和收购小煤矿，可以增加其"参与份额"（同上，第 94 页）。摩根罗思在其《卡特尔的出口策略》一书中强调，这一点适用于所有卡特尔。他进一步指出，卡特尔常常导致建立一些"混合型工厂"，这些工厂不允许对其原料使用于进一步的产品有任何限制，从而减少了规模不经济效应。因此，在这些重要的混合型工厂当中，竞争的淘汰作用并没有被协议所抑制（前引书，第 72 页）。

② "托拉斯委员会报告"，1919 年，第 3 页。

③ 参见利夫曼，《卡特尔与托拉斯》，第 61～62 页。

力量，更加强有力地刺激经理们的干劲。[①]

当然，我们必须谨防夸大这些经济效应的重要性。因为，如果所谓企业合并指的是现有的合并，我们就必须回想一下，由于控制单位的大小不仅取决于结构经济效应和其他经济效应，还取决于垄断方面的考虑，因而这种单位常常要大于效率最高的单位。如果所谓企业合并指的只是重新实行的有利可图的合并，那么完全排除垄断权力的运用，企业合并便确实会产生**直接**效率最大的单位，但若不仅考虑直接的效果，还考虑最终的间接效果，控制单位很可能就会证明是过于庞大的。关于这一点，可以列举两个原因。第一个原因是，控制某一产业主要部分的生产者，在考虑采用机械方面的某项改进是否明智的时候，不仅要考虑到投入这项改进的资本可能带来的直接的正收益，而且还要考虑到这种投资由于会减少现有设备的收入而可能带来的间接的负收益。正如第2编第9章第12节所述，如果他这么考虑的话，他便会在技术改进面前退缩，而从增进国民所得的角度考虑，他本应进行这种改进。垄断集团不会适当利用——至少不会积极主动地充分利用——那个非常宝贵的进步动因，即那个废铜烂铁堆。[②] 第二个原因是在第10章予以说明的，即：大规模的合并会减少培养锻炼企业家的机会（如果在一家公司干得出色的人，能转到另一家公司负更多的责任，便有机会受到锻炼），会削弱公司间的竞争对敏锐的洞察力和

① 参见麦格雷戈，《产业合并》，第34页。这种方法在美国钢铁公司运用得很普遍（范·海斯，《集中与控制》，第136页）。对这种方法的详尽说明，参见詹克斯的文章，载《美国劳工统计公报》，1900年，第675页。

② 克拉克，《对托拉斯的控制》（修订版），第14页。

效率的刺激，从而往往间接地阻碍企业家的一般能力提高到本来可以达到的水平。

以上论述提示的限制条件非常重要。它们对克拉克教授的观点具有很强的限制作用。克拉克说："一种近乎理想的情况是，每一产业部门都有一个巨大的公司，没有阻碍地高效运行，**被迫将这种高效产生的全部利益给予公众**"。[①] 尽管如此，毫无疑问，**在某些情况下**，把相互竞争的企业合并成能够控制市场的托拉斯，即使从长远的观点来看，也确实会产生很大的经济效益。[②] 这些经济效益**可能**非常大，以至它们对垄断商品的产量产生的有利影响，会超过由于运用垄断权而对该产量产生的不利影响。我们可以尝试通过比较合并以前和以后的价格或价格与原料成本之间的差额，来确定情况是否真的如此，但这种尝试不可避免地会失败，因为我们无法计入制造方法的变化和利用副产品方面的变化，无法精确地测定合并之前的(很可能是不正常的)价格状况。[③] 然而，通过分析，我们可以说，总体看来，企业合并很可能减少受其影响的商品的产量并提高其价格，除非连带的经济效益非常大，以致在不实

① 《对托拉斯的控制》，第 29 页。

② 杜兰德教授赞成采取解散托拉斯的政策，他认为，一般说来，没有企业合并，企业单位亦会发展得足够大，获得托拉斯能够得到的几乎所有结构性经济效益和其他经济效益(《经济学季刊》，1914 年，第 677 页及以下各页)。然而应该指出，即便情况确实如此，也无法证明解散托拉斯的政策要优于剥夺托拉斯垄断权的政策，因为这两种政策都会导致建立效率最高的企业单位。然而实际上，显然并非在所有产业中情况都是如此；当情况不是这样的时候，拆散托拉斯便会导致建立过小的单位，无法产生最大的效率。

③ 由于这些原因，詹克斯在其《托拉斯问题》一书中对价格所作的卓越研究，不足以支持他根据这些研究对企业合并的影响作出的有利判断。

行垄断的情况下引入它们，会使产量大致增加一倍。[①] 如此大的经济效益是不可能的，所以我并不认为，阻止某一产业部门中的合并常常会使该部门的产量少于它本来可以生产的产量。但最为重要的一点是，企业合并对受其影响的商品的产量的影响，与其对国民所得产生的影响不是一回事。因为，假设企业合并带来了很大经济效益，用以前一半的生产资源便能够生产出与从前相同的产量，并假设由于实施了垄断，实际上只生产了与以前相同的产量。一般说来，腾出来的生产资源不会被闲置，而会用于增加其他商品的产量。因而在这种情况下，哪一种商品的产量都不会减少，有些商品的产量反而会增加，这显然意味着，国民所得的数量将增加。因而，阻止企业合并有时会损害国民所得，尽管直接受合并影响的商品的产量会增加。不过，对这一点无需作进一步的说明。因为无论如何我们可以肯定，当企业合并具有任何净经济效益时，阻止合并必然比允许合并而不准运用垄断权，给国民所得造成更大的损害。

第 3 节

政府可以采取的第二种政策是，不通过阻止企业合并来防止工业企业拥有垄断权，而是通过保护**潜在的**而非实际的竞争来使工业企业觉得不运用垄断权对自己是有利的；此种政策依据的主要思想是，如果工业企业预期，限制产量而把价格提高到产生超额利润的水平，会招来新的竞争者，那么它们就只会收取“合理的价

---

① 若假设需求曲线和供给曲线皆为直线，则这个命题完全正确。

格”。这一思路导致的政策是，如果谁使用“棒打”手段驱逐潜在的竞争者，那他将受到惩罚。棒打手段中主要的两种是第 15 章所描述的残酷竞争以及各种形式的抵制，这里说的抵制是指向第三方施加压力，迫使其不是按照自己本来会提出的条件，从竞争卖主那里购买服务或向其出售服务。[①]

第 4 节

显然，残酷竞争（有时也被称做“毁灭性倾销”）这个武器，在由一家大得足以垄断某一产业部门的企业运用时，肯定具有压倒新来者的威力。垄断者肯定拥有庞大的资源，能几乎无限制地倾泻出来，以摧毁财力可能不太雄厚的新入侵者。当一个在许多市场上做生意或经营许多种商品的垄断者，要对付一个只经营若干种商品的竞争者时，这一点表现得特别明显。因为在这种情况下，竞争者可以被公开的削价销售或被一家虚设的独立公司搞的削价销售摧毁，[②]而这种削价销售只会对垄断者的很小一部分业务产生影响。一些反对美孚石油托拉斯的人，提供了这类削价出售的一个极端例子，他们说，“一些人被雇用来跟踪竞争者的油罐车，弄清

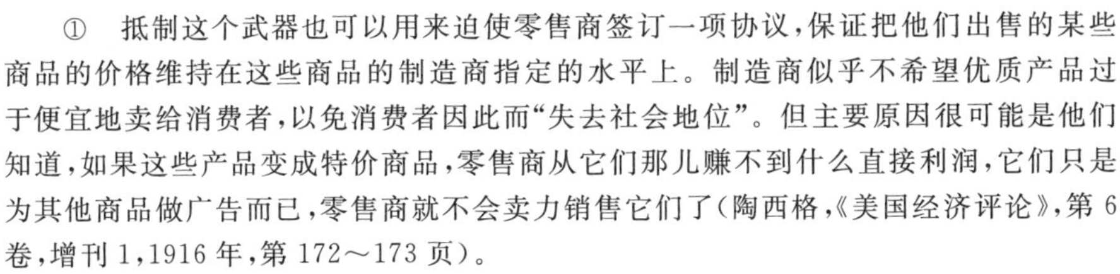

① 抵制这个武器也可以用来迫使零售商签订一项协议，保证把他们出售的某些商品的价格维持在这些商品的制造商指定的水平上。制造商似乎不希望优质产品过于便宜地卖给消费者，以免消费者因此而“失去社会地位”。但主要原因很可能是他们知道，如果这些产品变成特价商品，零售商从它们那儿赚不到什么直接利润，它们只是为其他商品做广告而已，零售商就不会卖力销售它们了（陶西格，《美国经济评论》，第 6 卷，增刊 1，1916 年，第 172～173 页）。

② 据说美孚石油公司就使用了这种方法。当然，其目的是防止其他市场上的客户提出同样的削价要求（参见戴维斯，《托拉斯法与不公平竞争》，第 319 页）。

客户是谁，然后向这些顾客报较低的价；而且据说有时还贿赂对方公司的职员把其公司的商业秘密泄露给美孚石油公司”。[①] 这一武器的巨大威力无需加以强调。“有那么两三次，曾有人试图与杰伊古尔德公司从纽约至费城的电报线竞争，对此，该公司把电报费降至有名无实的水平，挫败了这种企图，此后这一可怕武器的威名便足以阻止进一步的竞争尝试。”[②]

第 5 节

抵制这个武器的应用范围要比残酷竞争窄一些。其作用机制是，拒绝同任何亦与其他卖主做生意的人打交道，除非是以非常苛刻的条件。当占支配地位的卖主为其交易所附的苛刻条件给客户带来的损害，大于客户在其他交易中的损失时，该卖主便可以迫使客户抵制其竞争者。要想做到这一点，他出售的商品或服务就必须是天然地或人为地不可转让的；[③]因为如果客户能够通过中间人购买到垄断者拒绝卖给他的商品，垄断者便无法通过拒绝卖给他该商品而伤害他。因而，当大自然没有产生出不可转移的性质时，垄断者在与任何处于他和最终消费之间的中间机构订立契约时，必须对转售作出严格的规定。但是，仅有不可转让性本身还不够。另外一个必要条件是，对立生产厂家可能以时价供应**给某一不顺从的消费者**的数量必须很小。当然，通常的情况是，任何一个卖主的产量相对于市场的总消费量来说可能都很小，但它却是任

① 《美国产业委员会报告》，第 20 页。

② 霍布森，《现代资本主义的演变》，第 219 页。

③ 参见拙著，“垄断与消费者剩余”，载《经济学杂志》，1904 年 9 月，第 392 页。

何一个典型消费者消费量的许多倍。若情况是这样，不顺从的消费者就可以从其他竞争者那里购买自己所需的所有东西，而把垄断者的全部产量留给温顺的消费者，以此成功地对抗垄断者的拒绝出售。不过，这对于抵制这一武器来说并非是完全致命性的，因为在许多产业中，尽管不是在所有产业中，①生产者是通过批发商，或下一环节的制造商或运输业者间接地与顾客打交道，他们每个人都购买大量产品。存在有这类中间人时，便可以有效地运用抵制这一武器。

首先，当垄断者供应的商品或服务不是一种而是几种时，当这几种商品中，有一种以上商品的需求很急迫，而垄断者通过专利或商誉（例如烟草的牌子）或其他方法能完全控制它们时，便可以强制实行抵制。制鞋业就是一个恰当的例子，在该行业中，某些厂商控制着一些重要的专利。专利机器不出售，而是出租，"条件是，制造商只能与专利权所有人提供的其他机器一起使用这些机器……另一个条件是，最新的机器不得用于生产这样的商品，这些商品在其他制造过程中已被其他制造者提供的机器触碰过"。② 这类抵制还可以用廉价专卖品的制造者有时与零售商签订的"代售"协议来说明。

其次，如果购买者——此处同前面一样，购买者一般说来是制

① 譬如詹克斯（《美国劳工统计局公报》，1900 年，第 679 页）指出，"约有一半的联合企业据说直接向消费者出售东西"。

② 《泰晤士报》，1903 年 2 月 8 日。参见"（英国）托拉斯委员会报告附录"，1919 年，第 27 页。在澳大利亚，1903 年的专利法明确禁止这种做法（参见戴维斯，《托拉斯法与不公平竞争》，第 247 页）。1907 年的英国专利法只是在以下条件下允许这样做，即承租人租用专利机器，有权不接受"合理的"（当然不是平等的）约束性条款。

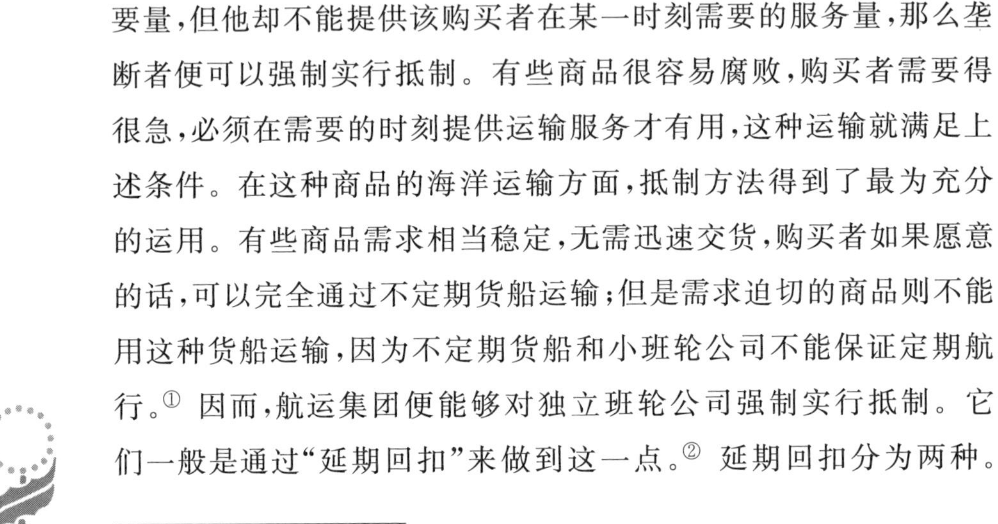

造商——必须在需要出现的时候能够立即得到所需要的服务，而普通的供应商能够提供的服务总量虽然远远大于某一购买者的需要量，但他却不能提供该购买者在某一时刻需要的服务量，那么垄断者便可以强制实行抵制。有些商品很容易腐败，购买者需要得很急，必须在需要的时刻提供运输服务才有用，这种运输就满足上述条件。在这种商品的海洋运输方面，抵制方法得到了最为充分的运用。有些商品需求相当稳定，无需迅速交货，购买者如果愿意的话，可以完全通过不定期货船运输；但是需求迫切的商品则不能用这种货船运输，因为不定期货船和小班轮公司不能保证定期航行。[①] 因而，航运集团便能够对独立班轮公司强制实行抵制。它们一般是通过“延期回扣”来做到这一点。[②] 延期回扣分为两种。

① 参见《皇家航运集团委员会报告》，1909 年，第 13 页。该委员会认为，正是由于这个原因，延期回扣制度不适用于我国煤炭的出口贸易，也不适用于我国的大部分原料进口贸易，而只适用于这样一些货物，对于这些货物来说，高级轮船的定期航班是必不可少的（参见前引报告，第 77 页）。

② 1909 年皇家航运集团委员会是这样描述此种方法的：“班轮公会向发货人发出通知，告诉他们，如果在某一时期（通常为四个月或六个月）结束时，他们未使用班轮公会会员以外的任何船只运送货物，就将把一定金额计入他们的贷方，该金额等于他们在此期间支付的总运费的一定比例（通常为百分之十）；如果在下一个时期（通常为四个月或六个月）结束时，他们继续将其全部货物交由班轮公会会员的船只运送，就将把这一金额支付给他们。如此支付的金额称为延期回扣。例如在目前与南非的贸易中，回扣数额为发货人所支付运费的百分之五。回扣分别以 6 月 30 日和 12 月 31 日结束的两个半年计算，但只有在下一个半年过去之后，才把回扣支付给发货人；也就是说，对于 1 月 1 日和 6 月 30 日之间运送的货物，回扣要到下一年的 1 月 1 日支付，对于 7 月 1 日和 12 月 31 日之间运送的货物，回扣要到下一年的 7 月 1 日支付。因此，在这个例子中，任何一项货物的回扣，都被船主至少要扣留半年，若是 1 月 1 日或 7 月 1 日运送的货物，回扣要被扣留一年。如果在任何时期，发货人用班轮公会以外的船只运送任何数量的货物，不管数量多么小，他都将无权得到该时期和前一时期班轮公会的船只运送的货物应得的回扣”（“报告”，第 9～10 页）。自从皇家委员会的报告发表后，

(1909 年)皇家航运集团委员会发表其报告时,西非航运公会以及所有与印度和远东从事贸易活动的航运公会,仅仅向出口商支付回扣,条件是这些商人没有与非航运公会的公司打过交道,而不要求这些商人的运输代理商在其他客户的货物方面只与航运公会打过交道。① 但是,在南美航运公会那里,"对于通过运输代理商运送的货物,回扣申请单则必须由运输代理商和委托人共同签字,如果运输代理商在其客户的所有运输中未能遵守回扣申请单上的条件,回扣申请单将作废"。②

第三,当垄断者想要利用当作工具的中间人,不是制造商,也不是购买竞争对手的商品的批发商,而是运送竞争对手的商品的铁路公司时,便可以强制实行抵制。当有其他途径运送自己的货物时,垄断者有时可以威胁铁路公司不让它运送自己的货物,以此迫使它对竞争对手收取差别运费。甚至有人说,在由石油托拉斯发动的抵制活动中,铁路公司被迫把向竞争对手收取的一部分额外运费交给石油托拉斯的总经理。③ 当实施抵制的公司实际拥有

一种约束发货人的新方法,即所谓协议制度,开始被采用。1911 年南非通过的一项法律"迫使与南非做生意的班轮公司放弃了回扣制度,此后,经由南非贸易协会和南非航运公会商议,起草了一份协议。……签字的发货人同意给予航运公会的定期航线以积极的支持。作为回报,班轮公司保证按公布的日期定期开航,船只不论满载还是不满载都启航,保证为日常的贸易需要提供充足的吨位;而且保证维持运费的稳定(运费在协议中作了明确规定),保证不论是大发货人还是小发货人运费一律相等"(《帝国航运委员会报告》,1923 年,第 1802 号敕令,第 20～21 页)。

① 《皇家航运集团委员会报告》,第 29～30 页。

② 同上,第 30 页。1892 年上议院对莫卧儿轮船公司案作出的裁决是,被这种做法损害的一方没有理由为其遭受的损害提起诉讼,但这似乎并不一定意味着,被起诉的联合企业本身是合法的(戴维斯,《托拉斯法与不公平竞争》,第 234 页)。在德意志帝国法院判决的一个类似案件中,下达了禁止差别待遇的指令(同上,第 262 页)。

③ 参见《大石油集团》,第 40 页;里普利,《铁路、运费以及管制》,第 200 页。

运输机构时，它在这件事情上的权力当然也就更加大。[①] 这类抵制也可以通过银行来实施，向银行施加压力，迫使它们拒绝向与其竞争的生产者发放贷款。

第 6 节

政府试图用法令阻止残酷竞争或毁灭性倾销，但这种尝试遇到了有意逃避惩罚这一难题。美国产业委员会曾建议，“为摧毁当地的竞争而将任何地方的价格削减至一般水平以下”，都应视为违法行为。任何受到损害的人均有权要求给予惩处，政府官员要依法查处违法者。[②] 然而，很明显，即便像对待公用事业公司那样，可以要求定期公布收费率，但通过给予某些顾客隐蔽的折扣和回扣，仍然能够逃避惩罚；而且，由于发现此种违法行为不那么容易，即使重罚违法者也不一定能确保人们守法。[③] 若毁灭性倾销的威胁不是来自于公用事业公司，而是来自于在不同地方制造多种商品的实业家，便无法实施定期公布价格的法令。因而立法者面对的问题，是要解开缠绕得更乱的结。若毁灭性倾销只是针对某一竞争者或某一群竞争者而在当地市场上削减价格，违法行为至少是明确的，但尤其是通过独立的虚设公司削价，则很难发现这种违

① 当实施抵制的公司像五大肉类包装公司那样，拥有牲畜围场和冷藏库，而竞争对手必须使用这些设备，实施抵制的公司可以对它们收取差别使用费时，情况也是如此。1919 年，联邦贸易委员会在其有关肉类包装业的报告中提出，为了避免发生这种情况，政府应该接管这些牲畜围场和冷藏设备。

② 《美国产业委员会》，第 18 卷，第 154 页。

③ 参见卡尔松，《政治经济学教程》，第 6 卷，第 398 页。

法行为。针对**外国人实施的**这种毁灭性倾销，加拿大(1904 年)和南非(1914 年)政府力图用反倾销法来保护其公民，规定出口给它们的商品如果价格刨除运费等之后，大大低于国内当时通行的价格，便要向其征收特别进口税，税额相当于国内价格和国外价格之差。[①] 不过，这种法律打击的不仅是此处界定的毁灭性倾销，而且还有以下两种做法，一是在萧条时期以低于国内的价格在国外市场出售剩余的存货，二是由设在外国的垄断厂商，以国际价格在国外长期出售其在国内能获取垄断价格的商品。阻止前一种做法的政策是否可取，尚可商榷，但显然没有理由阻止后一种做法，除非确实能举出哪怕是一点点站得住脚的理由支持全面的保护。美国政府想把其立法打击的矛头完全指向毁灭性倾销，在其 1916 年的联邦收入法案中包含有加拿大反倾销法的下列修订版。该法案的第 801 款规定："把任何物品从任何外国输入或帮助输入美国的任何人，若常常故意将此类物品输入或帮助输入美国或在美国境内出售或帮助出售此类物品，而其价格再加上运费、关税和其他各种必不可少的费用后，仍大大低于其输出到美国时这类物品在生产国或其通常的输出国主要市场上的实际市价或批发价，而且这样做的目的是摧毁或损害美国的某一产业，或者阻止美国建立某一产业，或者限制或垄断此类物品在美国的一部分贸易或商业，则此

① 关于这些法律，参见戴维斯，《托拉斯法与不公平竞争》，第 550～551 页。澳大利亚有一项较为复杂的法律，该法律在不公平竞争这个大标题下，谴责了加拿大法律中所说的那种倾销以及某些其他进口方式，是用惩罚而不是特别关税对付它们。参见瓦伊纳，《倾销》(1923 年)，第 11～14 章。关于最近的事实，参见《各国反倾销立法备忘录》，国际联盟经济与金融处，1927 年。

类行为属于违法行为”。违反此条款的行为，不是像在加拿大那样用特别关税来惩罚，而是用罚款来惩罚。1921 年的紧急关税法和 1922 年的最终法案，省略了有关目的的那段话，授权政府一旦有人以低于输出国主要国内市场价格**加**离岸成本输入某种商品，而损害或有可能损害美国的某一高效运行的产业，便可以征收特别关税。在英国，1921 年的产业保护法规定，对从任何其他国家输入的以下商品可以征收特别关税，这种商品在英国的售价**刨除运费后**，低于向输出国消费者收取的批发价格的百分之九十五，而且由于输入这种商品，英国某一产业的就业人数正在受到或有可能受到严重的影响。1921 年，澳大利亚通过了性质相同的法案，不过该法案授予了行政当局相机行事的权力，如果它愿意，也可以不采取行动。我们在此处无须关心这种法律给政府官员带来的麻烦，一些政府官员得弄清相关的事实——根据 1916 年的联邦收入法，还得弄清外国卖主的真实动机——另一些政府官员得发现和阻止为了逃避惩罚而利用名义上独立的代理商的做法，外国卖主可以通过这些代理商按足价输入商品，然后再以较低的价格出售。对于我们目前的目的来说，关键的一点是，如果像在这种法律所涉及的情况下那样，毁灭性倾销是通过地区间的价格差异实施的，则防止这种倾销**较为**容易，因为有一些明确的东西可以依据。然而，如果像在国内贸易中常出现的情况那样，所要对付的是某类商品的**所有**削价，便没有明确的依据来判定违法行为；因为很显然，并非所有削价都是毁灭性倾销，很难在它们当中区别出无罪的削价和有罪的削价。一位权威人士提出的一个检验标准是，“如果某一等级的商品的价格先是被降低，然后又被提高，如果在这其间竞争

对手被挤垮，这便是证据，证明削价的目的是不合法的”。[1] 美国 1910 年的曼－埃尔金斯铁路法采用了这一检验标准，规定“若一定铁路公司降低其在两个竞争地点之间的运费，则竞争停止后不得提高运费，除非能向委员会证明，情况已发生了变化，而变化的原因并不是仅仅由于消除了水陆的竞争”。[2] 1916 年的美国航运法，对州际贸易中的航运费作出了相似的规定。但这一检验标准不能运用得过于严格；因为，假如运用得过于严格，某一厂商在萧条时期或为了试验降低价格，而在这期间同一产业中的另一家厂商倒闭了，那它便无法再提高价格了。

在针对抵制的有效立法中也存在着类似的困难。的确，各国广泛尝试了这样的立法。美国（在克莱顿法之下）、澳大利亚和新西兰，都禁止任何人以购买者不得使用或购买竞争者的商品为条件，出售任何东西，否则将受到惩罚。根据同样的思路，1916 年 9 月通过的美国联邦收入法规定，“若按照协议，输入者或其他人只能使用输入的商品，则将对输入品加倍征收关税”。[3] 而且，1916 年的美国航运法宣布延期回扣为非法。然而很显然，如果这种协议是在制造商和经销商之间订立的，且对双方都有利，那必然很难防止他们逃避惩罚。当抵制不是通过批发商而是通过铁路公司进行时，这种困难会更大。美国的法律长期以来一直试图阻止铁路

① 克拉克，《对托拉斯的控制》，第 69 页。

② 《经济学家》，1910 年 1 月 25 日，第 1412 页。参见里普利，《铁路、运费以及管制》，第 566 页。

③ 1907 年的英国专利和设计修正案禁止订立这种排他性的契约，除非卖主、出租人或特许权享有人能证明，订立这种契约时，其竞争者在合理而非排他性的条件下，可以自由选择是否购买专利产品（戴维斯，《托拉斯法与不公平竞争》，第 539 页）。

公司给予大托拉斯以优待。但是，“一位坚决支持托拉斯的人曾对我说：‘宾夕法尼亚铁路公司不能拒绝牵引美孚石油公司竞争者的车厢，但却没有任何规定阻止它把这些车厢转入侧线’。”[①]“发货单上可以写收到 70 桶面粉；但只发运 65 桶，铁路公司为损失的这 5 桶根本就不存在的面粉支付赔偿金。”除非法律要求改变运费须提前很长一段时间预先通知，否则铁路公司可以突然改变运费，事先秘密通知受优待的发货人，而不告诉其他人；还有诸如此类的一些手法。的确，在通过了埃尔金斯法之后，美国司法部长于 1903 年宣布：“现在有一项法律禁止给予和接受铁路公司的回扣，该法律对个人和公司都能有效地实施”。[②] 然而，这种观点似乎过于乐观了。对于 1908 年的情况，州际商业委员会报告说，许多发货人仍然享有非法的优惠待遇。“例如，自从 1906～1910 年不断修正该法律以来，回扣这种运输业中的弊端，虽然受到了控制，但仍远远没有被根除。优惠隐藏在每一个角落，表现为各种各样的形式。一些做法表面上似乎是必要的、合法的，但仔细调查一番，却可以发现隐藏着实实在在的特殊优惠。”[③]因此，通过铁路公司实施的抵制顽固得很，不容易消除。然而，据说在美国，1920 年的运输法建立了一种由联邦政府监督检查铁路公司的制度，最终根除了通过铁路公司实施的抵制。[④]

---

① 转引自伊利，《垄断集团与托拉斯》，第 97 页。

② 《经济学家》，1903 年 2 月 28 日。

③ 里普利，《铁路、运费以及管制》，第 209 页。

④ P. 德·鲁西尔斯，《卡特尔与托拉斯及其发展》(国际联盟经济与金融处，1927 年)，第 9 页。

从以上讨论看得很清楚，颁布法律禁止驱逐竞争者的政策，很难防止人们规避法律。不过，不应该忘记，尽管如果人们想方设法要规避的话，法律是**能够**被规避的，但事实上，法律常常没有被规避。因为，法律一经通过，舆论便会受到影响，法律提倡的做法就会深受人们的尊重，从而具有强大的惯性。因而，我们有理由认为，这种性质的法律如果加以认真仔细的设计，至少会部分地达到其直接目的。所以，我们饶有兴味地看到，1914 年美国联邦贸易委员会法案第 5 节宣布，“兹宣布以不公平方法从事商业竞争为非法”，建立联邦贸易委员会采取步骤贯彻执行这一宣言，只要它认为这样做符合公众的利益。克莱顿法案第 14 节进一步规定，只要一家公司违反了任何一项反托拉斯法的任何一条处罚规定，“此种违法行为就亦被视为该公司的每一位董事、高级职员或代理商的违法行为，视为由他们授权、命令或从事的行为，此种行为构成了全部或部分违法行为”。被宣判有罪后，根据法院的判决，每一位董事、高级职员或代理商将被课以 5,000 美元以下的罚金，或处以一年以下的监禁，或两者并罚。

第 7 节

假定在某种程度上能够阻止驱逐竞争者，我们便可以转而讨论另一个问题，即：这在多大程度上有助于维持潜在的竞争。克拉克教授似乎认为，借此便可以完全达到维持潜在竞争的目的。他写道，“只要能保护生产中的合法竞争，建立新工厂就不成问题”。然而在现实中，即便能够阻止驱逐竞争者，也还有另一些因素阻碍着维持充分的竞争。首先，当某一产业中正常厂商的规模很大时，建立新工厂所需的巨额资本，会抑制有志者的热情。而且，在此应该指出，许多产业中正常厂商的规模近来一直在增大。例如，1841至1903年，英国造纸业的产量从43,000吨增加到773,080吨，而造纸厂却从500家减至282家；[①]生铁业也出现了这种情况。其次，垄断卖主靠集中生产享有的规模经济效应愈大，出现新竞争者的可能性愈小。因为，如果通过集中生产能取得很大的规模经济效应，则潜在的竞争者便知道，垄断卖主只要放弃一些垄断收入，就能很容易地以低价挤垮他，而自己不遭受任何实际损失。第三，若垄断卖主对成本和利润保守秘密，外来者便很难猜测出假如垄断卖主满足于竞争性产业的正常利润，他会以什么价格出售产品。在这种情况下，阻碍新竞争的因素会进一步增加。第四，联合企业靠大量的广告宣传和品牌的知名度，可能已确立了某种垄断信誉，任何想与其竞争的厂商要打破这种垄断，都得花巨额广告费。的确，有人会说，即便如此，联合企业也会受到遏制，因为它会担心有人为了迫使它收购而建立竞争企业。但是，这种可能性并不像初看起来那么大。因为，如果竞争对手确实能成功地采取这种策略，联合企业的资本额便会大大增加，以致每单位资本的利润率变得非常低，使竞争者感到不值得冒这样的险。[②] 这一因素很自然地会使他踌躇不前。因此，用阻止驱逐竞争者的办法来维持潜在的竞争，至多只能取得部分成效，所以，凭借此种办法远远不能抑制拥有垄断权的企业运用这种权力。甚至就产业本身而言，情况也

① 莱维，《垄断集团、卡特尔和托拉斯》，第197页。

② 参见詹克斯和克拉克，《托拉斯问题》，第69～70页。

是这样。在一些生产部门——粗略地说，是公用事业公司涉及的那些部门——竞争显然会造成浪费，因而几乎可以肯定地说，政府不会允许竞争，不会对垄断者施加任何限制，而如果竞争不造成浪费，政府则会对垄断者施加限制。

第 8 节

阻止联合意味着维持实际的竞争，阻止驱逐竞争者意味着维持潜在的竞争，这两种做法都不足以控制垄断，因而人们很自然地想到了直接控制的方法。1911 年，铁路公司协议与合并部际委员会专门谈到直接控制的方法，清楚地表明了对铁路垄断以及产业垄断的态度。它写道："总之，我们坚决认为，既然需要避免铁路公司合作可能带来的后果，这种防护就主要应该由对付这种后果本身的一般性立法来提供，而不管它们是不是由协议造成的。同对协议的管制相比，此种方法应该提供广泛得多的保护。它将无论是在垄断集团签定协议还是达成谅解的情况下，都保护公众。……它不会分不清公司在有协议的情况下会做什么和在没有协议的情况下会做什么"。[①] 如果能十分精确地运用这种方法，当然就不需要前面讨论的那种**任何**附带的间接方法了。但实际上，正如马上将要说明的那样，直接对付垄断权力造成的后果，会遇到很大的困难。而且，因为在大多数情况下，直接方法必须以某种合理的收入标准为依据，而此种标准要根据其他竞争性产业的情况来确定，所以假如完全放弃了维持潜在竞争的努力，普遍采用直接

① 《铁路公司协议与合并部际委员会报告》，第 21 页。

方法，上述困难会变得无比巨大。由此可见，应该在各个产业有力地推行维持潜在竞争的政策，直接对付垄断后果的方法不应取代这种政策，而应作为这种政策的补充。

第 9 节

乍一看，似乎很显然，直接对付垄断权力的后果意味着，也只能意味着政府的某种直接干预。当然，实际情况也基本上是这样。但具有某种理论意义的是，皇家航运集团委员会鼓吹在航运方面采取另一种政策。该委员会实际上建议，针对垄断卖主，国家应鼓励买主也实行联合，从而拥有自己的垄断权。它希望，买主的联合能抵消卖主收取垄断价格的企图。鼓吹采取这种方法，为的是部分消除班轮公会制度带来的弊端。从理论上说，这种方法是软弱无力的，因为创立第二个垄断集团不会把价格带到自然点或竞争点，而是使价格在包含那一点的一个很大范围内变得不确定。无疑，买主的境况会比他们不联合时要好；而且可以预料，价格和产量会比买主不联合时更接近于国民所得需要的水平。但是，这两个联合体之间讨价还价的结果接近于单纯竞争的结果的可能性却不是很大。即使针对卖主创立的垄断集团是最终消费者的垄断集团，这一困难也依然存在。然而实际上，最终消费者几乎不可能以这种方式联合。能够联合起来的只是介于最终消费者和垄断卖主之间的中间人，他们不会特别卖力地为消费者的利益而奋斗。[①]如果他们联合了起来，则他们所经手的商品，在到达最终消费者那

① 参见马歇尔，《工业与贸易》，第 628 页。

里以前，须经过两个垄断集团之手，而不是一个垄断集团之手。从经济上说，这对最终消费者必须支付的价格产生的影响是不确定的。价格可能低于中间人没有联合时的水平，但也有可能反而更高。不管怎么说，价格以及最终消费者所能得到的服务数量，很可能是极为不稳定的。[①] 这些需要考虑的因素表明，皇家航运集团委员会提出的政策具有严重的缺陷。[②]

第10节

政府的干预并不一定就是对销售条件指手画脚。仅仅将其曝光，或许便会有力地抑制大公司有害于社会的做法。美国联邦贸易委员会担负的一项重要工作，是对大公司进行调查和发表相关的报告。英国托拉斯委员会（1919年）建议，商务部应获得并以年度报告的形式公布有关这样一些企业组织发展动态的情报，这些企业组织的目的是控制价格或产量，以致形成垄断集团或限制贸易；应调查对这类企业组织行为的指控。当然，应运用权力迫使这类企业组织的高层主管提交账册和回答问题。只要他们害怕舆论信任的调查机构发表对他们不利的报告，常常就会使他们有所收敛，不敢过于滥用垄断权力。总之，毫无疑问，公之于众这个武器可以达到某些重要目的，但却无法达到必须达到的所有目的。

① 参见马歇尔，《经济学原理》，第五篇，第14章，第9节。

② 1923年，帝国航运委员会在批准该政策时说，（就航运业而言）“遵循本委员会的建议，只建立起了两个重要的团体，而且本委员会自成立以来，也只注意到了这样两个团体”（敕令书，1802，第23页）。

第 11 节

所以，我们转而讨论政府对销售条件的干预——当前面考察的那些"补救方法"不足以达到目的时，即便对于工业企业而言，**可能**也需要采用这种方法，而且除非是由政府经营，否则对于公用事业企业而言，这种方法也肯定是必不可少的。从理论上说，这个问题可以表述如下。假设单纯竞争带来的产量(当然要考虑到企业联合可能产生的规模经济效应)便是最有利于国民所得的产量，则实行管制的目的就是确保这一产量的出现。在供给价格递增的产业中，这种管制不能仅仅靠价格控制来实现。因为，如果价格被国家规定在竞争条件下特有的水平上，也就是被规定在若竞争条件占优势，产量将被调整得能产生正常利润的水平上，那么，垄断者生产比这少的产量，将是合算的。在供给价格递增的条件下，通过减少产量，他也能降低供给价格，由此而获得一笔垄断收益，其数额等于被管制的价格乘以产量和供给价格乘以产量之间的差额。他的利益所在是，控制产量而使这种垄断收益尽可能地大。根据需求曲线和供给曲线的形状，最终的产量可能大于，也可能小于受管制的垄断下的产量；但无论如何，它肯定小于政府想要维持的、单纯竞争条件下特有的产量。不过，只是在供给价格递增的产业中，才会出现这种情况。当供给价格不变或供给价格递减时，若价格被规定在竞争水平上，垄断者把产量降低至竞争性产量以下，将是不合算的；因为他这样做不一定能降低成本。因此，如果政府能将价格定在竞争水平上，它也就能间接地确保竞争性产量。① 实

① 参见附录Ⅲ，第 23 节。

际上，由于趋向于垄断而必须加以管制的企业（无论是工业联合企业，还是公用事业公司），很少是供给价格递增的企业。所以，总的说来，所谓控制就是对价格的控制。

第 12 节

由此，我们会不由自主地想到大战期间实施的那种价格管制，第 12 章已对此作了一些说明。不过，应该认识到，我们目前所关心的，与这有着根本的不同。控制垄断时，是要阻止垄断者索取高价，因为他这样做会把产量降低至他以正常利润能够生产的水平以下。如前所述，在供给价格不变或供给价格递减的条件下，把最高限价定在与“竞争性”产量相一致的水平上，实际上会导致出现该产量。毫无疑问，这种最高限价会与这样一种产量联系在一起，公众为这种产量愿意支付的需求价格高于政府规定的最高限价。① 但就战时问题而言，正如第 12 章清楚地说明的那样，干预的实质就是把最高限价规定得低于公众在需要时愿意为生产出的商品数量支付的需求价格。正是由于这一原因，在最高限价下，需求量总是大于供给量，因而为了防止由此而可能带来的分配不均，要对所有消费者实行配给制，使其中许多消费者的购买量少于他们本来想要购买的数量。也正是由于这一原因，仅仅从生产者那一方面规定价格是不够的。因为需求价格高于政府想要允许的价格，所以限制例如航运运费，而不同时也限制在受限制的运费下运

① 用专门术语来说就是，限制垄断价格，会使交换指数沿着需求曲线向右移动；限制竞争价格会使交换指数移动至需求曲线以下。

送的货物的价格，只会使船舶与消费者之间的中间人独自获取全部利益。所以，不仅要对原生产者规定最高限价，还要规定此后经手受控商品的各种人（不论是其他制造商还是零售商）在这种价格之上的最大加价额。当然，若控制的是垄断收费，则没有必要作这种辅助性的安排。

第 13 节

我们现在可以进而直接讨论这种形式的价格控制。实施这种价格控制的一种方式，可以说是消极的。它可以作出一般性的规定，禁止"不合理的"行为，至于实际上什么是不合理的行为，裁定权则留给有关的委员会或法院。对于拟议中的运费**修改**，其实就采用了这种控制方式；1921 年以期的英国铁路委员会和通过赫伯恩法以期的美国铁路委员会，都拥有裁定权。这两个委员会要裁定某一拟议中的提价是否合理，据此而予以批准或禁止。因而它们的工作是**比较**轻松的。它们无需每时每刻地管制所有价格，而只需对特别不合理的价格进行干预；此外，仅仅知道设有这样的委员会，很可能就足以制止不合理价格的出现。① 在管理某些特许经营权方面，也采用了这种消极方式；假如某一特许公司未能"按照政府的合理要求经营和发展"，市政当局便可以**按适当价格**（这是个意思含糊的词）接管该公司的业务。② 加拿大联合企业调查法（1910 年）亦采用了此种控制方式。该法案规定，若有人对某种

① 参见范・海斯，《集中与控制》，第 261 页。

② 全国城市联盟，《公用事业的市政经营和私人经营》，第 1 卷，第 41 页。

物品提出上诉，则政府有关部门有权弄清，“联合企业是否把价格定得过高，不适当地增加制造商或经销商的利益，而损害了消费者”；如果控告属实，将给予处罚。新西兰 1910 年的法案采用了相同的控制方法。它规定，“任何人，无论是委托人还是代理人，如果以过高的价格出售或供应商品，或供他人出售或供应商品，如果该价格是由某一商业托拉斯以某种方式直接或间接所规定或控制，或受其影响，而该人或其委托人（若有的话）现在是或曾经是其成员，则他便触犯了法律”。1903 年的俄国刑法有相同的条文：“某一商人或制造商，若与经营或制造相同商品的其他商人或制造商一起，大幅提高粮食或其他基本生活必需品的价格，将被处以徒刑”。[①] 所有这些法律都禁止过高的价格，但却没有试图去规定价格。另一种实施控制的方法可以说是积极的方法，就是由官方明确规定最高收费或最少服务供应量。说明这种方法的例子有，通常由市政府授予的公用事业公司特许经营状中的条款，以及 1906 年赫伯恩法授予州际贸易委员会的权力，该法案授权它“决定并规定”铁路、电话和其他交通服务的最高收费。

第 14 节

不论是采用消极管制方法还是采用积极管制方法，要使法律有效都必须对违法行为给予某种制裁。可以用各种方法做到这一点。对于违法行为的处罚有时是直接罚款。在被保护国，例如在巴西，有时是取消对竞争的外国商品征收的关税。[②] 1910 年的加

---

① 这些法律的正文刊印在詹克斯和克拉克所著《托拉斯问题》一书的附录 G 中。

② 参见戴维斯，《托拉斯法与不公平竞争》，第 294 页。

拿大联合企业调查法，对这两种处罚都作了规定。根据该法案的规定，如果有关的委员会“发现企业间有联合，政府可以降低或取消关税，此外，对于那些在委员会的判决正式公布后仍继续从事违法行为的人，每天课以1,000加元的罚款”。[①] 另一种有趣的制裁方式是，巴拿马运河法案中的一项条款规定，船主若违反美国的任何一项反托拉斯法，将禁止其船只使用巴拿马运河。[②] 有时制裁是发出威胁，说政府要参与竞争。例如，根据1892年的协议，英国邮政局接管了国民电话公司的中继线，当时财政大臣曾暗示，国家虽已获得了竞争权利，但只要该公司能理性行事，就不会行使这一权利。[③] 还有的时候，制裁是威胁进行收购，即国家将根据事先规定的条件或由仲裁裁定的条件，收购被管制企业的全部厂房设备。最后——这种制裁方法，实际上产生于美国最高法院在美孚石油公司案中对谢尔曼法的权威解释——有时联合企业的价格（和其他）政策若被认为是合理的，可能不会被触动，但联合企业若运用其权力损害公众利益，则可能根据最高法院的命令予以解散。[④]

第15节

不过，虽然发现违法行为时有许多制裁方法可供采用，而且其

---

① 《经济学家》，1910年3月26日，第665页。参见《美国科学院年报》，1912年7月，第152页。

② 参见约翰逊和许布纳，《海洋运输原理》，第386页。

③ H.迈耶，《公有制与电话公司》，第56、199页。

④ 参见首席大法官怀特的判决，他在该案件中确立了如今所谓的“理性规则”，以此来解释这个法案（转引自詹克斯和克拉克，《托拉斯问题》，第299页）。

中一些非常有效，但必须补充说明的是，无论是采用消极的控制方法还是采用积极的控制方法，阻止人们规避这些制裁都是极其困难的。例如在战前，我国的铁路公司实际上提高了运费，而事先没有提出申请征得铁路委员会的同意。一些铁路公司出租侧线创收；一些铁路公司增加了拒绝运输的货主自担风险的商品数目，除非包装能令铁路公司满意；一些铁路公司取消了回扣；如此等等，使用的手法多种多样。而最难以对付的规避手法是，通过改变质量来对抗价格管制。为防止出现这种情况，必须在规定最高价格的同时规定最低质量标准。但在某些方面，例如在电车的舒适和准时、屠宰厂和下水道的卫生状况等方面，很难规定最低质量标准。当质量有许多不同的等级（无论是茶叶这样简单的东西的不同质量等级，还是帽子这样较为复杂的东西的不同质量等级），而每一等级必须与其他等级相区别并适用于不同的最高价格时，规定最低质量标准的困难尤其巨大。很容易以较高等级的价格出售较低等级的东西。在另一些方面，例如在自来水供应、煤气供应、牛奶供应和房屋供应等方面，尽管有质量检验标准可供依据，但却难以发现对最低质量标准的偏离。毫无疑问，通过建立严格的检查制度，例如为实施防止食物和药品掺假法而建立检查制度，是可以有所作为的。但无论如何，还是可能有很多的漏洞可以利用。

第 16 节

然而，即使能完全克服这个困难，阻碍直接控制的最为可怕的障碍依然屹立在那里。人们必须决定什么价格可以被认为是不合理的，以及在采用规定最高限价的积极控制方法时，最高限价应该定在什么水平。正如我在本章开头所说的，瞄准的目标是竞争性价格，亦即在其他条件不变的情况下产量是单纯竞争而非垄断特有的产量时出现的价格。管制当局究竟应如何确定这种价格？可以想象，一些思想不严密的读者根据最近的经验会说，竞争性价格可以直接根据人们把原料转变为成品花费的有案可查的费用来确定。然而很显然，要计算出**全部**转换成本，我们得知道，对于我们讨论的物品来说，在原料和劳动成本之外，还应加上多少应该分摊的企业固定成本。诚然，若能确定应分摊的固定成本，运用转换成本会计——这种技术在战时得到了很大发展——就能确定某种产品或某一组联合产品的适当价格；[①]但却不可能反着进行这一工作。计算转换成本是迈向实际价格管制的必要一步，但并不是最重要的一步。

第 17 节

看来显而易见，我们的问题只能借助于“正常的”投资收益率得到解决。我们知道，假如进行了竞争条件下特有的投资，则在当时能获利的产量下，能为这种投资带来正常收益的价格，就是我们所需要的价格。然而，不幸的是，实际进行的投资不可能等于竞争条件下特有的投资。可以这么说，如果从一开始就有垄断，实际进行的投资就会少于竞争条件下特有的投资，如果垄断是许多大企

① 当然，就联合产品而言，不可能把各种生产成本区别开来，每种产品的“适当”价格不仅取决于其共同的生产成本，还取决于每种产品各自的相对需求，这一事实使任何想规定价格的人都面临着更为错综复杂的工作。

业残酷竞争后联合的结果，实际进行的投资就会多于竞争条件下特有的投资。于是很显然，我们所需要的价格，并不是在能获利的产量下能为实际投资带来正常收益的价格，除非进行了竞争条件下特有的投资，我们所需要的价格正好等于能给该投资带来正常收益的价格。这一条件意味着，我们所关注的那种商品，从长期的观点看是在供给价格不变的条件下生产的商品。对于一个从一开始就存在的垄断集团来说，如果该商品是在供给价格递增的条件下生产的，则能给实际投资带来正常收益的价格将太高；如果它是在供给价格递减的条件下生产的，能给实际投资带来正常收益的价格将太低。实际上，如前所述，供给价格递增的商品几乎不可能受垄断集团的控制。因而，如果我们为了控制垄断而计算所谓“适当的价格”，即计算在何种价格下能产生正常收益并能生产出获利最大的产量，[①]那么，对于一个从一开始就存在的垄断集团来说，我们计算出的价格很可能有点太高。另一方面，对于投资过多和残酷竞争产生的垄断集团来说，它很可能太低。然而，在我看来，没有任何其他方法可以用来计算该价格。[②]

第 18 节

如果因为没有更好的方法，我们决定使用这种方法，就必须决

① 细心的读者可能已注意到，假如垄断者拥有的设备多于竞争条件下应该拥有的设备，实际上便不可能为在上面决定的价格下有利可图地生产出的全部产量找到市场。不过，这一事实丝毫也不损害正文中所作的分析。

② 本小节讨论的这个棘手问题，是奈特教授在一篇富有启发性的文章中提出的，我在本书的前几版中未注意到这个问题，参见它的“控制投资与控制收益”，载《经济学季刊》，1930 年 2 月。

定对于其产品价格受管制的具体企业而言，何种利润率可以正确地认为是正常的利润率。乍一看，可能认为这个问题很容易解决。扣除了厂方的收益（合股公司自动这么做）后，剩下来能够按一般利率为企业资本支付利息的利润，不就是正常利润吗？这一提议看似有道理，但很容易证明它远远不足以满足我们的需要。先让我们假设，在所有企业中，一般利润率确实与正常利润相一致。我们还得决定，被支付以这种一般利润率的是何种资本。显然，我们不能把这种资本解释为企业的市场价值，因为企业的市场现值只不过是其预期收益的现值，而考虑到所冒的风险，这种收益**必然**为其现值产生一般利息率，不管其数额是多少。的确，如果我们把现有的市场价值当作我们计算的基础，那么，由于这取决于人们认为政府将采取何种价格管制制度，我们便将危险地接近于循环论证。所以，从价格管制的角度考虑的资本价值，完全不同于从例如税收的角度考虑的资本价值。在某种意义上，它必然是指过去真正投入企业的资本。但这也很不好计算。当投入企业的金额包括支付给完成一项合并（该项合并带来的好处是，获得向公众收取垄断费的权力）的发起人的佣金时，似乎不应把这种佣金计算在内，除非这项合并也提高了生产效率。据美国的一些工业联合企业的高级职员说，“组织费用，其中包括支付给发起人和金融家的报酬，常常高达股票发行总量的百分之二十至四十”。[①] 了解到这种情况，我们便会明白，上述一点极其重要。一部分资本支出也会遇到相同的困难，该部分资本支出被用于收购现有企业，而收购价格较高，

① 詹克斯和克拉克，《托拉斯问题》，第 90 页。

因为收购方期望，企业合并后便能够采取垄断行动。除了这些难以计算的项目外，还要弄清无论是用于实际建筑，议会游说，购买专利权，还是用于广告宣传的原始资本支出，以及随后超出维修和更新、为使原始资本保持原样、尚未从收益中提取出来的支出，同时要考虑到不同投资的不同日期。[①] 对于未来建立的新企业，很容易通过法律要求它们提供关于所有这些项目的资料。但从建立了很久的企业那里，却无法获得这种资料。例如，用于商誉方面的相同支出，一家企业可以当作资本支出，另一家企业可以当作经常支出，以致实际上无法加以区别。鉴于有这些困难，也许不得不采取某种迂回的方法来接近事实真相。显而易见，名义资本对于这个目的毫无用处。它可能已被虚增或篡改，真实情况完全被掩盖了。资本的市场价值我们已说明不足以满足我们的需要。所以，通常就得利用企业厂房设备的估计"再生产成本"（如果相关的价格自投入原始资本以来发生了很大变化，再生产成本会使人产生很大误解），或利用厂房设备的直接估计价值（这种直接估计价值的数额，当然取决于估价原则）；然后要或多或少武断地扣除创立成本、建立商誉和购买专利权的投资，等等。我们并不是需要这些**数据**本身，而是要在无法直接弄清实际资本投资的时候，用这些数据粗略地估计这种投资。分析这样做可能遇到的困难，超出了本书论述的范围。[②]

① 参见海尔曼，"公用事业估价原理"，载《经济学季刊》，1914 年 2 月，第 281～290 页。

② 参见巴克，《公用事业收费》，第 5 章和第 6 章。

第 19 节

还有一个更为根本性的难题。至此，我们一直隐含地假设，投入任何企业的资本可以用投入的货币适当而明白地表示。然而，实际上，某一年实际投入的 1,000 天劳动，可以用 200 英镑衡量，另一年可以用 400 英镑衡量，再另一年可以用 400,000 英镑衡量。在通货极为不稳定的时期，例如在战后的俄国和德国，这种困难不可避免地变得很突出。显而易见，重要的是实际投资，而不是货币投资，所以严格说来，当一般物价发生变化时，对于我们当前的目的来说，货币投资应该向上或向下调整，以反映出这个事实。这意味着应修改过去每年所有的记录，应该用每年一般物价指数和当年一般物价指数之间的比率乘以每年的货币投资。由于人们公认现有的各种指数都有缺陷，所以几乎不能指望这种方法会被人们充分接受而得到运用。对企业的很大一部分投资常常是以债券的形式进行的，而无论价格发生什么变化，都对债券约定有固定的货币利息，此时这种方法会受到另一种更为强烈的指责。允许用倍增的货币总收益来抵消物价的翻倍，其实是为债券持有人遭受的损失和股票持有人自己遭受的损失，而给予股票持有人以补偿，却听任债券持有人倒霉，不予补偿。[①] 然而，完全忽视一般物价巨大而迅速的变化，例如第一次世界大战造成的变化，则是默认对事实真相的严重歪曲，并在这种歪曲的基础上行事。这些因素连同上

① 参见鲍尔，"有效收费控制的公平价值"，载《美国经济评论》，1924 年 12 月，第 664～666 页。

一节讨论的那些因素足以表明，决定何种企业资本应被支付以“一般”利率，并非易事。

第 20 节

但这并不是事情的全部。某一企业的正常“竞争性”利润，并不是会为已实际投入该企业的资本产生“一般”利息率的利润。因为建立不同的企业既包含有不同程度的风险，也包含有不同的初始发展期，在初始发展期，根本不可能获得任何收益；因而必须给予那些成功的投资者（国家只能同他们打交道）以适当的补偿，他们必须得到足够的报酬以抵消失败的投资者的损失。[①] 诚然，在生产已或多或少走上正轨的产业中，并不一定是这一因素带来了巨大的实际困难，但在所有处于实验阶段的产业中，这一因素却极为重要。[②] 而且，即使没有风险，我们也不能在所有情况下都把能产生一般利率的价格视为适当的价格，而只能把这样的价格视为适当的价格，即如果以“一般的”能力经营管理和实际组织原始的投资，这种价格能产生一般利率；但这是个模糊的、难以把握的概念。正如陶西格教授所说：“大家都知道，财富是在严格竞争的产业中创造出来的，应该归因于非凡的经营才能。……当垄断或半

① 参见格林，《公司财务》，第 134 页。

② 如果一家企业在成功度过投机冒险的初始阶段后，被另一家企业收购，收购价很可能包含一笔超出成本之外的巨资。这可能是对所冒的风险和所承担的不确定性的公平补偿。但很显然，在付过了这笔钱后，仍然允许新公司在计入该行业的风险和包含上述金额的资本的基础上获取利润，就是在迫使公众为它未冒的风险支付报酬，为已经支付了报酬的风险提供补偿。有关商誉的卓越一般性讨论，参见利克，《商誉、其性质以及估价商誉的方法》。

垄断获取高额收益时，我们如何能把得自垄断的那部分收益和得自卓越管理的那部分收益区分开来呢？”[①]让不善于投资的公司享有同善于投资的公司一样的收益率，显然不利于有效的生产。顺便说一句，假如讨论的是两家相互竞争的联合企业，则合乎逻辑的做法肯定是迫使其中经营较好的一家收取较低的价格，这不仅立即会产生尴尬的结果，还会极大地挫伤提高经营管理水平的积极性。在此应该指出，进一步扩大企业联合，只要能带来规模经济效益，就是一种良好的经营管理方式，但如果价格受到管制，无法给扩大企业规模的人带来好处，则不应鼓励这种经营管理方式。最后，当建立一家工厂是为了远远超出现有需求而满足预期的未来需求时，则很显然，批准很高的价格，以至在这种未来的需求出现以前全部投资就得到充分的利益，是不合理的。[②] 由于有这些错综复杂的因素，由于政府对情况的了解必然是有限的（因为一般说来，在专业经验上，控制者必然大大落后于被控制者），政府几乎肯定要么对要加以控制的企业管得过宽，使它们仍然拥有垄断权，要么对它们管得过严，以致虽然能阻止它们享有垄断权，但同时也阻碍了它们发展到单纯竞争条件下本应达到的水平。1870 年的英国有轨电车法案似乎就是后者的例子，该法案导致了我国电力牵引发展的严重滞后。

第 21 节

很显然，决定何种规模的收益率是具体生产企业的正常收益，

① 《美国经济评论增刊》，1913 年 3 月，第 132 页。

② 参见哈特曼，《公平价值》，第 130 页及以下各页。

非常困难。这种困难既使消极的控制方法(在该方法下,立法机构只是谴责不合理的价格,而由法院裁决某一价格是否真的不合理)变得复杂,也使明确规定最高限价的积极控制方法变得复杂。但很显然,对积极的控制方法产生的影响要更为严重,使其变得极为复杂。一般的工业企业都生产大量的各种不同的商品,其原料成本在不断变化,成品的特性也在不断改进。任何外部权力机构都根本无法为这种企业制定出价格表。另一方面,像美国联邦贸易委员会这样由训练有素的人员组成的、有能力进行全面调查的委员会或司法机构,则并非不可能从原则上确定,一个产品相对于另一个产品和一个时期相对于另一个时期而言,某一大型联合企业——例如美孚石油公司或联合钢铁公司——是否在收取高价而给它带来了不合理收益。在和平时期,政府还从未试图超越消极控制的界限,而且在目前的经济知识和政府能力的情况下,似乎无论如何都不会,也不应该作这样的尝试。尽管采用消极控制方法所能希望获得的结果并不尽如人意,但还是要好于盲目采用另一种方法可能得到的结果。另一方面,就公用事业企业而言,消极控制方法大于积极控制方法的难度却微乎其微。一般说来,这些企业提供的服务是单一的、比较简单的,提供的是煤气、自来水、电力和客运。因而无需规定许多不同的价格——当然,铁路运费是一个很重要的例外。而且,这些服务的需求一般不受时尚的影响,设备在成本中占有极大的比重,以至原料价格发生变化,关系不是很大。最后,即使情况不是这样,所出售的这些商品的性质和顾客的便利,也要求收取的价格不应经常变化。所以,对于这些企业一般采用积极的控制方法,即规定最高限价。

第 22 节

作了以上分析后，就必须寻找最佳的方法来防止出现那两种相反的偏差，即控制过松和控制过严；正如第 20 节所述，所有形式的管制实际上都经常出现这两种偏差。为此，有人提出的一种方法是，对经营某些公用事业的特许权进行某种形式的拍卖。这样，对此最感兴趣的人便会对自己认为可以获利的条件作出估计。有人是这样描述这种方法的，“按照目前流行的最佳方法，市政府把建造市政工程的特许权出售给竞标成功的公司，该公司在明确规定的条件下以最低的收费提供自来水，特许权有时是永久性的，但也常常规定，市政府在未来某一日期有权收购市政工程”。然而，因为在许多城市，具有投标能力的公司寥寥无几，而且它们自己的估计必然在很大程度上是尝试性的，所以采用这种方法并非不可能发生很大的误差。大多数产业的情况在不断变化，适合于某一时期的价格管制方法，必然会变得不适合于另一个时期，这一事实又增大了发生误差的可能性。

第 23 节

可以通过定期修改价格管制来限制误差范围。“由于情况变化很快，特许经营权不能永久固定不变。”[①]随着技术的不断改进和其他情况的变化，旨在创造竞争条件的最高限价，过了一段时间以后，很可能会远远高于受限制的竞争者可以获利的价格，从而完

① 比米斯，《市政垄断集团》，第 32 页。

全无效。“在所有情况下，公众都应保持对未来的增长和利润的兴趣。”[1]然而，规定定期修改特许经营权，会带来不确定性，从而大大限制对有关产业的投资，给国民所得造成损害。而且，如果每隔一定时期进行修改，会诱使各公司在这样的时期临近结束时把重要的投资推迟到做完修改之后，以免其很大一部分成果因价格降低而付诸东流。[2] 对从其他地方引入技术改进作出特殊规定，并不能完全克服这种困难。对付这种困难的方法之一是，用保护公司利益的条款束缚修改机构的手脚。例如，1844 年的铁路法规定，如果在批准这些线路 21 年以后，红利超过已缴资本的 10%，则财政大臣可以修改通行费、运费等，条件是保证下一个 21 年也享有 10%的红利。另一种方法是，使修改日期距离工程开工日期足够遥远，从而对投资的影响非常小。很显然，无论采取这两种保护措施的哪一种，都会减少修改特许经营权在缩小实际管制和理想管制的差距方面具有的效力。但是，如果真的要进行管制的话，国家保留某种形式的修改权则是绝对必要的。如果修改原则规定得很明确并被人们广泛了解，运用这种权力似乎不会对投资和企业家精神的发挥造成严重阻碍。可以指示修改者，每次修改时必须把价格——或者当要对付的是联合产品时，是一些调整后的价格——定得足够高，以使有关公司的实际总投资继续享有合理的收益率，当然要考虑到最初投入的资本冒的风险可能很大，而随后添加的资本所需的风险报酬则较低。而且可以指示修改者，在确

① 《公用事业的市政经营和私人经营》，第 1 卷，第 24 页。

② 参见惠顿，《对英国公用事业公司的管理》，第 224 页。

定合理报酬时，一般说来要考虑到企业所表现出来的管理水平，管理得很好时要比管理得一般或很差时定价高，以产生较高的收益。毫无疑问，这种修改的技术困难会极大，但不会像刚开始实施管制时遇到的困难那么大。可以合理地假定，最终会出现一批政府官员，他们在这些事情上的决定，若建立在适当的相对统计数字的基础之上，会立即获得投资者的信任。这些投资者会得到安慰，心里明白，虽然其产品的价格有可能被强制降低，但如果原料和劳动成本变得对他们不利，产品价格也有可能为了他们的利益而被提高。

第 24 节

还有另一种方法可以用来限制误差的范围。在所有的一般产业中，原料成本等都会在连续的修改时期**之内**发生变化。如果遵循单纯竞争的指引，这种变化就应伴以向顾客收取的价格的变化。毫无疑问，在像铁路运输这样的产业中，经常变化价格会带来很大的技术上的不便，因而一般说来，最好不遵循这种短期变化的指引；但这种情况或许很少见。管制机构有时试图以某种自行调整的安排，来进行必要的价格变动。运用于我国的一些煤气公司的一种不成熟方法，是规定**最高**红利。如果管理水平保持不变，这意味着，当成本降低到某一点以下时，向顾客收取的价格也必须下降。不过，这种方法的严重缺点是，一旦采用它，便很可能使人们不再想提高管理水平，也不再想避免浪费。一种较为成熟的方法是规定收益标准，总是允许收取足够高的价格保证这一收益标准，并进一步规定，超过这一标准时，其差额的固定比例应用于降低价格，其余的才用于增加收益。1920 年的南部城市煤气公司法，就作了这种安排，规定超过标准的不论多少收益，其四分之三都应分配给消费者。我国的铁路运费目前也多少是以相同的方法管理的。1921 年的铁路法根据 1913 年的收益，并为新投资等留出余地，为各家联合公司规定了标准收入。如果经验表明，在有效而经济的管理下，运费法庭规定的运费率产生的收入大于标准收入，运费法庭便有权降低运费率，"以降低公司以后各年的净收入，使收入的增加额不超过收入增长额的 80%"；如果实际产生的净收入少于标准收入加上对新资本的补偿，运费法庭便可以提高运费率，使其达到此数额，条件是差额不是由管理不善或浪费造成的。很明显，在这种安排之下，对管理水平的提高造成的阻碍，要小于达到最高收入**之后**规定最高红利的方法；但由于运费法庭在根据管理水平调整价格时会遇到极大的困难，此方法对管理水平的提高造成的阻碍，必然大于达到最高收入**之前**规定最高红利的方法。不过，还有另一种方法，就是通过滑动调整，把特许经营时期支付给股东的红利变化与售价联系在一起。采用这种方法的例子，是英国的一些有关煤气公司的法案。例如，战前的一项法案规定，每 1,000 立方英尺煤气的标准价格为 3 先令 9 便士，并规定，价格每降低 1 便士，煤气公司可以把红利增加0.25%，价格每提高 1 便士，煤气公司必须把红利减少0.25%。另一个例子是有关兰开夏郡电力公司的法案，这个公司批发电力。该法案"规定，红利为 8%，超过 8%，每增加0.25%，价格必须降低 5%，若价格已达到本法案允许的最高限价，则必须再降低1.25%"。[①] 这种对价格的滑

① H. 迈耶，《大不列颠的市政所有权》，第 281 页。

动调整——当然，要使之有效，政府还必须控制有关的公司发行新股票——像对工资的滑动调整一样，并不能替代而只能补充对特许经营条款的定期修改；只要把它们当作永久性的安排，降低生产成本的所有改进和发明，无论是公司自己还是他人完成的，就会稳定而持续地增加利润。对于新公司不那么容易进行这种调整，因为只有对公司的经营情况积累了一定经验时，才能确定适当的价格和红利标准。但是，却可以先规定一简单的最高限价，保留经过一段时间后改用滑动调整的权力，大战之前，商务部对煤气公司就是这么做的。[①] 这种滑动调整方法，像前面讨论的其他方法一样，也会受到这样的攻击，即：不仅当原料和劳动价格上涨时，而且当公司利润由于经营管理不善而下降时，它会推动价格上涨。不过，尽管有这些困难，可以预期，滑动调整方法——标准收益方法也是这样——若加以精心设计，会比任何其他在两个修改时期之间严格规定价格的方法，更加接近于单纯竞争条件下的价格体系。而且，挫伤管理积极性的危险，可以用英国铁路法等中包含的那种规定来对付，根据这种规定，当收益的减少不是自然原因造成的，而是管理不善造成的时候，主管当局可以禁止提价。

第 25 节

应该补充说明的是，以上描述的各种方法，虽然可以作出合理的规定，在修改时期内将根据原料等成本的变化调整收费，但却极其不适合于对付需求的变化；因为，如果遵从的是单纯竞争，需求

① 参见惠顿，《对英国公用事业公司的管理》，第 129 页。

的向上移动——当然，我们在此处关心的只是短期波动——就应该与价格的向上移动联系在一起，但如果采用上述那些方法，需求的向上移动便会与价格的向下移动联系在一起。而且，需求的变化可能非常重要，可能要求进行大幅的价格调整。在辅助成本——产量减少时，此种成本不会按相同比例降低——的作用相对于主要成本的作用而言较大的产业中，需求发生变化时，价格的变化会特别大；实际上，辅助成本在大多数产业中都很重要。滑动调整的方法，如果是把所允许的价格变化与所提供的服务量的变化联系在一起，而不是与收益的变化联系在一起，就不仅可以考虑到成本的变化，还可以考虑到需求的变化。然而，就我所知，目前还没有哪个国家采用这种自动调整的方法。

第 26 节

还有另一种不同层次上的困难。至此我们的大部分讨论都暗中假定，在制定管制政策时，我们是从零开始的。当然，对于在我们的总政策方针确定后出现的工业垄断集团来说，对于在授予原始特许经营权时被强加各项条件的公用事业公司来说，情况确实如此。但是，如果我们要与之打交道的是这样一些垄断企业，对它们尚未实施目前的管制，或对其实施管制的方式很不完善，则情况就不一样了。把这些企业纳入我们正在讨论的那种价格管制制度之下，在许多情况下会使它们的收入和其股票的资本价值大幅下跌。就原始股东和其继承者而言，这没有太大的关系。并不能因为这些人以前赚取异常高的利润，就允许他们未来也这么做。但是，对于最近购买股票的人来说，由于他们的购买价格是受实施管制之前，或严肃考虑此处讨论的那种严格管制之前的情况支配，情形则有所不同。这种人现在也许得到例如8%的收益率，实施控制后可能会使收益率降至5%，致使他们的资本价值降低三分之一甚或一半。实施管制而随便使完全无辜的人遭受严重打击，不是一件能轻松做到的事情。国家粗暴践踏合法预期的权利是有限度的。然而，因为我们过去疏于职守未实施管制，就现在也不实施应该强加的管制，则是对过去的错误听之任之。屈服于"孤儿寡母"的论点，实施上就是放弃改革。不能指望这种冲突能得到十全十美的解决。但是，似乎有一种合情合理的妥协能照顾到各方的利益，这就是，当按照上述原则突然实施全面的价格管制会大幅压低资本的价值时，这种管制便应该事先公布一段时间之后再实施，而且应该分阶段地逐步实施。

第 27 节

然而，即使不考虑这种有点特殊的困难，前面的一般性论述也表明，在国家对私人垄断的任何控制形式之下——应该指出，虽然所引证的例子只是特殊类型的私人垄断，但提出的论点适用于所有类型的私人垄断——理想与现实之间都很可能存在着相当大的差距。总而言之，管制方法，无论是积极的还是消极的，都是极为不完善的，只能使产业接近于单纯竞争条件下的价格水平和产量。而且，政府管制还往往是代价高昂的方法。正如杜兰德教授所说："政府管制私人企业的价格和利润，总是造成极大的浪费，造成精力和成本的双重付出。也就是说，要用两批人做相同的工作。公司经理和雇员要研究成本会计和需求状况来确定价格方针。政府官员和雇员则要从头再做一遍。而且，这两批人干工作的动机完全不同，这会引起摩擦和打官司，从而导致支付更多的费用。在庞大的私人企业机构之上叠加一庞大的政府机构，是一种浪费，如果可能的话，应该尽力加以避免”。[1] 这个因素是不应该忽略的。在将垄断产业中私人企业制度的实际效率同竞争的公营企业制度对照比较以前，应该把政府监督管理所花的费用记入私人企业制度的借方。

① 《经济学季刊》，1914年，第674～675页；《托拉斯问题》，第57页。

第 22 章　产业的公营

第 1 节

本书的开头几章曾说明，放任自流的私人企业，即使在单纯竞争的条件下经营，其所导致的资源配置，也往往不如其他一些可能的资源配置那么对国民所得有利。在一些产业中，所用资源的私人净边际产品的价值，要小于社会净边际产品的价值，结果是投资过少；在另一些产业中，私人净边际产品的价值则较大，因而投资过多；在其他一些产业中，行使垄断权力会减少产量，因而投资下降，远远低于公众利益所需的水平。当竞争占优势，社会和私人净边际产品相背离时，从理论上说，可以通过征税或发放补贴来纠正；当垄断占优势时，从理论上说，可以通过价格管制（在某些情况下，结合以产量管制）来使其无害。然而，前面的讨论表明，用这些方法纠正私人利益的偏差，在实践中肯定是一项极其困难的工作，很难做得完全彻底。于是便产生了这样一个问题：在其他条件相同的情况下，最好是不是由政府本身来经营某些种类的企业，而不是力图控制私人企业的经营。

第 2 节

必须弄明白，此处提出的问题牵涉的是公营，不是公有。公有本身没有什么意义，除非是不支付充分的补偿费而获取所有权致使分配发生变化。例如，假设一个城市为建立一座发电厂，筹集到一笔一百万英镑的贷款，利息为五厘，本金在 50 年内用偿债基金还清。从法律地位上说，该城市从建造发电厂的时刻起，便是发电厂的所有者，只不过是把发电厂抵押给了公债持有人。如果一私人辛迪加出钱建造了发电厂，然后把它租借给该城市，条件是由该城市支付利息和偿还本金，50 年后发电厂归该城市所有，那么该辛迪加在这 50 年就是发电厂的所有者。但是，尽管该城市可以随意处置发电厂，无论是对其加以改建，还是对其加以增补，可实际状况在这两种方法下却没有丝毫不同。公有和私有的区别，仅仅是没有任何实际意义的术语上的区别。同样，如果政府按五厘的固定利息借给一家私人企业一百万英镑，让它建造一座发电厂，实际状况也与政府自己建造发电厂，然后按相同的固定利息把它租借给一家私人企业完全一样，只不过在前一种方法下，私人企业是所有者，在后一种方法下，政府是所有者。形式上有不同，但从实质上说却完全一样。另一方面，在公营和私营之间，却总是必然有根本性的实质差别。

第 3 节

上一章已说明，对私人企业实施有效的政府控制，有许多技术上的困难；因此，从国家资源在不同产业间适当分配的观点看，至少是在具有垄断倾向的产业中，实行公营的理由很充分。在某些民主国家，据说政府经营的铁路被滥用，用以满足地方的和部门的目的，甚或个人的目的，尽管如此，实行公营的理由仍很充分；[①]因

① 参见阿克沃思，《铁路的国有化》，第 103 页。

为，正如第20章所述，为经营国有企业而建立了超议会的“委员会”后，大大减少了这种危险。但是，政府控制和政府经营对国家资源在不同产业间的适当分配产生的相对影响，并不是我们在对它们作出选择时所要考虑的惟一事情。除此之外，还牵涉其他的事情，正如我们在对自发性的购买者协会和普通商业企业作对照比较时，还要考虑其他事情那样。我们无权不经论证而认为，公营和私营之下的生产效率相同。即使私人企业受到政府控制，公营可能也要比私营效率低下。如果是这样的话，公营在生产效率上的劣势和它在不同产业间配置资源上的优势就形成了鲜明对照。因此，在试图真正回答我们的问题以前，需要从生产效率的角度，对公营和私营作一些比较。

第4节

在开始的时候，最好先清除两种得自战时经验的论点，它们都源于对效率一词的不严密使用，因而与我们讨论的问题毫不相干。

首先，有人认为：“如果个人主义原则是正确的，那么政府在战时所做的事情，例如接管铁路显然就是荒唐的。如果分散的铁路管理是有效率的，为何要干预它呢？为何不保持平时的状态呢？在调动列车和人员方面，又有哪些不是铁路公司的本来业务，那为何要‘干预’它们呢？如果在战时显然必须动员铁路运送几十万或上百万的人，那么平时为何不需要充分动员铁路每年运送将近三亿吨煤呢？煤炭不正是英国工业的生命线吗？”[①]这种推理方式认

① 齐奥扎·莫尼，《国有化的胜利》，第86～87页。

为，国家在战时接管铁路是为了使它们在技术上更有效率。实际上，国家接管铁路是为了确保政府全面控制铁路线和设备，在与私人权利相冲突时，不致得不到所需要的服务。在正常情况下，铁路公司像所有其他为了金钱出售产品的企业一样，根据不同顾客的有效货币需求分配其产量。战时，显然必须剥夺有效货币需求在相互竞争的顾客之间分配铁路服务的指导作用。人们都同意这么做，但这并不证明有谁认为，私人管理下的铁路在技术上要比政府管理下的铁路效率低，也就是说，得到某一结果需要付出更大的实际成本。

其次，有人提出了一种类似的论点来证明，建立国有军工厂，使政府能够用比从私人企业那里低得多的价格，获得供给。但战时的情况是，私人军火商面对政府无限的需求，可以得到远远超过其生产成本的价格。这种状况确实为国家采取行动提供了强有力的理由，但是，国有军工厂的生产成本能够低于私人企业迫使政府支付的价格，并不证明它在技术上更为有效率。技术上的效率牵涉的是实际生产成本，不是短缺条件下或垄断条件下的售价。我在此处提出的问题不是，国有军工厂的生产成本实际上是否低于私人军工厂。无论是不是如此，肯定不能通过比较国有军工厂的生产成本与私人军工厂的售价来证明。所以，这个论点像前一个论点一样，是完全站不住脚的。

第 5 节

还可以提出另一个一般性的否定命题。那就是，试图用统计数字作这种比较，注定要失败。无疑，如果可以证明，在其他条件相同的情况下，一定的产量，在公营之下比在私营之下，一般能用较高或较低的成本获得，那么便会得到有关这两种组织形式相对效率的真实证据。但在实际生活中，却做不到这一点。首先，名称相同的服务，其质量在不同地方差异极为巨大，几乎无法适当考虑到这些差异。美国城市联盟的通讯员说："我国的市内有轨电车，比任何其他国家的电车，无论是国有还是私人的，都行驶得更快，运载的站立乘客更多，同时造成的意外伤害也更多。我国人民似乎喜欢这样，而英国人却似乎不喜欢"。[①] 究竟怎么能考虑到这种差异？而且，不同地方的生产条件也完全不同。"在(美国的)锡拉丘兹，水靠地球引力流向城市；在印第安纳波利斯，则必须用泵抽水"。[②] "根据相对的供电量和每单位电力所需的劳动，比较大城市的私人发电厂和郊区城镇的市营发电厂，显然对两者都是不公平的，因为在大城市，供电量极大，并且要满足不干扰相邻产权的特殊条件。也无法以这种方式比较这样两个照明发电站，它们具有大致相同的年产量，与相邻产权的位置也相同，但却一个在北方，另一个在南方，原因是，由于这两个地方黑夜的小时数不同，因而每天服务的时间也不同。由于相同的原因，我们无法比较一个照明发电站夏季的服务与另一个照明发电站冬季的服务，即便我们力图通过弄清每单位电力使用的人力数量，来把这两种服务转化为共同的基础。"[③]简言之，在这方面，根据统计数字得出的论

① 《公用事业的市政经营和私人经营》，第 1 卷，第 287 页。

② 同上，第 1 卷，第 21 页。

③ 比米斯，《公用事业垄断集团》，第 289～290 页。

点，即使不考虑粗心大意的研究者在解释公用事业账目时遇到的陷阱，[①]也几乎是毫无价值的。此观点具有普遍的适用性。但是，鉴于战时的心理状态很特殊，鉴于政府在战时要临时雇用大批平时受雇于私人企业的能人，鉴于国有工厂战时生产的商品都提供给国家使用，而不是提供给市场，此观点特别适用于得自战时经验的论点。

第 6 节

既然统计证据不适用，就需要——还是像我们研究自发性购买者协会时做的那样——借助于一般的推理。先让我们比较一下政府经营和不受控制的私人经营。一般认为，当条件允许由私人企业进行小规模生产时，企业的成功关系到企业主的个人利益，这种利益会对提高效率产生刺激作用，而私人合股公司和国有公司都缺乏这种刺激。然而，在很大一部分工业领域中，选择对象实际上不是私人企业和国有公司，而是合股公司和国有公司。在这里，根本见不到企业主经营自己较小企业时表现出来的那种进取精神，拥有的那种自由和对自身利益的那种关心。问题已发生了变化，不再那么尖锐突出了。讨论这个问题时，最好还是先听听美国城市联盟的说法："如果条件相同，也就没有特别的理由指望私营或国营的财务结果有什么不同"。[②] 该联盟这么说的理由当然是，一种服务不论是由私人公司提供，还是由政府机构提供，企业的实

① 特别参见努普，《市政交易管理原理》，第 5 章。

② 《公用事业的市政经营和私人经营》，第 1 卷，第 23 页。

际经营都必然是一样的。必须任命一个专家班子，一般说来，在前一种情况下，控制该专家班子的，是由股东选出的董事会，在后一种情况下，是代表公众利益的委员会，理事会，部级部门，或像伦敦港务局那样的特设机构。总体说来，可以认为，管理权在选举人、理事——或委员会，或不管是什么控制机构——和专家班子之间进行了分配。无论在公营或私营之下发展起来的控制机构具有什么特殊性质，似乎都没有一般的先验理由认为，公营或者私营在技术上更加有效率。

第 7 节

在一些不很重要但并非微不足道的事情上，经验表明，政府机构享有一种优势。这种优势类似于在生产合作中见到的那种优势。亦即，同私人公司相比，政府机构用一定数额的金钱，能够招聘到更加出色的工程师或经理，原因是，公务员的职位不仅本身具有诱惑力，而且还能唤起利他动机；换一种说法就是，政府机构能够用较少的金钱，招聘到某一水平的工程师或经理。一定要明白，这种优势是一种真正的优势，而不是靠牺牲工程师或经理的利益获得的一种补贴；因为，工程师或经理得自于为公众服务的额外满足创造了一种新价值。一定能力的人乐于为私人公司工作的程度和乐于为政府机构工作的程度是不一样的，两者之间的差异实际上是产业组织采取公共形式带来的额外产品。当然，这种差异并不等于政府机构领导人的收入和私人企业主的收入之间的差额，因为后者的收入中一般包含有“等待”和“承担不确定性”的报酬——这些服务在政府机构中是由纳税人提供的。美国铁路大王的所得肯定大大超过战前普鲁士邦铁路管理局局长的收入，用这种超出额衡量私人企业的相对浪费程度，是荒谬的。不过，就此而言，公营还是有一个优势，那就是，在公营之下，优秀技术专家的花费较少。

第8节

一件较为重要的事情是，在企业经理之上决定一般政策的机构具有怎样的管理企业的能力。在市政企业中，这种机构一般是市议会下属的一个委员会——其成员是按政治上的而不是商业上的条件选出的，因而要比公司董事更容易在短时间内失去席位。另一件令人挠头的事情是，市政企业的雇员在选举市议员方面，可能起着重要作用。这会导致一些市议员出于政治原因干预企业高级职员的处分权和自由决定权。甚至有人说，在一些城市，市议会阻止施政企业的工程师采用节约劳动的装置，因为这会威胁一些市议员的选民的就业。①

就政府经营的国有企业来说，其上级单位是一政府机构，该机构听命于一个对议会负责的政治领导人。通过这个政治领导人，各种各样的压力，其中有一些从性质上说是有害于社会的，会施加到企业的经营上。即便未出现这种情况，即便这个政府机构确实能出色地达到原定的主要目标，它也往往会阻碍效率的提高。要作出重要决策时，政府机构便会显露出其本相：拖延、犹豫不决和

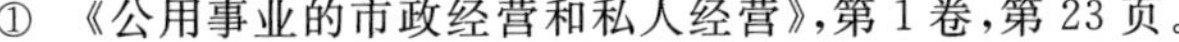

① 《公用事业的市政经营和私人经营》，第1卷，第23页。

无所作为。[1] 因而,贾斯蒂斯·桑基先生谈到了"现在的文官制度,其中包括根据服务年限选任和晋升、文官等级、琐细的文件和报告传来传去,薪金和年金等"。在纯粹的例行工作中,这种制度也许没有什么害处,但在需要冒险精神和果断决策的时候,它却会妨碍为某一工作挑选最合适的人并妨碍工作的实际进行。应该指出,这一因素在专门为政府生产的企业中,尤其是战时专门为政府生产的某些企业中,是无足轻重的;因为这些企业必须根据命令进行生产,无需作市场预测,通常认为,政府部门在作市场预测方面,不如私人企业或合股公司。因而莱费尔特教授一针见血地指出:"任何人——不管是政府,公司还是个人——若能把一家工厂的全部产量买下来,便有充足的理由为自己建一座工厂;但一般的工厂却得把产品卖出去,寻找到顾客:这是完全不同的一件事"。[2] 在这方面,电报通讯的早期历史很有意思。18 世纪末发明的臂板通讯装置,被法国政府买下,专门用于军事目的,并完全由政府经营。1845 年,法国政府同样为了军事目的开始经营电报业务。"政府当局感到自己有这方面的需要,找不到其他人提供这种服务,于是便开始自己经营。……严格说来,开始时政府拥有电报业务,并不

① 霍特里先生写道:"若用一个官吏取代一个独立的商人,这个官吏会发现,他做任何事情,都要能够在被要求时向上司作出解释和辩解。……实际的判断在某种程度是潜意识的,就其是有意识的而言,其心理过程也与语言无关。甚至用语言表达决策本身,也是一项需要付出努力的事;要说明作出决策的理由,常常既是心理方面又是遣词造句方面的可怕操练。……等级森严的官僚体系往往只作能够方便地用语言从一个官吏传达给另一个官吏的决策。……开明的官僚体系会想尽一切办法避免这种使人陷于瘫痪的限制,尽量下放和分散决策权。但是,这种限制是官僚系统固有的,不能完全加以避免"(《经济问题》,第 339～340 页)。

② 《战争经济学》,第 26 页。

是企业家精神的一种表现，而只是由于没有私人企业提供这种服务，政府不得不采取的一项行政措施。”[①]当一产业主要为大众消费生产东西时，当然就需要作多得多的预测和建设性的投机，因而行政管理方法的缺陷相应地也就更加明显。

然而，人们正愈来愈清楚地认识到，国有企业的公营并不一定意味着，这些企业要由依据行政管理原则建立起来的某一政府部门来经营。伦敦港务局就是一个特殊的机构，其运行机制完全不同于政府部门。加拿大创立了加拿大国有铁路公司，政府是惟一的股东，但其董事像普通董事那样任命，被赋予完全的自由经营权。[②] 桑基委员会的建议，也是要为采煤业建立一个管理机构，虽然是政府机构，但其运行机制却是非官僚化的、非政治的。消费者的代表将进入该管理机构，就像瑞士的国有电话业已经做的那样。[③] 将这种机构与合股公司的董事会相比较，要比将邮政局的管理机构与这种董事会相比较，更为合适一些。显然，除非了解某一国有企业运行的具体组织形式，否则无法笼统地谈经营能力这个问题。

第9节

至此，我们对照比较的，一直是政府经营和**不受控制的**私人经营或合股经营。但事实上，正如前面已说明的那样，当公营是个实际存在的问题时，与其相对应的是**受控制的**私营或合股经营。控

① 霍尔姆博，《欧洲大陆电话业的公有》，第21页。

② 阿克沃思，《铁路的国有化》，第12页。不过，这些董事的任期只有一年，因而，政府实际上可以通过挑选屈从于自己的董事，随时使该公司的管理政治化。

③ 参见霍尔姆博，《欧洲大陆电话业的公有》，第252页。

制必然会妨碍私人企业的主动性，而主动性正是私人企业的主要优势所在；控制的范围愈广，对主动性妨碍的程度愈大。如果甚至规定生产什么商品，使用什么生产方法，那会极大地妨碍私人企业的主动性。另一方面，如果只是规定最高价格，同时留有充分的调整余地，甚或像某些煤气公司的章程那样，只是规定利润和价格联合滑动的比例，则对主动性的妨碍要小得多。因此，我们无法一般地比较公营和受控制的私营的技术效率，因为受控制的私营可能是许多种当中的一种——的确，正如前几节所说的那样，公营本身也可能是许多种当中的一种。我们可以得出的惟一概括性推论是，在公营和受管制的私营之间，对技术效率的比较，很有可能相对于不受管制的私营而言，更加有利于公营。

第 10 节

不过，这个有点空泛的结论并没有使讨论到此结束。当我们的观察超出单纯技术能力的范围时，还有三类重要因素趋向于表明，从国民所得的观点看，公营很可能——当然不是总是，而是通常——不如政府控制。其中第一类因素与这样一个事实有关，即：不仅同一产业中的不同生产者，而且表面不相关联的产业中的不同生产者，实际上都常常是竞争对手。无疑，我们可以想象出这样一个产业，它从最广泛的意义上说垄断性的，即：不仅在该产业内没有相互竞争的厂商，而且在该产业之外也没有与其竞争的产业。有理由认为，现代城市的供水业就是这种意义上的垄断产业。将一些现在分立的产业归并在一起，可以创造出这种意义上的另一方面垄断产业。例如，可以在想象中把公共汽车、电车、汽车和马车等各种交通工具都归并于一人之手。也可以在想象中对提供照明的所有手段或提供动力的所有手段这么做。但这种安排与现实毫不相干。在目前的情况下，我认为除了供水行业外，严格说来，没有哪个产业可以视为上述意义上的垄断产业。从增进国民所得的角度看，当有许多企业相互竞争来满足某种公共需要时，能够效率最高地满足这种需要的企业，应该把其他企业驱逐出去。但是，当某家企业由政府机构经营时，即使它比竞争对手效率低，它也会在人为的支持下维持下去。原因是，控制这种企业的人，很自然地一心要使它取得成功，因而往往把整体的利益视同自己部门的利益。所以，办企业的政府机构，如果经营能力差的话，几乎肯定会从其非商业的武器库中拿出不正当的武器，用它来或长或短地维持自己经营的企业，尽管该企业的生产方法要比其竞争对手的成本高。这些不正当的方法分为两类，一类主要用于保护政府企业，另一类主要用于阻碍竞争对手。

保护性的非商业方法，主要是一些有意识或无意识的做法，以此从普通公众那里获取差别补贴。一政府机构，若既办企业，又提供一般的无偿服务，便可能从后者那里收费，而将其实际上给予自己办的企业。一个非常显眼的例子是，伦敦郡议会将为建造工人住宅购买的土地的价值，减低为指定用于这一特殊目的价值，而不是该土地在一般市场上的价值。而且，城市有轨电车的账目，可以把本应由它支付的道路费用加在一般道路账目上，而使自己显示出繁荣的假象。[①] 如果市政当局未能设立一项特殊的基金，来抵

① 《公用事业的市政经营和私人经营》，第 1 卷，第 469 页。

消自己由于能够以较优惠的条件借款而对私人企业享有的优势，那它便是以较温和的方式采用同类性质的做法。“市政当局能够以比私人公司低的利率发行债券，因为一般说来，全部可估价的城市财产都要用于支付利息和本金，而私人公司只能以其厂房设备作担保。”[①]由此可见，市政当局之所以具有这种能力，主要是由于，即便企业破产，它也能够把偿还债券的责任强加在纳税人头上，而私人公司则必须以较高的利息发行债券借款，债券持有人得准备好万一企业破产，自己损失金钱。私人企业债券持有人之所以会担心企业破产，从而要求得到额外补偿，是由于他们不了解一些事实真相；有关市政当局的事实真相，要比有关私人公司的事实真相容易弄清楚（以致市营只会引致较小的实际储蓄）；[②]如果不考虑这一点，市政当局低息贷款的社会成本，就与私人公司高息贷款的社会成本相同。这两个企业若要公平地竞争，市政当局就应该把得自较好信誉的大部分收益转移给地方税收。如果它不这么做，它实际上就是在用公众的钱资助自己办的企业。至于它能以较低的报酬雇用经理和工程师，那是由于纳税人承担风险可保护他们的雇主，使其没有破产之虞；如果它不把由此获得的收益也转移给地方税收，它就是又在用公众的钱资助自己办的企业。当然，如果市营企业**由于效率较高**而不像类似的私人企业那么容易亏

---

① 比米斯，《市政垄断集团》，第45页。

② 由此暗示的市营企业享有的优势，依赖于这样一个事实，即：当人们通过中间机构投资于任何企业的时候，他们总要面对一种可能性，就是这种中间机构到头来可能是不诚实的，不愿履行其义务。由此承担的风险肯定是生产成本的一部分。当国家是中间机构时，它的诚实和财政力量一般说来是人人皆知的，实际上就消除这个因素。

损，那它确实应该享有一种收益。但是，因为无论如何纳税人提供了极为可靠的担保，这种收益不应反映在市政当局借款的优惠条件上。

政府机构之所以有可能采用侵犯性的非商业方法，是因为它们除了经营自己的企业外，还常常享有管理其他企业的权力。当它们处于这种地位时，便存在着一种严重的危险，就是它们可能受到诱惑，运用其管理权来阻碍和损害竞争对手。例如，教育局既经营自己的学校，又为其他学校的经营制定规章，就会受到强烈的诱惑。既建造房屋又制定建筑细则的政府机构，既经营煤气照明和有轨电车又管理电力照明和公共汽车的政府机构，也是如此。在政府机构所能采用的侵犯性方法中，最为简单的也许是，把偿债基金的条件，定得比租约结束时的收购条件优惠，政府机构办的企业在前一种条件下运营，后一种条件则强加在私人公司的头上。政府机构若不仅建立基金支付其企业的折旧和更新费用，还建立基金偿还其企业的资本债务，它实际上便是为了子孙后代的利益而对现在的公民征税。[①] 同样，政府机构在授予私人公司特许经营权时，若条件是，在特许经营权期满时，私人公司的厂房设备将无偿地或以重置成本的代价，移交给政府，那就是在课征类似的税。很容易看出，**可以**分别规定偿债基金和特许经营权的条件，使偿债基金之下的负担较小，因而，相对于公营而言，私营会受到差别对待，会遭受损害。

① 农业部已作出一项新的规定，不要求郡议会对小佃农收费，因为他们从郡议会那里承租土地，租金已很高，足以提供这种偿债基金。——(敕令书，4245)第 12 页。

然而，还有比上述方法更为严重的侵犯。众所周知，那些自己经营煤气厂的市政当局，以行使否决权等方式，不遗余力地阻碍电力照明公司的发展。而且，“自1898年以来，由于极力想要保护当地的市营电力照明工厂，市政当局一直在阻碍所谓大规模发电和配电公司的发展”。[①] 同样，中央政府为了保护其对电报业的垄断，也一直在为其他电信工具的发展设置行政障碍。1884年，邮政总长拒绝批准国民电话公司在其任何局所接收或发送文电，在为此做法辩护时他说：“我担心，如果允许国民电话公司发送电文，会使电报收入严重流失”。[②] 同样，在挪威，当（1881年）一家公司申请执照，在德拉门和克里斯蒂安尼亚之间开展长途电话业务时，政府提出的条件是，该公司应保证补偿“在这两个城市之间（政府的）电报线路由此遭受的全部损失”；也要求其他电话公司创始人作出类似的赔偿。[③] 最后，1906年颁发给马可尼无线电公司的特许状，允许该公司在联合王国和北美之间传输电报，但特别规定不允许向意大利以外的欧洲大陆国家传输无线电报，也不允许接收这些国家的无线电报，目的是保护英国和欧洲大陆国家政府拥有的海底电报公司的利益。[④]

如前所述，经营企业的政府机构运用“不公平的”、非商业性的保护性武器和侵犯性武器带来的结果是，虽然政府办的企业所要达到的目的，可以由私人企业以更低的成本达到，但它们却受到维

① H.迈耶，《公有与电话业》，第351页。

② 同上，第18页。

③ 参见霍尔姆博，《欧洲大陆电话业的公有》，第375和377页。

④ H.迈耶，《公有与电话业》，第341～342页。

护，得以生存下去。最后必须指出，运用这些方法，往往要比乍看起来更为有效地排挤经济效率较高的竞争对手。因为这不仅直接地起作用，还通过预期间接地起作用，不仅会把现有的竞争者逐出市场，而且还会阻止新竞争者进入市场。如果告诉一个打算创办慈善事业的人，假如他的试验成功，政府机构便会跟进，那他确实会也应该很高兴。但是，如果告诉一个从事工商业的人，假如他成功，政府机构便会跟进，那么他追求的目标就不会像慈善家的目标那样得到增进，相反会受到阻碍，他会退出该领域。据说，市政当局建造住宅的试验就已带来了这种结果。这些因素一旦起作用，显然会增大这样一种可能性，即政府经营企业会损害生产效率；除了最广泛意义上的垄断性产业外，这些因素肯定会在某种程度上起作用。

第 11 节

下面讨论第二类因素。这与这样一个事实有关，即：经营任何工业企业都包含某种程度的不确定性。正如将在附录 I 中详细讨论的，把金钱暴露在不确定性之下，这肯定可以称作一种生产要素，因为这会使产量增大。从长期来说，愿意把 100 英镑暴露在变为 160 英镑或变为 50 英镑的相等机会之下，肯定会增加国民所得。如果产业管理人员把金钱暴露于不确定性之下的愿望受到“人为的”限制，那么促进产业进步从而促进生产的企业家精神和冒险精神就会受到阻碍。而且，由此造成的损害要比乍看起来大得多。因为，既然任何新生产方法的试验都**有可能**失败，把金钱暴露在不确定性之下的意愿的减少，便意味着试验受到限制，因而激励富有进取精神的人进行有用发明的动力也会减少。无疑,有理由认为,随着产业在愈来愈大的程度上依赖于非商业性的科学,这一因素已变得不像以前那么重要了。默茨博士说得好:"以前的伟大发明都是在实际生活、工业和商业最先进的国家完成的;但是,过去50年化学、电学和热学方面的伟大发明却是在科学实验中完成的;前者是受实际需要的刺激而完成的;后者本身却产生了新的功能性要求,创造出劳动、工业和商业的新领域"。[①] 不过,尽管基础性的发明常常是非商业性的,可是在发明被经验检验之前的早期阶段,借助于发明而应用发现,一般还是需要有商业上的刺激。所以,过分限制人们对某一产业的冒险意愿,必然具有造成重大损失的危险。我想要强调的一点是,经营企业的政府机构就**很可能**过分限制这种意愿。

此观点有以下依据。首先,政府机构认识到,人民对政府的敌视是一种祸害,它们还认识到,国家从事的投机活动如果不成功,"如果因此而要拒绝偿还债务,或要在未来征收沉重赋税,则会对政府的所有部门产生普遍反感和深深的不信任"。其次,在任何时期,若某一政府机构依赖于政党制度,控制该机构的人肯定知道,"失败会给予政治上的反对派太多的当权机会"。[②] 第三,这些人在某种程度上能够看出,如果人民**被迫**按照其房屋的应税价值,将资源暴露在不确定性之下,由此作出的实际牺牲,会大于按照预期利润对各出资人产生的吸引力,通过自愿出资而把相同总量的资

① 默茨,《欧洲思想史》,第1卷,第92页。

② H.迈耶,《公有与电话业》,第349页。

源暴露在不确定性之下所作出的牺牲。最后，实际上最为根本的一点是，如果发明者必须求助于政府官吏，他们实际上面对的是社会上具有一般冒险精神的人，而如果他们可以自由地求助于私人企业，他们可以从高于一般水平的人当中挑选出一些支持者。勒鲁瓦—博留说得好："一个具有首创精神的人，在一个拥有四千万居民的国家中，总是会找到**一些**富有冒险精神的人，他们会相信他，追随他，与他一同发财，或与他一同毁灭。他若想说服官僚机构，那只会白白浪费时间，尽管官僚机构是一国重要而必不可少的思想机构和行动机构"。[①] 因而，一般说来，获利的希望，在私人企业那里要比在政府机构那里起的作用更加强烈，而对亏损的恐惧在政府机构那里起的作用要更加强烈。当然，战时的情况并不是这样。正如最近的经验所表明的，政府在战时会不计成本地批准进行新类型毁灭性武器的试验。但是，战时的情况不同，并不证明和平时期的情况也不同。正如经验表明战时的情况不是这样，经验也表明平时的情况是这样。一般说来，政府机构要比私人企业更不愿意承担风险，或者用专业术语来说，是更不愿意提供承担风险这一生产要素。说明这种趋向的一个恰当例子是，1892 年邮政局接管了电话中继线路以后，英国政府对经营中继线路采取的态度。"财政部迫使邮政局采取了这样一种政策，即：在前景不可靠的情况下，拒绝扩展中继线路，除非私人或有关的地方政府能保证'每年提供一定的收入，其数额要根据经营和维护给定英里数中继

① 《现代国家》，第 55、第 208 页。

线的成本而定'。"[①]我们可以引用乔治·吉布爵士的观点，来证明这代表了政府机构的一般态度。他写道："不管怎么看私有和公有的优缺点，都无法否认，除了在军事压力之下外，私人企业确实要比政府愿意冒更多的风险"。[②] 马歇尔非常清楚地说明了政府机构不愿意承担不确定性对发明产生的影响："众所周知，虽然中央政府和市政府在工程和其他先进产业中高薪雇用了数千名公务员，可是却很少有重要的发明是由他们完成的；为数不多的几乎全部重要发明都是由像 W. H. 普里斯爵士这样的人完成的，他们在进入政府机构以前，已在自由企业中得到了充分训练。政府几乎没有创造出什么东西。……政府可以印制出精美的莎士比亚作品，却无法使人们写出这样的作品。……市营发电厂的躯壳属于政府官吏，而其灵魂却属于自由企业"。[③] 美国城市联盟的通信员也写道："商务部副部长佩勒姆先生告诉[城市联盟]委员会，他们不鼓励市政当局尝试新发明或尝试新方法。他们等待私人公司去检验新发明或新方法。进步全都仰赖于私人公司"。[④] 而且，目前政府经营的企业较少，它们处于私人企业占优势、绝大多数选民为私人企业工作的环境之中。在这种处于孤立境地的情况下，公营企业不会受到激励去承担很大风险。[⑤]

显而易见，抑制人们冒风险的意愿，从而抑制人们搞发明的积

① H. 迈耶，《公有与电话业》，第 65 页。

② 《铁路的国有化》，第 9 页。

③ 《经济学杂志》，1907 年，第 21～22 页。并参见瑞安，《分配上的公正》，第 165 页。

④ 《公用事业的市政经营和私人经营》，第 1 卷，第 437 页。

⑤ 参见阿夫塔林，《社会主义的基础》，第 233～234 页。

极性，会影响生产效率，影响的大小会随着投机因素在不同产业中的不同而变化。因而，相对于私营而言，公营在高度投机性的产业中效率非常低下，在几乎没有投机因素的产业中则谈不上效率低下。这种观念有时体现在力图把产业划分为投机性产业和非投机性产业这样两大类的尝试中，就如同财产受托管理人把证券区分为投机性证券和投资性证券那样。有人认为，这种分类方法的恰当运用是，把处于试验阶段的产业归为一类，把已经经过试验而为人们所熟知的产业归为另一类。譬如，最近有位作家就把“飞艇制造、无线电报、装饰品和奢侈品贸易、单用途专用机器和专用运输设备制造、高难度大型建筑物的建造等等”归为前一类，把“采煤、钢铁、水泥、机车、电话、电缆、汽车等的制造”归为后一类。[①] 乔治·吉布也从这种观点出发，区分了幼年时的铁路运输业和成年时的铁路运输业。“无论如何，就建造年代而言，英国从下述事实中获得了极其巨大的利益，这个事实就是，铁路系统已由私人企业建立了起来。但我承认，经营建立好的铁路系统的问题，本质上不同于建立铁路系统的问题。”[②]同样，康芒斯教授 1904 年写作的时候，虽然赞成建立市营电力照明工厂，但他认为，“那些八年或十年以前建立市营电力照明工厂的城市，应该受到批评”。他认为，“应该鼓励私人在所有尚未探索的领域施展才能”。[③] 毫无疑问，上面坚持的这种区分很重要。不过，应该指出以下两点。首先，在某一个地方早已建立起来的产业，在另一个地方可能需要重新建立，而

① 斯特罗贝尔，《理论与实践中的社会化》，第 281 页。

② 《铁路的国有化》，第 11 页。

③ 比米斯，《市政垄断集团》，第 56 页。

在这个地方重建的条件可能仍然包含很大的投机因素。例如，虽然供水业是一个古老的行业，可是不同的城镇要依靠迥然不同的水源供水，途经的线路也性质完全不同，因而一个城镇从其他城镇那里几乎吸取不到什么经验，得不到什么指导。其次，不可能有任何一个产业发展得如此成熟，以至不需要试验经过改进的生产方法(这种试验便包含有投机因素)。在某种程度上，所有产业都有可能继续发展，如果要完成进一步的革新，就得愿意承担风险，因而任何阻碍这种意愿的东西都会妨碍其发展。所以，假如认为本节讨论的那些因素导致的公营的相对不经济性，仅对新产业有意义，那就错了。这种不经济性很可能对几乎所有产业都具有明显的意义，当然，对于处在试验阶段的那些产业，其重要意义最大。

第 12 节

现在转而讨论第三类因素。如前所述，公营会导致对不同生产要素最为经济的结合的干预，这实际上便会阻碍人们冒风险或勇敢面对不确定性的意愿，由此而使公营处于相对劣势的地位；与此相对应，在许多产业中，对于最为经济的经营单位规模的干预，会使公营处于另一种劣势地位。事实上，公营企业只能由结合成某种政治组织的人们经营。但是，对于任何产业的经营来说，最为经济的控制范围，根本不可能与现代国家中现存政府机构的规模相一致，因为这些机构不是为了有效地经营产业而建立的，而是出于完全不同的另外一些考虑而建立的。因此，一般说来，肯定会发生的事情是，要么为了经营某些产业这一特殊目的而创立专门的政府机构，要么改变这些产业中控制单位的规模以适应现有政府机构的规模。由于巨型企业的规模介于中央政府和有关地方当局之间，因而经验表明，可以创立而且已经创立了适应于这种规模的专门政府机构。例如，大家熟知的有，各种港口托拉斯和码头托拉斯，伦敦供水局和伦敦港务局。另一种方法是，建立代表两个以上地方政府当局的联合管理委员会。“1907～1908 年，在英格兰和威尔士，有 25 个管理供水的联合委员会、两个管理供水和供气的委员会以及一个管理供电和电车企业的委员会”。[①] 不过，虽然大家都承认，为每个大企业建立专门的政府机构是一项可行的政策，但却不可能经常采用这种政策。在公营之下，管辖区域不够大的地方当局在一些产业中很可能成为实施政府经营的机构，这些产业最初适合于这些机构的管辖区域，但由于新发明的出现，后来适合于更大的管辖区域。以前，最适合于供水、煤气照明和供电等产业的管理区域，大致上与各个城市的范围相一致。但是，自从某些现代发明出现以来，有可能被证明经济上最有效率的管理范围，常常要远远大于城市的范围。譬如，“使用马车时，各地方当局的管界，粗略说来就是当地商业活动的范围。使用电车时，教区则成为一个综合体系中不起眼的组成部分，该体系的范围会扩展至整个一个郡”。[②] 而且，随着大规模配电方法的改进，最为经济的供电范围已扩展至数千平方英里。即使在供水方面，大城市的需要也可以通过开发遥远的湖泊来满足，因而为输水管沿线的许多城市

① 努普，《地方贸易原理与方法》，第 117 页。正如努普教授进一步指出的，大市政当局常常与小市政当局达成协议，将其电车、供水、供气系统扩展至其本身的边界以外，把临近的地区也包括在内。

② 波特，《城市所有的种种危险》，第 245 页。

联合供水，可能会节约成本。的确，目前似乎只有煤气照明这一公用事业，其最为经济的管理范围未超过城市范围。然而，一般说来，适于管理的范围发生变化后，公用事业并未转交给专门设立的新政府机构；因为撤销原来的市政机构会遇到强大的阻力，这项工作几乎没有成功的希望。因而，公营实际上常常意味着，尽管各产业最为经济的管理范围介于分别由中央政府和地方政府代表的范围之间，可是它们事实上却由地方政府经营；当然，这意味着，管理单位缩小至最为经济的单位以下。[①] 有些产业最为经济的管理范围要小于现有最小政府机构的管辖范围，专门为这些产业建立新的政府机构是根本不可能的。这些产业要被任何一个政府机构接管的话，这个机构也只能是为了其他目的而建立起来的现有机构当中的一个。因而在这些产业中，公营不仅一般说来意味着，而且几乎总是意味着，引入的管理规模要大于最为经济的管理规模。

第 13 节

假如事实是，在私人企业制度下，所有产业总是会形成最为经济的管理单位，那么公营在这方面便不会优于，而且一般说来会大大劣于私营。在通常处于单纯竞争条件下的产业中，例如在面包

① 有人会反对说，取代市营的通常是市政管制，而如果城市范围太小，这种管制会使私人企业像市营企业那么效率低下。但同移交经营相比，把管制移交给规模大于市政当局的机构，更加容易一些。1906 年的轻轨铁路法就建立了这样一个规模较大的管理机构，即轻轨铁路管理委员会（参见 H. 迈耶，《英国的城市所有》，第 69 页）。而且，“如果像在曼彻斯特那样，市区有轨电车公司常常从 10 个甚或 19 个不同城镇获取特许经营权，便根本不可能进行独立的市政管制。国家铁路委员会就是由于认识到了这种实际情况而根据法律建立起来的”（罗，《美国科学院年报》，1900 年，第 19 页）。

烘制、牛奶供应、房屋建造、农场经营等产业中，我们完全有理由认为，私人企业大都会形成最为有效的单位规模。但是，如果存在任何垄断因素，我们则绝不能这样认为。最为经济的单位，会由于摩擦，由于公众不喜欢巨型企业而产生的阻碍，或由于其他原因，而不能自行形成。在通常不是处于单纯垄断条件之下，而是处于竞争性垄断条件之下的产业中，会受到这种阻碍的可能性特别大。在这里，正如第 9 章指出的，相互竞争的广告宣传等会造成巨大的浪费，而统一和集中的管理则会消除这种浪费。例如，乔治·吉布爵士几年前谈到铁路运输时写道："每家铁路公司都经营自己的线路。结果是经营了过多的里程，减少了列车装载量。……假如那些负责调配装卸和运输铁路货物的人，在工作中能着眼于经济效果，总是用能产生最佳营运效果的线路发送货物，那无疑会节约大量成本"。[①] 战时英国铁路联合经营的经验，证明了这种说法；不过，必须记住，战时是大量运送军火和军队，这特别有利于高效运营。有时不同行业的联合，而不是相同行业中不同厂商的联合，也可以产生类似的经济效果。使用马路的各行各业在统一领导下协调合作，就很可能节约成本。"供水干线可以在铺马路以前铺设，从而可以省去为铺水管而凿开马路带来的损害和费用。"[②]同样，有理由认为，如果治疗疾病的工作，通过国家医疗服务体系，与目前由政府检疫机构从事的预防疾病的工作直接相联系，那会产生很大的经济效果。所以，虽然会出现第 10 章第 4 节讨论的那种间

---

① 《铁路的国有化》，第 21 页。

② 比米斯，《市政垄断集团》，第 46 页。

接的有害后果，虽然某些会产生结构经济效应的纵向联合，例如某一煤矿与某一钢铁厂的联合，会受到阻碍，但是，至少有一点是可能的，那就是，在这类企业中，公营非但不会妨碍，反而实际上会促进最为经济的管理单位的发展。[①]

第 14 节

以上都是一般性的讨论。当人们具体问，某一类企业由政府控制或政府经营是否会增进国民所得时，要想得到令人满意的结论，必须既考虑到这两种管理形式对生产效率可能产生的相对影响，又考虑到在这两种管理形式下实施公众利益所要求的无论何种管制的相对难易程度。在与公众健康紧密相关联的产业中，由于可靠的质量极为重要，由于不容易进行全面的检查，或许最好采用公营方式，尽管其替代方法很可能是竞争性的生产，而不是垄断性的生产。因而，政府有充足的理由经营屠宰场(在德国，所有屠夫都必须在政府经营的屠宰场中宰杀牲畜)，政府有充足的理由为婴幼儿提供牛奶。美国城市联盟的通讯员认为，“需要特别重视卫生条件的产业，应该由政府经营”。[②] 另一方面，在一些产业中，典型的生产单位很小，占支配地位的是私人厂商，而不是合股公司，这些产业则不适合于由政府机构经营。撇开少数例外不谈，实行公营的建议仅仅对典型的生产单位很大、从而趋向于垄断的产业是可行的。与实行政府管制的理由相比，实行公营的理由，在经营

① 当然，这一结论不会被以下事实推翻，即正如最近合并英国铁路公司的法案所表明的，国家**可以促进**某一产业内管理单位的扩大，而将该产业仍然留在私人手中。

② 《公用事业的市政经营和私人经营》，第 1 卷，第 23 页。

活动已变为日常工作、大胆的冒险几乎没有什么施展余地的产业中，最为充分，在那些与其他私营产业激烈竞争、正常经营单位的规模迥异于现有政府机构的管辖范围的产业中，则不那么充分。我们不能一般地确定某一垄断性产业是应该公营还是应该实行政府管制。在对这两种可供选择的方法作出决定之前，必须对该产业进行仔细的调查，并且应该公正地评估有关政府机构的能力，公正地评估新任务对该机构履行原来非商业职责的效率可能产生的影响。

第 15 节

如果根据以上考虑或其他考虑，决定政府机构应该接管某一已经存在的、由私人经营的企业，那就必须确定这样做的条件。为简单起见，让我们假设条件是，在公营之下，技术性生产效率保持不变。之所以要实行公营，是因为，不实行公营，垄断性或半垄断性企业便会损害公众利益，抬高价格，从而阻碍受其控制的产业的发展。如果在这种情况下，一政府机构**按市场价值**收购了该企业，它就得为其服务收取与私人企业相同的价格，否则它经营该企业就会亏本。换言之，假如它按市场价值收购该企业，业主也就使公众**购买了**索取垄断价格的权利；因为市场价值当然在某种程度上是人们相信业主拥有这种权利的结果。所以，很自然地，支付的价格不应该是实际的市场价值，而应该是消除了这种有害于社会的权利后的市场价值。但在这里，上一章末尾阐述的那些因素使我们踌躇不前。为了照顾那些最近以现有高价购买该企业股票的人的利益，似乎必须作出某种让步。到底应该作出多大的让步，当然不能一般地予以规定。在每一具体事例中，都得详尽考察所有的相关因素，其中包括已经造成的“合法预期”，在此基础之上，必须运用常识来提出“合理的”妥协方案。确定了购买价格后，一般说来当然是以发行具有固定利息的国债、市政债券或“政府机构”（例如伦敦港务局）债券的方式，而不是以实际转让现金的方式付款。

第 16 节

收购价格这个问题把我们引向了一个很重要的因素，讨论完这个因素，本编也就可以结束了。乍看起来似乎是，如果公众必须为收购一家垄断企业支付全部市场价值，而该企业能为其产品索要极高的价格，便不会给国家带来利益。垄断者只不过是一次得到了全部收入，否则他将以年收益的方式得到收入。不过，这种看问题的方式是错误的。垄断的祸害不仅仅是，也主要不是，它使一些人能掠夺另一些人，而是它阻止资源作这样一种投资，在这种投资中，社会净边际产品的价值要大于在其他投资中的价值，从而减少国民所得。取消这种垄断会增加国民所得的数量，增加国民福利，尽管要取消这种垄断，社会中的一部分人得向另一部分人支付罚金。由于这一原因，最好是由政府支付垄断者索要的赎金，注销一部分购买价格，然后经营该企业，使其在无需索要赎金的情况下产生正常收益，而不是听任私人垄断者继续索要极高的价格，阻碍生产，阻止资源流入该企业。的确，如果这么做，政府就得向公众借入购买价格，然后征税支付利息，所征收的税款数额大致等于垄断者强取的数额。然而，我们可以假设，课征的税是直接税，即使是间接税，也会分配在各种商品之上，从而不会像垄断者的强取那

样，那么严重地使产业努力偏离其正常轨道。当然，那些不得不代表公众利益进行谈判的人，不要由于这一因素而过于屈从有利害关系的卖主的压力。尽管如此，这个因素仍很重要。当垄断企业新股东的既得利益，使政府不愿意运用管制政策把价格压低至适当水平时，也就有非常充足的理由实施收购政策。收购之后，结果自然是，政府亲自经营该企业。即使由于某种原因，政府不愿意经营该企业，宁愿把它出售或租给私人，自己承担金钱上的损失，但制定出适当的价格水平，政府还是消除了垄断企业限制产量这一祸害，间接地促进了国民所得的增加。